KB131971

악의 마음을 읽는 자들
2

악의 마음을 읽는 자들 2

설이나 대본집

21세기북스

일러두기

1. 이 책은 설이나 작가의 드라마 대본 집필 형식을 존중해 최대한 원본에 따랐습니다.
2. 드라마 대사는 글말이 아닌 입말임을 감안하여 한글맞춤법에서 벗어난 표현도 그대로 살렸습니다. 그 외 지문은 한글맞춤법을 최대한 따랐습니다.
3. 이 책은 작가의 최종 대본으로 방송되지 않은 부분이 포함되어 있습니다.

차 례

작가의 말

「악의 마음을 읽는 자들」은 장르물이라는 외피를 피해갈 수 없는 소재를 다루고 있지만, 이를 통해 인간의 마음에 관한 이야기를 하고 싶었습니다. 어쩌면 우리가 '인간적' 혹은 '사람다운'이라고 표현하는 그 반대편에 있는 범죄자들을 보여줌으로써, 오히려 인간적이고 사람답기에 너무나 사소하고 당연했던 마음들을 한 번쯤 꺼내 돌볼 수 있지 않을까 생각했습니다. 실화를 바탕으로 하는 이야기니만큼 범죄자들에게 서사를 부여하거나 미화하지 말자고 다짐했고, 그럼에도 그들의 마음을 들여다보는 과정에서 부득이 언급되는 어떤 지점들은 최소화하려고 노력했습니다. 시청자의 시선을 끄는 것은 중요했지만, 우선은 아니었으니까요.

자극적이거나 혹은 표면적인 어떤 내용에 치우친 단순 재미나 화제성 이야기로 소비되지 않고, 등장인물을 통해 그들의 마음을 함께 들여다보며 우리가 삶에서 누군가와 나누는 작은 관심과 위로가 얼마나 중요한지 잠시나마 떠올릴 수 있으면 좋겠다는 바람이 있었습니다. 때문에 「악의 마음을 읽는 자들」은 자극적인 범죄 행위가 중심이 되지 않는 드라마로 만들고 싶었습니다. 사건을 바라보는 프로파일러와 형사, 피해자와 유가족, 그리고 그들의 이웃으로서 저마다의 감정이 중심이 되도록 쓰고 싶었습니다. 이렇게 말하고 보니 무척 거창하네요. 하지만 이런 고민이 시청자의 마음에도 잘 전달이 되어 닿았던 것 같습니다. 그 마음을 알아봐 주셔서 감사합니다. 드라마 「악의 마음을 읽는 자들」을 사랑해주셔서 감사합니다.

대본집을 내겠다고 결심하기까지 큰 용기가 필요했습니다. 저의 부족함을 맞닥뜨릴 자신이 없었기 때문입니다. 그럼에도 막상 결정하고 나니 대본집이 방송과 어떤 차별점이 있어야 할까 고민이 됐고, 작업하는 과정에서 바뀐 부분들을 비교할 수 있도록 수정 · 추가된 씬들을 따로 보여주면 시청자로서 방송과 비교해보는 재미도 있지 않을까 생각했습니다.

하여 저의 개인적인 부끄러움은 잠시 접어두기로 했습니다. 부족함이 드러날수록 대본 작업에 반복되는 수정 과정이 왜 필요한지부터 한 편의 드라마가 완성되기까지 많은 이의 노고가 들어간다는 사실까지 좀 더 현실적으로 전달할 수 있겠다고 생각했으니까요.
그렇게 씬들이 어떻게 수정되고 바뀌었는지 일부를 따로 짚었습니다. 물론 다 담지는 못했습니다. 수정하는 과정에서 대사가 더 심플하게 바뀌기도 했고, 작은 디테일들이 반영되거나 빠지기도 했지만, 일일이 다 보여드릴 수는 없었기에 그런 건 그런대로 두었습니다. 수정된 모든 부분을 설명하고 담을 수는 없지만, 그중 일부라도 비교해보면서 드라마가 끝난 시점에 또 다른 재미를 찾을 수 있길 바랍니다.

이 글을 쓰는 지금도 저는 여전히 부끄럽습니다. 작품 앞에 자신감보다 자괴감이 늘 더 앞서지만, 이런 감정을 동력 삼아 발전하는 작가가 되겠습니다. 다시 한번 드라마 「악의 마음을 읽는 자들」을 사랑해주신 여러분께 진심으로 감사드립니다.

설이나 드림

기획 의도

인간은 누구나 어린 시절의 일탈과 실수를 경험한다.
그러나 모두가 범죄자가 되지는 않는다.

흔히들 천사와 악마는 한 끗 차이라고 했다.
그렇다면, 평범하고 당연한 일상을 사는 대부분의 마음과
살인이라는 극악한 범죄를 저지르는 악의 마음은 어디에서부터 엇갈린 것
일까. 무엇이 그들을 그토록 악하게 만들었을까.
이 드라마는 그런 원초적 질문에서 시작한다.

인간의 마음을 들여다본다는 건 어떤 것일까.

열 길 물속보다 알기 어려운 것이 사람의 마음이라고 했다.
그런데 그 알기 어려운 일을 하는 사람들이 있다.
해야만 하는 사람들이 있다.
하물며, 다른 누구도 아닌 '범죄자'의 마음을 읽어야 하는 사람들.
때로는 그 많은 범죄자 중에서도,
악의 정점에 선 연쇄살인범들의 마음을 읽기 위해 고군분투하는 사람들.
그들이 바로 '프로파일러'다.

연쇄살인범을 다룬 이야기가 아닌,
연쇄살인범을 '쫓는' 사람들의 이야기.

이 드라마는 프로파일링이라는 말조차 생경하던 시절,

사이코패스의 개념조차 없던 시절,
유영철, 정남규, 강호순 같은 대한민국을 공포에 빠뜨렸던
극악한 범죄자가 연이어 등장했던 바로 그 시절.
차마 인간이라 부를 수 없는 악마들을 쫓으려
그들의 마음속을 치열하게 들여다봐야만 했던
프로파일러의 이야기를 그린다.

주인공 하영의 시선을 통해 그들이 우리와 어떻게 다른지,
우리가 그들과 왜 다른지를 함께 알아가게 될 것이다.

어지러운 세상의 드라마보다 더 드라마 같은 현실 속에서
우리가 악마와 다를 수 있는 건,
어쩌면 인간의 마음을 어루만질 수 있다는 데 있을지 모른다.

마음을 어루만지는 일이 얼마나 고귀하고 중요한 것인지를
다시금 생각할 수 있길.
더해, 자신의 마음까지 보듬을 수 있는 존재가 되길.

2000년대 이후 대한민국 과학수사의 발달로 연쇄 살인 범죄가 초기에 차단되고 체포되고 있지만 해마다 강력 범죄로 사망하는 피해자는 여전히 수백여 명에 이릅니다.

잔인한 범죄로 희생당한 피해자들의 명복을 빌며, 이로 인해 고통받은 유가족 모두에게 깊은 위로의 말씀을 드립니다.

범죄로부터 안전하게 보호받는 사회, 범죄에서 가장 소외되는 피해자와 유가족에게 관심을 기울이는 사회가 되길 바랍니다.

서울지방경찰청 소속

범죄행동분석팀

범죄행동분석팀장 국영수–범죄행동분석관 송하영–통계분석관 정우주

송하영

모르는 사람들은 하영을 찔러도 피 한 방울 안 날 놈이라고 혀를 내두르지만, 하영은 감정이 없는 게 아니라 누구보다 인간을 깊이 들여다보는 인물이다. 몇 단계는 더 섬세한 시선으로 타인의 내면을 들여다보기 때문에 그의 감정은 겉으로 드러나는 대신 자신의 내면에 차곡차곡 쌓인다. 하영이 남들과 다르게 보이는 이유다. 어린 시절 물속에서 불어 터진 시신을 처음 보았을 때도 하영은 공포가 아닌 연민을 느꼈다. 6살 어린아이가 겪은 엄청난 트라우마라고, 이 아이가 무뎌진 이유가 그 때문이라고 모두가 염려했지만, 사실 그런 걱정은 일련의 손쉬운 감정에 익숙해진 어른들의 기우일 뿐이었다. 하영에게는 '물속에서 얼마나 무섭고 외로웠을까' 하는 감정의 파장이 먼저 닿았으니까. 형사가 되어서도 그런 마음은 바뀌지 않았다. 하영은 언제나 피해자와 유가족을 가장 먼저 찾고, 가장 마지막까지 챙겼다.

'좋은 범죄수사관이 좋은 프로파일러가 된다.' 영수가 범죄행동분석관의 적임자를 찾기 위해 세워둔 지론이었다. 하영은 그 지론에 딱 맞는 인물이었다. 누구보다 공감 능력이 뛰어나고, 숲과 나무를 동시에 보는 형사. 더해 인간에 대한 애정을 놓지 않으면서도 냉정함까지 유지할 수 있는 형사였으니까. 영수의 안목은 정확했다. 하영은 범죄자의 마음속으로 들어가 그들의 심리를 꿰뚫을 수 있는 유일무이한 인물이었고, 이를 위한 '그 화(化) 되기'에 빠르게 적응했다.

다만… 간과하고 있는 것이 있었다. 비록 다른 이들의 마음을 들여다보긴 하나 정작 자신의 마음은 돌보지 않는 무심함 같은, 별일 아닌 듯한 하영의 작은 트라우마가 어느 날 엄청난 폭풍을 몰고 올 것이라는 사실을 말이다.

국영수

위계질서 강한 보수적 경찰 공무원들 사이에서도 권위와 격식과 계급주의 같은 편견에 휘둘리지 않고, 진정한 권위가 무엇인지 몸소 보여주는 감식반의 대부 같은 존재. 덕분에 동료들에게 인기도 많은 그는 진작부터 범죄심리 분석의 필요성을 깨닫고 오랜 전략 끝에 하영을 발탁해 범죄행동분석팀을 만드는 데 성공한다. '빌딩이 높아질수록 그림자가 길어진다'는 그 옛날 수사반장의 선견지명을 떠올리며 한국에서도 동기가 없는 연쇄살인 범죄가 일어날 것으로 예측했지만, 그럴 때마다 영수는 눈앞에 놓인 단서나 찾으라는 핀잔만 들었다. 어쩌면 당연한 반응이었다. 불길한 예측이 곧 다가올 현실이 될 거라는 건 누구도 상상 못 했으니까. 급하게 만들어진 범죄행동분석팀의 활약이 절실하게 필요해질 거라는 사실을 그땐 아무도 몰랐으니까.
불길한 예감은 틀린 적이 없다고…. 모든 상황이 영수의 생각대로 흘러갔다. 불행인지 다행인지 대한민국에도 동기 없는 끔찍한 연쇄살인범이 연이어 등장하면서 마침내 범죄행동분석팀의 필요성이 대두되기 시작한 것이다.

정우주

경찰이 보유한 범죄 관련 정보와 함께 지리적 정보, 인구 통계학적 정보 등의 다양한 사건 자료를 데이터화하고 분석한다고 하는데…. 사실은 그냥 처음부터 끝까지, 사무실에서 할 수 있는 모든 일을 한다. 그럼에도 불평 한번 하지 않고, 일 처리마저 빠르고 정확해 범죄행동분석팀의 복덩이라며 영수의 신뢰를 한 몸에 받는 인물. 의외로 천재적인 구석도 있어 한 번씩 생각 없이 내뱉는 우주의 의견이 사건의 실마리를 푸는 데 빛을 발하기도 한다. 아, 그림 솜씨도 수준급이다.

기동수사대(>광역수사대) 강력1팀

형사과장 백준식—기수대장 허길표—팀장 윤태구—경장 남일영

윤태구

잡는 사람, 잡히는 사람 할 것 없이 지천이 수컷인 바닥에서 태구를 처음 맞닥뜨린 사람들은 하나같이 믿을 수 없다는 듯 의심스러운 표정을 짓는다. 하지만 아는 사람은 다 안다. 웬만한 남자 형사들 저리 가라 할 능력자라는 걸. 강단 있고, 날카롭고, 이성적이다. 그런 성정이 태구를 강력반 형사로 이끌었다. 언뜻 삐딱하고 전투적으로 보이지만 누구보다 예리하며 절제할 수 있을 때 만들어지는 카리스마를 잔뜩 뿜어내는 기수대의 기둥. 하영과는 자주 부딪히지만, 은근히 그의 단단함을 신뢰한다. 다혈질들 난무하는 경찰청에서 언제나 중심을 잃지 않고 사건과 사람을 바라보는 인물.
솔직히 범죄자들을 마주하는 것보다 여자이기에 겪어야 했던 수많은 견제와 편견을 마주하는 게 더 힘겨웠다. 그런 보수적인 사회와 조직 생활을 무수히 견디고 버티며 태구는 기수대 강력팀장 자리에까지 올랐다. 그럼에도 여전히 거추장스러운 긴 머린 왜 안 자르느냐고, 다들 훈수 두듯 묻는다. 하지만 애초 답을 원하지 않는 질문이라는 걸 알기에 태구는 굳이 설명하지 않는다. 피해자와 그 가족들의 심정에 비하면 내 몸에 거추장스러움 따위는 아무것도 아니라는 것이, 그들의 마음을 이해하기 위해서라도 아무것도 아닌 성가심 하나쯤은 지녀야 이 일을 놓지 않을 것 같다는 것이, 태구의 마음이자 이유다.

남일영

눈치 빠르고, 행동력은 더 빠른 그야말로 딱 현장 체질의 형사. 다만 가끔 생각보다 말이 앞서는 바람에 태구에게 핀잔을 듣기도 한다. 그럼에도 태구를 존경하고 따르는 인물. 기수대 에이스라 불리는 태구와 함께 일하며 형사로서 자부심도 있다. 직접 발로 뛰는 것이 더 익숙한 전형적인 현장 체질이다 보니, 처음에는 여느 형사들처럼 범죄행동분석팀을 받아들이기 어려워했지만, 함께 사건을 수사해 나가며 그들의 능력을 인정하고, 진심을 이해한다.

허길표

하필이면 학연, 지연, 후천적(?) 혈연관계까지 얽히는 바람에 매번 자신을 졸졸 따라다니며 말도 안 되는 부탁으로 졸라대는 국영수가 귀찮아 죽겠지만, 그럼에도 길표는 알고 있다. 영수의 말이 하나도 틀리지 않다는 사실을. 영수가 통찰력을 가진 후배라면, 길표는 그 통찰력을 가늠하는 선구안을 지닌 선배다. 그래서 늘 범죄행동분석팀의 의견에 힘을 실어주고 싶어 한다. 상대에게 던지는 짜증 섞인 말투에조차 애정을 듬뿍 담기에 누구도 그 마음을 오해하지 않는다. 영수와 만나기만 하면 툴툴대는 것도 그래서다. 좋은 사람 곁에는 좋은 사람들이 따른다는 사실은 길표를 보면 알 수 있다.

백준식

비록 범죄행동분석팀이 임시방편으로 만들어지긴 했으나, 그 또한 준식에겐 기회일 뿐이었다. 남들이 근본 없는 팀이라고 떠들든 말든 준식은 범죄행동분석팀이 와해할 위기에 처할 때마다 뒤에서 물심양면 유지를 위해 힘썼다. 그가 이렇게 노력하는 이유는 하나다. 수사에 도움이 된다고 여기기 때문. 사건의 빠른 해결을 위해서는 기수대와 분석팀의 서로 다른 방식이 균형을 이뤄야 한다는 게 그의 판단이다. 의리 있고, 정도 많고, 책임감까지 강한 듬직한 상사로서 상황에 따라 정석을 뒤집고 판을 엎을 줄 아는 배짱도 지녔다.

/그 외

최윤지

이름보다 '최 기자'로 더 많이 불리는 온라인 매체《팩트 투데이》기자. 일 때문에 범죄와 가까이 닿아 있지만, 때로는 사건보다 자극적 이슈만 조명하는 일부 언론의 행태에 더 화가 나고 힘들다. 기자의 자존심은 매체의 인지도가 아닌, 글로 지키는 것이라고 생각하기 때문에 조회 수와 양심 사이에서 어떻게 하면 올바른 시각으로 사실을 전달할 수 있을까를 늘 고민하는 인물. 사

교성 좋고, 털털한 성격이지만 일에 관해서 만큼은 꼼꼼하고 진지해서 맨땅에 헤딩하며 부딪히는 걸 대수롭지 않게 여긴다.

박영신

결혼 후 얼마 안 돼 교통사고로 남편을 잃었다. 남편을 잃은 날, 하영을 얻었다. 슬픔이나 한탄 같은 감정에 기댈 겨를도 없이 영신은 꿋꿋하게 하영을 키워냈다. 혼자서 아이를 키우는 세월이 힘겨웠을 법도 한데, 한 번도 남편을 원망하지 않았다. 종종 보고 싶고…. 이렇게 예쁘고 고운 하영을 보지 못한 채 먼저 떠나 안타까울 뿐이었다. 영신은 그렇게 단단한 여자다.
학창 시절을 보내면서도 친구 한번 놀러 온 적 없는 하영을 보며, 한없이 투명한 인간의 마음이 얼마나 외로울지 영신은 가늠할 수 없었지만, 늘 곁에서 하영을 지켜봐 왔기에 표현하지 않아도 그 외로움을 읽을 수는 있었다. 영신은 하영의 엄마니까. 그때마다 호들갑스럽지 않게, 단단하게, 그리고 따뜻한 시선으로 하영을 바라보며 말없이 응원했다. 곁에 있는 것만으로도 힘이 되어줄 수 있다는 걸 영신은 처음부터 알고 있었으니까. 하영 또한 자신에게 그런 존재였으니까. 하영이 온갖 나쁜 것들을 마주하는 경찰이 되겠다고 했을 때, 또 얼마나 외롭고 아플지 걱정이 앞섰음에도, 다른 사람들을 위해 기꺼이 등불을 들어 길을 밝히겠다는 말에 반기를 들 수 없었다. 그게 하영의 숙명이란 걸 영신은 알았다. 하영은 영신을 많이 닮았다.

용어 설명

씬	장면(Scene)을 표현하는 것. 같은 장소, 같은 시간 내에서 이뤄지는 일련의 행동이나 대사가 한 씬을 구성한다.
e	효과(Effect). 대사 · 음악을 제외한 효과음을 뜻하며, 보통 등장인물은 보이지 않고 소리만 나는 경우에 사용한다.
na	내레이션(Narration). 장면에 나타나지 않으면서 장면의 진행에 따라 그 내용이나 줄거리를 해설하는 일을 말한다.
OL	오버랩(Over-lap). 앞의 장면이 서서히 사라져가는 데 겹쳐서 다음 장면을 서서히 나오게 하여 점차 완전히 다음 장면이 되게 하는 기법을 말한다.
F.O	페이드 아웃(Fade out). 영상이 점차 어두워지다가 완전히 검정색으로 사라지는 장면 효과를 말한다.
ins	인서트(Insert)는 특정 동작이나 상황을 강조하기 위해 삽입한 화면이다. 인서트를 삽입함으로써 상황이 명확해지고 전체 장면을 더 생생하게 표현할 수 있다. 보통 클로즈업해 장면과 장면 사이에 끼워 넣는다.
cut to	가까운 공간 안에서 각도가 전환되는 것을 말한다.
몽타주	따로 촬영된 화면을 떼어 붙이면서 새로운 장면이나 내용을 만드는 기법을 말한다.

7화

1 ____ 호프집 앞 / 새벽

가게에서 나온 20대 남녀 무리. 찬 공기에 겉옷 한 번씩 움켜쥐고. 인사하며 헤어지는 모습들 비춰지다가 박소은(20대)이 혼자 방향을 틀어 집으로 향한다.

2 ____ 신흥2동 주택가 골목 + 빌라 입구 / 새벽

저만치 가로등 불빛 아래 걸어오는 박소은. 가로등 앞을 지나면서 자동차 뒤로 언뜻 사람 형체의 그림자가 비치는데, 그림자 못 본 채 그대로 걸어가고. '잘 들어갔어?' 하는 친구 문자에 '집 앞~' 하는 답을 보내며 빌라 입구로 들어서는 모습에서.

3 ____ 박소은의 빌라 / 새벽

박소은, 203호 현관 앞에서 열쇠로 문을 여는 중인데.
계단을 오르는 발소리에 돌아보면… 박소은을 보며 씨-익 웃고 있는 남기태!
그 순간, (칼에 찔려 푹-) '읍!' 하는 박소연의 일그러진 표정에서 작은 신음 터진다!! (→ 둘의 눈이 마주치는 것을 중심으로, 칼로 찌르는 모습은 안 보였으면)

4 ___ 신흥2동 주택가 골목 / 새벽

빌라에서 나와 골목을 빠르게 달려 저 멀리 사라지는, 낡은 점퍼 추리닝 차림의 (얇은 라텍스 장갑 낀) 남기태의 모습이 가로등 불빛에 환하게 비춰지는 데서!

타이틀, 악의 마음을 읽는 자들 7화

5 ___ 하영의 집 앞 / 이른 새벽

아파트 복도 저만치 현관을 나서며 외투 입고 출근하는 하영의 모습이 보이는데 평소와 다르게 손에 큼직한 서류 가방 들고 있다.

6 ___ 지하철 플랫폼 / 이른 새벽

계단을 내려오는 하영. 플랫폼에 멈춰 서면, 첫차를 기다리는 사람 대부분 손과 등에 작은 배낭 하나씩 지고 있는 나이 지긋한 중

장년들이고. 출근인지 퇴근인지 알 수 없는 피곤한 기색으로 서 있다. 그 분위기가 낯선 듯 잠시 둘러보는 하영인데. 첫차 들어오는 소리에 사람들 열차로 바짝 다가서고. 열차 문 열리면, 하영도 올라타는.

7____ 1호선 부영역 앞 / 이른 새벽

발걸음 가볍게 역사 계단을 올라 나오는 남기태. 장갑 벗은 손, 점퍼 걸쳐 입고, 운동화 뒤축 구겨 신어 맨발에 갈라진 뒤꿈치 훤히 드러났는데도 추운 줄 모르게 걷고.

8____ 달리는 지하철 / 이른 새벽

앉아 있는 하영의 모습이 창밖으로 빠르게 나타났다 사라졌다 하는데, 표정이 어둡다.

9____ 주택가 골목 / 이른 새벽

태연하게 걷는 남기태. 어느 집 문 앞에 놓인 우유 주머니 발견하고, 아무렇지 않게 꺼내 들더니 걸으며 벌컥벌컥 마신다. 다 마신 우유갑 길바닥에 휙 던지고. 남기태가 다시 집집마다 문 앞에 놓인 신문들[1] 확인하며 수거하듯 챙기는 손에서 오버랩.

10 ___ 분석팀 / 이른 아침

문 앞에 배달된 신문들(2월 12일 자) 집어 드는 하영. 아직 어둑한 사무실로 들어서며 언제나처럼 불을 켜고, 서류 가방을 책상에, 신문들 테이블에 나란히 올려두고, 잠시 창문을 연 후, 전기난로 켠다. 2월 달력 '11일' 숫자에 빨간 펜으로 ×자 긋는 하영. (→ 이전 날짜들에도 모두 빨간 ×자 그어져 있고) 이어 책상에 앉아 외투 벗어두고, 가방 속 자료 꺼내 놓으며 모니터에 일일 보고서부터 열어 확인하는 데서.

11 ___ 남기태의 방 / 이른 아침

이부자리 그대로 펼쳐진, 정리되지 않은 좁고 어수선한 방. 문을 열고 들어선 남기태가 잔뜩 수거해온 신문들은 방바닥에 툭 던져놓더니, 주머니에서 피가 덜 닦인 장갑과 레저용 칼은 꺼내 서랍에 반듯하게 넣어둔다. 피곤한 듯 이불에 털썩 드러눕는 남기태. 발에 신문들 닿아 걸리적거리자 발끝으로 쓱 밀어두고 금세 잠드는 모습에서.

---

1 2004년 2월 12일 목요일 자.

12 ___ 분석팀 / 아침

영수와 우주, 나란히 출근하고. 우주, 추운 듯 손 비비며 들어오다가.

우주 (사무실 따뜻한 공기에) 어? 따뜻하네. 일찍 오셨나 봐요.

하영 네.

우주 (앉으며) 송 경위님 제가 지난주 정월 대보름에 보름달 보면서 소원을 하나 빌었거든요.

영수/하영 (난데없이 소원? 하며, 무슨 소린가 싶어 보는)

우주 분석팀 온 지 4년이나 됐는데, 올해는 송 경위님이 말 좀 놓으시면 좋겠다. 하고요.

영수 (웃으며) 뭔 생뚱맞은 소원 타령인가 했네. 자그마치 '우주'의 소원인데 좀 들어줘라.

우주 (썰렁) 아… 다시 추워지네…

하영 (망설이다가 쉽게) 그러지 뭐.

우주 (!, 기분이 좋아지고) 와- 이렇게 쉬울 줄 알았으면 진즉에 얘기할 걸.

하영 (모니터 보며 건조하게 농담 던지는) 그니까. 나도 4년이나 기다렸는데.

우주 (마냥 좋은지 웃으면)

영수 (섭섭) 농담 감별사야? 내 말엔 안 웃고, 얘가 말하는 건 하나도 안 웃긴데 (웃고).

하영 (표정 안 바뀌고) 우주는 그저 정직하게 반응하고 있을 뿐입니다.

우주 (또 웃으며) 맞아요.

영수 (그 말에 도리질) 와- 애들이 왜 이렇게 팍팍해졌냐.

아침부터 화기애애한 분위기고.

영수　(일일 보고서 확인하는 하영 보며 으레 질문하는) 오늘도 비슷한 패턴 보고서는 없어?

하영　(무거운 표정이 찰나 스치고)… 네. (하며, 보고 있던 모니터에 /'동작경찰서'에서 올라온 〈신홍2동 폭력 사건〉[2] 보고서만 잠시 비추고)

하영의 표정에 언제 화기애애했냐는 듯 잠시 무거워진 분위기.
영수와 우주, 하영의 마음을 아는 듯 그저 보는.

우주　(달력에 시선 향하며) 멈춘 거면 좋겠어요

영수　(벽에 붙은 구영춘의 공개수배 전단 보며) 저놈이 뭘 하고 있든, 우린 하던 대로 우리 일을 하면 돼.

13 ＿ 기수대 사무실 / 아침

하영이 작성한 프로파일링 보고서를 다시 보는 태구.

봉식　(못마땅한) 그건 뭐 한다고 들여다보냐?

태구　(한숨 길게) 다시 보면 뭐라도 있을까 하고요.

봉식　있긴 개코가 있어. (짜증스럽게 일어서 나가며) 송하영이 그 새끼 말 들었다가 경찰 무능하네 뭐네 욕만 진탕 먹었지 잡기는커녕 꽁꽁 숨어버렸는데. (나가는데)

2　〈신홍2동 폭력 사건〉 아래 '2004. 2. 12. 목. 02:30분경 신홍2동 주택가 빌라 2층 현관 앞에서 귀가 중인 피해자를 쫓아가 가슴, 복부 등을 수 회 찌름. 피해자는 중상'.

일영 (봉식 향해) 어디 가세요.

봉식 (질문이 성가신) 알 거 없어. (나가버리고)

태구/일영 (못 말린다는 표정이고)

일영 (답답한) 시간은 가는데 이 새끼- 어디서 뭘 하는지 당최 모르겠고. (한숨) 이러다 미제로 남는 건 아니-(하는데)

태구 (발끈) 사건 접니, 우리가?

일영 아… 그런 뜻은 아니고…

태구 답답한 마음 알겠는데 그럴수록 더 집중해야지.

일영 … 그쵸… 그래도 한 번씩 생각하면 열이 뻗치니까… 잘 안 돼요… 제보 전화만 확인하러 다니는데 전부 허탕이고. (프로파일링 보고서 보며) 그 내용들 뜬구름 같긴 한데, 여태 단서도 하나 안 나오니까 전 그거에라도 기대고 싶은 마음이에요.

태구 (부정 안 하고 진지하게 보고서 보는)

일영 조현길 사건 때 성향, 연령, 콤플렉스까지 맞췄던 거 생각하면… (다시 제 할 일 하고)

태구 (한참을 보다가 보고서 내용 읊는) '반사회성, 공격 성향이 강한 장애 중점 확인…'

일영 (돌아보며) 강력범 전과자 중에 정신과 진료 기록 있는 놈들 확인했잖아요.

태구 음… 지속적으로 치료받지 않았을 수도 있다고 했으니까…

일영 그럼… 한 5년 전 진료 기록부터 다시 뒤져볼까요?

태구 (고민하는 듯) 그러자.

14 ___ 분석팀 / 낮

칠판에 '3차 법의감식연구회: 리처드 체이스(Richard Trenton

Chase)' 적고 있는 하영. 영수는 회의 테이블에 앉아 리처드 체이서 자료들 묶음마다 호치키스 박고 있다. 테이블 한쪽에는 신문들과 『Practical Homicide Investigation: Checklist and Field Guide』 적힌 책 놓여 있고.

우주 (12시 안 된 시간 보며) 어차피 점심 먹어야 하니까 얼른 김밥이라도 사 올게요.

하영 내가 다녀올게. 그동안 자료라도 미리 보고 있어. (하고 나가려는데)

우주 에이- 기본 정보는 이미 입력 끝냈죠. (외운 듯) 본명은 리처드 트랜튼 체이스. 1950년 4월 출생 1980년 12월 사망. 일명 새크라멘토의 뱀파이어. 캘리포니아주 새크라멘토에서 22구경 권총으로 주민들을 살해하고, 이후 주거지에 침입하며 잔혹하게 살인을 저지른 뒤 시체 훼손 및 식인을 한 것으로 악명이 높다.

영수/하영 (감탄하는)

영수 역시 엘리트다.

우주 (으쓱) 이 정돈 기본이죠. 다녀올게요. (나가려는데)

양복 입은 교수 2명과, 인탁이 사무실 들어서고. 얼결에 마주쳐 인사부터 하는 우주.

영수 어? 다들 일찍 오셨네. 인사하고 가 우주야. (교수들에게 소개하는) 이 친구가 오늘부터 우리 법의감식연구회에 함께할 정우주 통계분석관이에요.

교수들 아- 반가워요.

영수 오 계장(인탁)은 알고, 여기 두 분은 한민대 의대 법의학 교수이자 현 국립과학수사연구원 촉탁법의관 함영규(45세) 교수님, 안진덕

(41세) 교수님.

우주 (예의 갖춰) 처음 뵙겠습니다. 이번 사건 겪으면서 저도 좀 더 공부해야겠다는 생각이 들어서 참여하게 됐습니다.

함영규 기특하네.

우주 (멋쩍은) 전 잠깐 커피랑 간단히 요기할 점심 좀 사 오겠습니다.

영수 다녀와. 우주 오면 시작하죠.

우주 나가면 다들 자리 잡고 앉고, 하영은 준비된 스터디 자료 나눠주는.

함영규 (인탁에게) 부유층 노인 연쇄살인범, 둔기는 아직도 특정이 안 된 거지?

인탁 (머리 아픈 듯 한숨) 네.

안진덕 타격 시에 남는 삼각형 상흔이 대체 뭘까.

인탁 둔기라 할 만한 건 다 찾아보고 있는데 영- 안 나와요.

함영규 표피박탈, 피하출혈, 좌열창[3], 함몰 깊이로 보면 가벼운 도구는 아니야.

하영 (어느새 앉은) 타격감을 고려하면 쇠망치 정도로 추정할 수 있는데, 그런 것들 대부분 뾰족하거나 동그란 형탭니다. 들고 다니기엔 손잡이가 길어서 휴대도 불편하고요.

인탁 전 그래서 국 팀장님 추측이 진짜일까 봐 자꾸 불안해요.

영수 범인이 직접 만들었다는 거?

인탁 네. 진짜면 찾을 길이 없잖아요.

일동 (그 말에 잠시 침묵이 흐르고)

---

3 둔기로 가격을 받거나 둔체에 부딪혀 피부가 찢어지는 손상.

하영 살인에 이렇게까지 정성을 들이는 놈은 처음 겪어요.

영수 (한숨) 이보다 더한 놈이 있을까. (하는 데서)

15 ___ 박소은의 빌라 / 낮

빌라 앞에 다시 도착해 있는 남기태. 아무 일 없었던 듯 고요한 골목을 의아해하며 주위 두리번대는데. 장바구니 들고 지나던 주민들이 박소은의 집 2층을 올려다보며 "저 집 아가씨 괜찮대?" "아휴, 죽었으면 어쩔 뻔했어." 대화 나눈다.

남기태 (자기도 모르게 따라가 어눌하게 묻는) 저 집… 무슨 일 있어요?

주민1 (기습 질문에 잠시 놀랐다가) 간밤에 (가리키며) 저 집 2층 아가씨 죽을 뻔했대요. 천만다행이지. 모르는 놈이 문 앞까지 따라와서 칼로 찔렀다는데 큰-일 날 뻔했어.

하는데, 남기태가 주민1의 말이 끝나기도 전에 돌아서며 표정을 구긴다.

남기태 … 안 죽었어?… 안 죽었다고?… (연신 중얼거리며 가는)

15-1 _ 거리 일각 / 낮

2층에 당구장이 보이는 상가. 우주, 손에 김밥과 커피 잔뜩 들고 나오는데. 당구장으로 올라가려던 봉식과 마주친다.

봉식　(우주 보며) 뭘 이렇게 잔뜩 샀어? 분석팀 파티라도 열렸어?

우주　(으레 인사만) 안녕하세요.

봉식　(캐리어에 담긴 커피 하나 뽑아서 한 입 마시는데)

우주　어?

봉식　왜, 나 하나 마시면 안 돼?

우주　아녜요. 그거 드세요. (다시 카페 갈 기세로) 하나 더 사면 돼요. (하는데)

봉식　(한입만 먹은 커피 다시 캐리어에 꼽는) 맛없다 야.

우주　(인상 쓰고) 그래도 가져가세요. 다시 꼽으시면 어떡해요. 누가 마시라고.

봉식　내 입이 더럽냐? 사내새끼가 깔끔 떨긴. (하며 올라가는데)

우주　(작게) 아이 씨…

봉식　(올라가다 말고 다시 우주 돌아보며) 정우주 통계분석관!

우주　(들었나 싶어 움찔)

봉식　나 여기서 본 건 (쉿 하는 시늉) 비밀이다. (하고 다시 가는)

그 말에 한심한 듯 고개 저으며 다시 카페로 들어가는 우주.

16 ___ 분석팀 / 낮 (씬14에 이어)

우주　(테이크아웃 커피와 포장 김밥을 테이블에 펼쳐두면)

하영　오늘 연구할 리처드 체이스 역시 어린 시절에 부모의 학대를 경험했고, 많은 연쇄살인범이 공통적으로 가지는 야뇨증과 방화, 동물 학대의 전력이 있습니다.

영수　애고 어른이고 할 거 없이 잔혹하게 살인을 저질렀고요.

인탁　(자료 보며) 태어난 지 일 년도 안 된 아기에… 중년 남성이랑 임산

부도 있네요.

함영규 원한 관계도 아닌데 이런 무차별적 살인이 행해지는 이유가 뭘까.

하영 이 유형들은 자신의 쾌감과 쾌락을 얻기 위해 살인을 행합니다.

안진덕 분노가 아니라 쾌락 때문에 살인을 한다고요?

영수 그게 가장 끔찍한 지점이에요. 살인이 낙이란 얘기거든.

우주 전에 심리적 냉각기 얘기할 때 비슷한 말씀 하신 적 있어요. 살인에서 얻은 만족감 때문에 절대 그 행위를 멈추지 못하고 오히려 더 큰 쾌감을 얻고자 강도를 더해간다.

영수 맞아.

인탁 그래서 훼손에 식인까지… 가는 거군요.

하영 그런 행위들은 성도착증 범죄 특징이기도 한데, 리처드 체이스는 쾌락살인과 더불어 성적살인으로 구분하기도 합니다.

함영규 성적살인이면 Sexual homicide?

하영 네. 우리가 아는 Sexual homicide 사례는 지난번 연구한 '테드 번디'[4]가 있었죠.

안진덕 시체 훼손 형태에 정형성이나 통일성은 없네요.

함영규 그냥 마구잡이식이네. 인체를 알고 공부한 흔적도 없고.

인탁 사건 현장도 정돈돼 있질 않아요. 증거를 숨기려고 노력한 행동이 하나도 안 보여요.

우주 그럼 리처드 체이스의 범행은 비체계적 살인이겠네요.

하영 (끄덕) 무작위로 살인했고, 계획적인 모습도 없고, 사건 현장마저도, 혼란스러운 범인의 상태를 확인할 수 있습니다. 게다가 조현병까지 있는 비체계적 살인의 전형이죠.

영수 의아한 건 1979년에 살인 혐의로 사형을 선고받았는데 1년 후에

---

4 Ted Bundy. 1970년대 30여 명의 여성을 살해한 미국의 연쇄살인마. 그의 범죄를 설명하기 위해 FBI 행동과학부가 '연쇄살인'이라는 용어를 처음 사용함.

교도소에서 자살해요.

일동 (??, 놀라며) 왜? / 왜요?

영수 정확한 이유야 알 수 없지만… 정신질환을 앓고 있어서 항우울제와 환각제를 복용했는데, 그걸 모아뒀다가 한 번에 먹었어요.

인탁 설마 살인을 못 해서 자살한 건 아니겠죠?

우주 (헐!) 설마요…

하영 … 아니라고도 장담할 순 없습니다. 명확한 이유는… 본인만이 알겠죠.

인탁 (착잡한) 당최 무슨 마음인지 시작(범행)부터 끝까지(자살) 하나도 알 수가 없네.

영수 그런 놈들 속 좀 파악해보자고 시작한 스터디인데… 알면 알수록 그 속을 모르겠어.

일동 (씁쓸한)

17___국립정신병원 앞 / 낮

진료 기록 명단을 손에 들고 건물을 나오는 태구와 일영의 모습 위로.

일영e 1999년부터 5년 치 정신장애 진료 기록 명단 좀 부탁드립니다.

18___당구장 / 낮

탕탕- 당구공 부딪히는 소리 들리고. 임무식과 봉식, 짜장면 먹으며 대화 중이다.

봉식 몸 근질거려서 기자실엔 어떻게 박혀 있냐? 시경 캡이 현장도 뛰고, 기사도 쓰고. (힐끗 보며) 의욕은 알겠는데 후배들한테 미움받는다.

임무식 (먹다가 웃는) 미움받는 건 형님이나 나나 굳은살 배긴 놈들인데. 별걸 다 걱정하슈. (봉식 보며) 그래서 해줄 거예요 말 거예요.

봉식 (잠시 체면 챙기는) 우리 연쇄살인범 새끼도 잡아야 되고, 기수대 바쁜 거 알지?

임무식 에이 또 왜 이러실까. 곽 사장도 감안하고 부탁한 거예요. (두툼한 돈 봉투 건네고)

봉식 (괜히 주변 의식하며 받아 챙기는)

임무식 아가씨들 실종됐다고 아무리 신고를 해도 신경을 안 써주는 눈치니까 이놈이 속이 타나 봐요. 걔네들이 지 재산인데. 자꾸 어디로 도둑맞는 느낌이래.

봉식 지랄. (하며 남은 양념 싹싹 돌려 먹다가 당구장으로 들어오는 누군가를 보는)

임무식 (당구장 들어서는 곽 사장 향해) 여기.

곽 사장 (봉식에게 깍듯이 인사하며 명함 건네고) 임 기자님께 얘기 많이 들었습니다, 김 계장님. 곽만현입니다.

봉식 (마땅찮게 명함 받고는 임무식에게) 뭐 인사까지 시키냐.

임무식 에이 그래도 형님 얼굴 한번은 봬야지.

곽 사장 부담 안 가지셔도 됩니다.

봉식 (내적 거리 두며) 하여튼 경찰청에선 행여라도 나 아는 척 마라.

임무식 아이구- 여태 안 한 아는 척을 갑자기 할까 봐서요?

봉식 (곽 사장 힐끗) 모르지. (다 먹은 듯 먼저 일어서고) 여태 형사 짓 하며 얻은 깨달음이 세상에 믿을 놈 없다는 거야.

임무식 (빈 그릇 챙기며) 연락 주세요.

봉식 (나가는데)

곽 사장 (봉식의 뒤에 또다시 깍듯이 인사하는)

19 ___ 분석팀 / 낮

회의가 끝나고 모두 해산하는 분위기고. 테이블에 김밥은 그대로인.

안진덕 하나도 안 먹었네.

인탁 미친놈들 얘기하다 보면 뭐가 입에 안 들어가요.

함영규 그니까.

영수 (허탈한 미소) 멀쩡한 인간들 마음은 이렇게 이해가 쉬운데.

"갈게. 수고들 해" "수고하세요" 서로 인사 나누고 교수들과 인탁, 사무실 나가는.

20 ___ 기수대 사무실 / 낮

강력범 명단과 1999년부터 최근(2004년 1월)까지의 정신장애 진료 기록 명단 하나하나 대조해보고 있는 태구와 일영.

길표 (들어오며) 오늘도 김봉식이는 안 보이는 걸 보니까 어디서 혼자만 바쁜가 보네.

일영/태구 (오셨어요, 인사하고)

길표 (도리질하며) 바쁜 게 아니라 혼자만 한가한 게 더 맞을라나. 또 사우나 갔어?

일영 (난처한)… 요즘은 사우나 안 다니세요.

길표 (봉식 빈자리 보며) 그럼 당구장이겠지 뭐. (태구에 시선) 뭐야 그건?

태구 정신장애 진료 기록 명단이요. 진료 기록 있는 강력범 전과자들 확인해보려고요.

길표 전에 확인하지 않았어?

일영 그땐 최근 기록이었고, 혹시 몰라서 5년 전 진료 기록부터 다시 보고 있어요.

길표 (알아듣고) 프로파일링 보고서 때문에?

태구 (네) 신경은 쓰이네요.

길표 그래… 수고해. (나가려다가) 송 경위 아직도 매일 부유층 노인 살해 현장 다녀?

태구 …

일영 (태구 대답 없자 대신 끄덕이고)

길표 가라는 놈(봉식)은 안 가고, 가지 말라는 놈은 매일같이 출근하고. 참… (하며 나가는)

21 ___ 분석팀 / 낮

길표, 사무실 들어서면, 하영과 우주, 일어서며 "오셨어요" "안녕하세요" 인사하는데. 길표, 낯선 듯 공간을 둘러보다가 벽면 가득 붙은 끔찍한 사진들 보며 흠칫.

길표 살인범 아지튼지, 살인범 잡는 덴지 분간은 돼야 않겠냐?

영수 (괜히 퉁명) 왜 오자마자 시비야.

길표 (하며 달력 보는) 저 시뻘건 표시는 또 뭐야?

영수 첫 번째 사건 발생 이후 오늘로 154일째.

하영 공개수배 이후로는 105일쨉니다.

우주 오늘 일일 보고서에도 의심 가는 사건 없었으니까… (하며, 달력 '12' 숫자에 × 긋는)

길표 (셋을 황당하게 보는) 가족들 생일은 챙기냐?

영수 그만하라는 소리 할 거면 가요.

길표 뭘 오자마자 문전박대야.

영수 기수대장이 굳이 여기까지 찾아오는 이유야 빤하지 뭐.

길표 자릴 깔아라 아주.

하영/우주 (끼지 않고 분위기 살피는)

영수 토끼굴에 지금 어마무시한 늑대 한 마리가 돌아다니고 있어요. 우린 그 늑대 잡을 때까지 절대 안 멈추니까 그렇게 알아요.

길표 으이구- 알았으니까 개봉식이랑 윤 팀장 눈에만 안 띄게 눈치껏 다녀.

영수 기수대장씩이나 돼서 아랫사람 눈치는 왜 그렇게 봐요?

길표 넌 애들 (하영, 우주 보며) 눈치 안 보냐?

영수 (본다…) 흐음-

길표 윤 팀장이야 그렇다 쳐도 개봉식이 그놈 성깔이 보통 지랄 맞아야지.

영수 성깔은 나도 안 질 자신 있는데? 숨겼던 성깔, 장전 좀 해야겠네.

길표 그 성깔로 서울청 형사들을 죄다 들쑤시니 하는 말이야. 적 많아서 좋을 거 있어?

하영 (듣다가 상관없다는 듯) 당장은 범행을 멈췄어도 언제고 다시 시작할 수 있습니다. 멈춘 게 아닐 수도 있고요-

길표 (OL) 그걸 모르는 게 아니-(야, 하려다가) 아우 골이야. 가야겠다. 어떻게 여기 오니까 머리가 더 아파.

우주 오셨는데 잠깐 차라도…

영수 (?, 그제야) 진짜 왜 온 건데?

길표 너 보고 싶어서 왔다 왜. (도리질하며 나가고)

영수 (삐죽) 잔소리하러 왔겠지.

22 __ 분석팀 앞 / 낮

사무실 나오며 혼잣말하는 길표.

길표 105일? (도리질하며) 아우 못 말리는 도라이들…

23 __ 유흥가 일대 / 저녁

주차된 차량들과 바닥에 뿌려진 유흥업소 명함들을 보는 구영춘. 그 사이에 곽 사장 명함도 섞여 있다. 구영춘, 바닥에 뿌려진 명함들 종류별로 하나씩 골라 줍더니, 주머니에서 곽 사장 명함을 꺼내 비교해보는 모습에서.

24 __ 거리 일각 / 저녁

손에 프로파일링 지도 들고 나란히 걷는, 영수, 하영, 우주.

우주 근데 팀장님, 우리 눈치 보세요?

영수 당연하지.

하영 (?) 언제, 왜요?

영수 (진심이다) 안 웃잖아.

우주 (그 말에 웃으며) 오늘도 현장 가실 거죠?

영수/하영 그치. / 그래야지.

우주 저는 그럼 먼저 들어가 보겠습니다.

하영, 영수, 버스정류장으로 향하는 우주에게 "그래, 내일 보자" 손 흔들어주고,

하영 (지하철역 쪽으로 향하며) 같은 노선이니까 황화동부터 가죠.

영수 그래. 오늘 그럼 지하철 타고 출근한 거야? 꽤 일찍 나온 거 같던데.

하영 일찍 눈이 떠져서 나왔어요. 오랜만에 대중교통 이용하니까 운전에 집중 안 해도 되고, 혼자 생각할 시간도 많아서 좋더라고요. 종종 타려고요.

영수 우리나라 대중교통 편하고 좋지. 나도 운전하는 거보단 대중교통이 편하더라고.

하영 에이, 저녁에 마음 편히 한잔하시려고 두고 다니는 거 전 국민이 다 알아요.

영수 (어라?) 농담이 늘었다?

하영 (정색) 농담 아닌데요.

영수 와- 또 눈치 보게 하네. (하다가, 두 사람 웃고 시계 보며) 몇 신데 이렇게 컴컴하냐.

하영 겨울은 해가 너무 빨리 떨어져서 괜히 불안해요.

영수 나만 그런 줄 알았는데 (씁쓸한) 아니었구나.

하영과 영수, 주위를 보면 당연한 듯 거리 오가는 사람들의 일상적인 모습 보이고.

하영e 우리가 괜한 불안을 안고 사는 걸까요.

25 ___ 지하철 플랫폼 / 저녁

하영과 영수, 지하철 기다리는 남자들 의심스럽게 살피고, 어두운 점퍼에 체구 작은 성인 남자 발견할 때마다 조심스럽게 다가가 신발과 얼굴 슬쩍 확인한다. 그 위로,

영수e 직업병이지 뭐.

26 ___ 기사식당 / 저녁

유니폼 입은 택시 기사들로 꽉 찬 식당. 태구와 일영, 가게 사장에게 구영춘 수배 전단 보이며 확인하는 모습에서. "5년 치 정신과 진료 기록에도 없고… 제보 전화는 이제 기대도 안 되고…" 하는 일영의 한탄 이어지고. 가게 사장이 저만치 손가락으로 한 남자를 가리켜서 보면, 담배꽁초 바닥에 버리며 택시에 오르려던 검은 점퍼 차림의 머리 희끗한 작은 체구의 택시 기사 보인다. 태구, 일영, 얼른 다가가 확인하는데, 차에 오르려다 말고 문 앞에 선 기사, 허리 구부정한 노인이다.

하영e … 우리가 더 불안해하고 집착해야 사람들이 안전할 수 있는 거겠죠…

허리 구부정한 노인 모습에 실망하며 돌아서는 태구, 일영. 일영

이 답답한 듯 바닥에 떨어진 깡통 걷어차면, 심정 이해하는 듯 말리지 않고 가만히 보는 태구의 모습에서.

앵커e　밸런타인데이인 이번 주말, 비 소식이 있습니다. 데이트를 계획한 연인들은 아쉬운 마음이실 텐데요. 강수량이 많지 않아서 외출에 큰 불편은 없을 것으로 보입니다.

27 ___ 기수대 사무실 / 저녁

부끄러운 듯 '저 그럼 먼저 들어갈게요' 하며 나가는 일영. 책상 아래 챙겨둔 작은 꽃바구니와 우산 들고 퇴근한다. 그런 일영을 보며 잠시 미소 짓는 태구. 금세 다시 잔뜩 펼쳐둔 부유층 노인 사건 자료들 확인하며 집중하는데. "(6화, 씬80) 만약, 수법을 바꿨다면… 그땐 어떻게 해야 하는 걸까요…" 하던 하영의 말 떠오르고.

/ins. 6화, 씬80

하영　매일 아침마다 수십 장의 일일 보고서를 확인해봐도 더 이상 같은 패턴의 범죄 보고가 없습니다. 범인이 이대로 사라지는 건 아닐까요… 만약, 수법을 바꿨다면…

/다시 사무실

'범행 수법이 바뀐다…?' 혼잣말하며 컴퓨터에 일일 보고서 자료 열어 찬찬히 살피는 태구의 모습에서.

28 ___ 하영의 집 앞 / 저녁

부슬부슬 비가 내리고. 영신이 징바구니와 우산을 들고 서둘러 집을 나선다.

초콜릿 바구니 들고 옆집으로 들어가는 신혼부부와 잠시 묵례 나누는 영신.

29 ___ 곱창집 / 저녁

창가에 마주 앉아 곱창을 굽는 우주와 굽는 족족 아무렇지 않게 집어먹는 최 기자.

비 내리는 창밖으로 꽃다발 들고 우산 나눠 쓰고 지나다니는 커플들이 보인다.

우주 (굽다가 밖을 보며) 내년 2월 14일엔 우리도 부디 각자의 약속이 있길.

최 기자 (관심도 없는) 오늘은 그냥 토요일일 뿐이야.

우주 그래 뭐. 밸런타인데이 따위.

최 기자 (건배 제의하는) 밸런타인데이 따위!

우주 (짠- 하고 마시다가) 근데 너 「경찰의 동아줄일까, 자충수일까」 그 기사는 너무했어.

최 기자 사실인데 왜.

우주 송 경위님 내색은 안 해도, 공배수배 결정 때문에 가뜩이나 마음 쓰시는 눈친데…

최 기자 (먹으며) 아니 그니까 송 경위가 누구냐고 도대체. 가르쳐주지도 않으면서 타박만 해.

우주 내가 존경하는 두 분 중의 한 분.

최 기자 으이 씨. 자꾸 떡밥만 던질 거냐?

우주 (최 기자 보며 툭 뱉는) 내 상사.

최 기자 (어리둥절) 상사? 범죄행동분석팀 프로파일러?!

우주 응. 출근 첫날 송 경위님이 해주신 얘기 덕분에 분석팀 지원한 거 한 번도 후회 안 했어.

최 기자 ?, (보다가 먹으며) 무슨 얘기길래.

30 ___ 분석팀 / 저녁

혼자 남아 있는 사무실. 피해자들의 생전 사진(6화, 씬65)을 보는 하영의 모습에서.

우주e 그날 나한테 묻더라고. 이 팀엔 왜 왔느냐고. 딱히 생각나는 이유가 없어서… 철도 없이 그냥 "폼 나서요" 그랬는데… 한참을 있다가 그러시더라.

/ins. (3화, 씬28에 이어)

하영 장님 등불 얘기 알아요?

우주 (영문 모르는) 네?

하영 어두운 밤길에 등불을 들고 걷는 시각장애인한테 누가 물었어요. 어차피 보이지도 않으면서 그건 뭐하러 들고 걷느냐고.

우주 (가만히 듣는다)

하영 왜 들고 걷는 거 같아요?

우주 (모르겠는 표정)

/다시 분석팀

피해자들 사진 한참 보던 하영. 서류 가방 챙겨 불 끄고 사무실을 나가는 모습 위로.

하영e　다른 사람이 그 등불을 봐야 부딪치지 않으니까.

31 ___ 황와동 고급 주택 거실 + 대문 앞 / 저녁

 # 거실

더는 사람이 살지 않는 황량한 거실. 바닥과 천장에 그을음 여전히 남아 있고. 하영이 잠시 둘러보며 나서는 데서.

 # 대문 앞

우편함에 키를 넣어두고 나서려다가 잠시, 대문 옆에 걸린 뿌옇게 먼지 쌓인 명패 물끄러미 바라보는 하영. 이내 셔츠 소매로 닦는.

하영e　자신이 아니라 다른 사람들을 위해서 대신 길을 밝히는 거예요. 범죄를 맞닥뜨리는 일은 그런 마음으로 하지 않으면 버티기 힘듭니다.

32 ___ 재래시장 / 저녁

최 기자e　오- 멋있네. 그럼 이제 이름도 알려줘.

우주e　송.하.영 경위님. 내일 우리 경위님 '생일'이신데 일요일이라 파티도 못 하네.

최 기자e　되게 챙기네.

우주와 최 기자의 대화 위로, 비 때문에 손님 거의 없는 시장길 비춰지고.
영신이 밤과 대추를 고르고, 생선가게, 나물가게 등을 다니며 황태포, 약과, 곶감, 고사리 등 제사 음식 재료들 사서 장바구니에 담는 모습이 보인다.

33 ___ 거리 일각 / 저녁

지루한 얼굴로 무작정 걷는 남기태. (→ 장갑은 벗은) 간간이 지나가는 여성들에게 한 번씩 눈길 주면, 그때마다 함께 걷는 남자도 보인다. 실망한 듯 혀를 차며 답답한 가슴을 손으로 턱턱, 한숨도 푹푹, 담배꽁초나 돌멩이 같은 것들 보이면 괜히 한 번씩 발로 깡- 걷어차는데, 그런 남기태의 발길이 어느새 시장 앞 골목까지 닿아 있다.

34 ___ 보림동 주택가 골목 / 저녁

남기태, 앞서가는 중년 여성을 주시하며 걷는데. 우산을 쓰고, 장바구니 들고 걷는 중년 여성의 뒷모습이 영신과 닮아 있다. 중년 여성 따라가며 어느새 저만치 주택가 골목을 비추는 가로등 불빛 환하게 보이자, 걸음에 속도를 내기 시작하는 남기태.

35 ___ 하영의 집 / 저녁

하영, 사과와 배 과일 상자 들고 들어서는데 불이 꺼져 있고, 거실 불 켜며 의아한 듯 "저 왔어요" 하는데 영신이 없다. 영신에게 전화해보는 하영.

36 ___ 보림동 주택가 골목 / 저녁

받지 않는 핸드폰 수신음 위로, 가로등에 가까워지는 중년 여성과 그 뒤를 따라 걷는 남기태. 주머니에서 레저용 칼을 꺼내 들고 바짝 다가서는 데서!! 우산을 쓴 중년 여성이 기척에 뒤를 돌아보는 순간! 동시에 읍- 신음 터지고!! 환한 가로등 불빛 아래 장바구니와 우산이 떨어져 뒹군다. 빗길에 금세 핏물이 흥건하게 섞여 번지고!

37 ___ 하영의 집 / 저녁

영신 (현관문 열고 들어서는) 미안해. 늦었지.

하영 전화는 왜 안 받으셨어요? 걱정했어요.

영신 (손에 케이크 상자 들어 보이며) 빵집에 놓고 왔어. 다시 갔더니 그새 닫았더라고.

하영 안 사셔도 된다니까… (장바구니 받아 식탁에 놓는) 제가 아예 다 사 올 걸 그랬어요.

영신 아냐. 식재료 보는 눈은 (웃으며) 그래도 너보단 내가 나아. (하다가) 글쎄 깜빡 졸다가 시장도 늦게 갔지 뭐야. (가스레인지 큰 들통 열어보며) 탕국 미리 끓였길 다행이지.

하영 둘밖에 없는데 뭘 그렇게 많이 하셨어요.

영신 사무실 가져가면 되지. 국 팀장님 밥은 잘 챙겨 드신다니? (하며 음식 준비 채비하면)

하영 … 죄송해요.

영신 니가 왜 죄송해? 칠칠맞게 내가 핸드폰 두고 와서 그런 건데. 내일 가서 찾아올 거야. (웃으며) 까딱하면 아부지 배고프시겠다. 얼른 차리자. (하는 데서)

cut to

12시를 가리키는 괘종시계. 거실 상 위에는 과일, 떡, 약과, 전, 산적 등의 제사 음식 차려져 있고. 가장자리에 초코케이크 한 조각 올리며 제사상 완성하는 영신.

영신 당신도 우리 하영이 생일 축하해줘.

이어, 지방을 써서 붙인 신위를 자리에 놓고, 성냥으로 불을 켜 향을 피우는 하영.

하영과 영신, 이내 환하게 웃고 있는 하영父(30대 초)의 사진에 절을 드리는 모습에서.

38 ___ 하영의 집 앞 / 밤

현관 앞 복도에서 지방 쓴 종이 성냥불로 태우고, 부슬부슬 내리는 빗줄기 사이로 날아가는 불씨를 담담하게 바라보는 하영.

39 ___ 남기태의 방 / 밤

방으로 들어와 다시 장갑과 레저용 칼을 서랍에 반듯하게 넣어두는 남기태. 피곤한 듯 이불 위에 그대로 털썩 누워버리고, 이내 코를 골며 잠이 드는.

40 ___ 하영의 집 / 밤

식탁에 케이크 놓여 있는데, 잘라둔 조각을 다시 가져와 완성한 모양새다.
하영과 영신, 케이크를 사이에 두고 마주 앉아 있고, 영신이 초에 불을 붙이는데.

하영 매번 힘드신데 제 생일은 따로 안 챙기셔도 돼요.

영신 무슨 소리야. 엄만 하고 싶어. 힘 하나도 안 들어. 니 생일도 아버지 제사만큼이나 중요해 나한테는. (초에 불 다 붙였고, 끄라는 시늉)

하영 (잠시 머뭇거리다가 불어 끄면)

영신 (좋아하고)

하영 (영신이 좋아하는 모습 보며) 혼자서 힘드셨을 거예요. 그런데도 외롭지 않게 키워주셔서 감사해요.

영신 내가 너한테 고맙지. 너 아니었으면 엄마도 못 버텼어. (하영父 사진 잠시 보곤, 자랑스러운 듯 다시 하영을 보며) 나는 니가 누구보다 사람들의 마음을 잘 살피고, 느끼는 경찰이라서 좋아. 그리고 그런 널 믿어. 알지?

하영 (그제야 미소 비치는)

41 ___ 하영의 방 / 새벽

머리맡 작은 스탠드 하나 켜두고 침대에 누워 앨범을 보는 하영. 사진 속에 사진관에서 찍은 만삭의 젊은 영신과 하영父의 다정한 모습이 살아 움직인다. 이어 컷 튀면, 같은 장소 카메라 앞에 혼자 포즈 잡고 앉아 있는 젊은 영신. 갓난아기인 하영을 안고, 왼쪽 머리에 흰 리본 핀 꼽은 채 아기를 보며 마냥 행복한 표정 지어 보인다. 사진 속 영신의 표정을 물끄러미 보다가 앨범을 가만히 덮는 하영. 스탠드 끄려는데, 문자 두 개가 나란히 들어온다. 보면, '생일 축하! 월요일에 보자' '안 주무시죠? 생일 축하드립니다! 월요일 점심에 파티해요!' 하는 영수와 우주 문자. 하영, 둘의 문자에 미소 짓고, 불을 끄며 잠을 청하는 모습에서… 화면 어두워지고.

42 ___ 금천서 앞 / 낮

자막_2004년 4월. 경찰서 앞 길가에 벚꽃 흐드러져 있고. 일영이 수첩 메모 확인하며 금천서에서 나오는 모습이 보인다. 그 위로,

앵커e 전국 곳곳에서 벚꽃 축제가 열리고 있는 가운데 평일에도 나들이 차량이 몰리면서-

43 ___ 하영의 차 안 (도로) / 낮

앵커e 고속도로를 비롯한 전국 시내 대부분이 정체를 보이고 있습니다.

속도 더딘 차 안. 라디오에서 교통 뉴스 작게 흘러나오는 중이고. 운전 중인 하영 옆에서 지루한 듯 일일 보고서들 들춰보는 영수.

하영 그건 뭐예요?

영수 일일 보고서. 오전에 면담 준비하느라 확인 못 한 거 같다면서 우주가 챙겨줬어. 오늘 교도소 면담 갔다가 사무실 다시 못 들어올지도 모른다고 했거든.

하영 아.

영수 어디서 그런 보물이 들어왔을까? 내가 인복은 있나 봐.

하영 그 인복에 저도 포함인 거죠?

영수 (하영 보며) 아닐까 봐?

하영 (웃고, 부유층 노인 연쇄살인범 관련 사건은) 없죠?

영수 (대충 넘겨보며) 그런 거 같네. 없는 게 좋은 건지, 있는 게 나은 건지…

하영 멈춘 건지 수법이 바뀐 건지 그것만 알아도 이렇게 막막하진 않을 거 같아요.

영수 어디 숨었냐 이놈아… (혼잣말하고 아무렇지 않게 보고서 읊는) 신흥4동, 주택가 노상, 복부, 왼쪽 옆구리 자상으로 인한 중상. 레저용 칼- (하며 페이지 넘기려는데)

하영 (운전하며 ?!) 잠깐만요. 방금 그거 다시 한 번만 읽어주세요.

영수 (다시 앞으로 넘기며) 신흥4동? 이거 그냥 폭력 사건인데? (상해 수준이라 우리가 관심 갖는 사건이랑은 연관성이 낮아 보이는데.)

하영 네. 읽어주세요.

영수 (제대로 짚어 읽는) 4월 15일 목요일, 새벽 3시 30분경, 신흥4동 주택가 노상에서 25세 여성 피해. 복부, 왼쪽 옆구리 등을 찔려 중상- (하는데)

하영 (OL) 범행 도구요.

영수 레저용 칼.

하영 (한쪽에 잠시 차를 세우며 급한 듯) 우주한테 전화 좀 해주세요.

영수 뭔데? 왜?

44 ___ 분석팀 + 하영의 차 안 교차 / 낮

하영과 우주 통화 중이고. 영수는 옆에서 덩달아 심각한 분위기.

우주 (일일 보고서 화면 열고) 레저용 칼이요?

영수 (영수가 보던 동작서 보고서 보며) 응. 올해래.

하영 (마음이 급한) 분명히 본 기억이 있어요.

우주 잠시만요. (일일 보고서 검색해보는) 동작서예요?

하영 (핸드폰 밖으로 새는 우주 목소리에) 그건 기억이 안 나는데- (하면)

영수 (방금 보고서에 '동작경찰서 폭력 사건 보고' 적힌 것 확인) 일단 동작서부터 봐줘.

우주 (찾아보다가) 어? 두 건인데요?

하영 (목소리 듣고)!!, 두 건?!

영수 (?!, 그 말에 하영을 보는)

우주 네. 신흥5동이랑 신흥2동. 둘 다 올해 2월 사건이에요.

영수 피해자는?

우주 두 건 다 20대 여성이고, 중상이라고 돼 있어요. 둘 다 폭력 사건으로 올라왔고요.

하영/영수 (심각함을 인지한 얼굴에서)

45 ___ 기수대 사무실 / 낮

사무실 들어서는 일영을 보며 기다린 듯 일어서는 태구.
작게 "알아봤어?" 묻고. 일영, 들어오다가 자리에 앉지 않고 끄덕이기만.

46 ___ 기수대 회의실 / 낮

마주 앉아 있는 태구와 일영.

일영 (수첩 메모 확인하며) 구오동, 보림동 각각 올해 1월, 2월이에요.

태구 (메모하며 진지하게 듣는)

일영 근데 정말 같은 놈일 수도 있다는 거예요?

태구 송 경원 놈의 범행 방식이 바뀌는 걸 우려했어. 전엔 그게 무슨 의민지 몰랐는데, 이 사건처럼 수법이 바뀐 연쇄 범행을 찾았던 거 같아. (하다가) 계속해봐.

일영 음. 피해자는 둘 다 중상이고 폭력 사건으로 접수됐어요.

태구 피해자 두 명 다 얼굴을 기억 못 한다는 거지?

일영 네. 도망갈 때 모습만 기억난다고 했는데, 키랑 체구가 작았다는 게 공통점이에요.[5] 근데 두 건이 한 놈이라고 보기엔 거리가 좀 있지 않아요?

태구 부유층 노인 연쇄살인은 관할까지 다르잖아.

일영 그렇긴 한데… 수법이 바뀔 수 있다 쳐도 이건 피해자가 사망한 사건이 아니라서 헷갈려요.

태구 (고민하는 듯 혼잣말) 피해자 둘 다 레저용 칼에 복부를 찔렸고.

일영 (끄덕이며) 같은 범행 도구에 같은 공격 부위. 그 추론대로면 연쇄성을 의심해볼 만하긴 하지만… 그렇다고 범죄 첩보[6]로 제출할 만한 건인지까진 판단이 안 서요.

태구 가장 걸리는 게 이거야. 170가량의 작은 체구를 가진 용의자. 우리가 찾고 있는 놈이랑 비슷해. (잠시 고민하고) 일단 보고하자.

---

5 금천서 피해자 진술서에 언급됨.

6 형사들이 매달 4건의 범죄 의심이 있는 첩보를 수집하여 상부에 보고하는 것.

47 ___ 기수대장실 / 낮

길표에게 보고하는 태구와 일영.

길표 금천서 사건이라고?

일영 네. 담당이 저랑 동기라 오랜만에 술 한잔하는데, 듣다가 영 이상해서 알아봤거든요.

길표 (갸웃) 이게 왜?

태구 전에 송 경위가 놈이 범행 수법을 바꿀 수도 있다는 말을 한 적이 있어요. 그래서 비슷한 패턴으로 반복되는 사건이 있는지 주시하더라고요.

길표 이 사건이 저눔(수배 전단 가리키며) 짓일 수도 있다는 얘기지?

태구 그 추론이 사실이든 아니든, 걸리긴 하네요.

길표 살인 사건도 아니고, 폭력 사건 두 개로는 가져올 명분이 없는데…

태구 저희끼리 따로 조사부터 해볼게요.

길표 (벽에 붙은 구영춘 수배 전단 보며) 저놈 땜에 연쇄살인 노이로제다 아주. 뭐만 있으면 죄다 저놈 같애.

일영 저도 그래요.

길표 … 그래도 저놈이랑은 너무 다르지 않냐?

태구 동일범 가능성을 배제할 순 없어요. 같은 놈이든 아니든, 의심이 들면 무조건 조사해야죠. 시간 낭비래도 안 해서 놓치는 거보다 낫습니다.

길표 (고민하다가)… 조심해서 알아봐.

태구 네.

48 ___ 분석팀 / 낮

하영, 영수 사무실로 되돌아왔고. 두 사람 보며 놀라는 우주.

우주　!, 면담 안 가셨어요?

영수　일정 변경 요청했어.

우주　(그럴 정도로) 아까 그거 심각한 거예요?

하영　(앉자마자 다급히 일일 보고서 파일 열어 레저용 칼 검색하는데, 동작경찰서에서 올라온 2건의 폭력 사건 보고서 뜬다. 바로 프린트하는) 지금 바로 동작서 가봐야겠어요.

우주　(조심스레, 부유층 노인 연쇄살인범) 설마 그놈이에요?

영수　(심각한) 아직 몰라.

하영　범행 방식을 바꾼 거면 가능성이 없진 않고. (하는 데서)

동작서 폭력 사건 보고서 2장(신흥5동, 신흥2동)이 프린트되어 나온다. 얼른, 집어 들고 사무실 나서는 하영과 영수.

49 ___ 동작경찰서 안 / 저녁

담당 형사(동작서)와 앉아 애기 중인 하영과 영수.
양복 입은 모습에 주변 형사들이 한 번씩 두 사람을 호기심 어린 눈길로 본다.

동작서　피해자가 병원에 입원 중인데 안정을 취해야 하는 상태라 만나는 건 어렵고요. 이게 피해자 진술서예요. (건네며) 하도 따라와서 핸드백까지 던져줬는데 관심도 없더래요.

영수　(보면, /모르는 사람이 계속 따라와서 돈 여기 드릴 테니 가져가시라고 들고 있던 핸드백을 던져줬으나 바닥에 떨어진 핸드백은 쳐다보지도 않고 계속 쫓아왔습니다. 그렇게 갑자기 다가와 작은 칼로 저를 찔렀고-) 레저용 칼인지는 어떻게 확인했어요?

동작서　찔린 부위의 상처 크기도 그렇고 식칼은 아니에요. 피해자도 칼이 작았다고 했어요. 손바닥 사이즈 정도? 사진 몇 장 보여주니까 레저용 칼이 제일 비슷하다고 해서요.

하영　(진술서 읽다가) !, 목격자가 있습니까?

동작서　네. (목격자 진술서도 건네고) 비명 소리가 들려서 창문 열고 소리쳤더니 후다닥 도망가더래요.

하영　(목격자 진술서 읽는) 35세 후반의 170cm가 안 되는 작은 키. 마른 체형, 머리숱이 없고, 복장은 낡은 추리닝. (하다가) 제가 연락해봐도 되겠습니까.

동작서　(잠시 고민하더니 연락처, 주소지 적어서 건네고) 근데, 서울청 (받은 명함 잠시 보며) 범죄행동분석팀? 분들이 왜 이 사건에 관심을 가져요?

영수　확인하고 싶은 게 좀 있어서요. 혹시 다른 두 건은요?

동작서　다른 두 건이라뇨?

하영　2월에도 비슷한 흉기 사건이 두 개나 있던데요. (인쇄해 가져온 보고서 보이며) 여기 신흥5동, 신흥2동.

동작서　아. 그건 담당 수사팀이 달라서 저한테 없고 (하는데, 그때 들어오던 30대 초반의 김 형사를 보며) 아, 재가 담당이에요. (하며 부르는) 김 형사!

김 형사　(하영과 영수에게 다가오는 데서)

50 ___ 하영의 차 안 / 저녁

다른 생각에 빠진 듯 신호가 바뀌었는데도 한참 서 있는 하영. 영수도 마찬가지다.

김 형사e 현관 앞까지 쫓아왔대요. 심지어 두 번째 사건은 문에 열쇠까지 꽂혀 있는 채로 당했어요. 완전 미친놈이에요.

/ins. 동작경찰서 안 (씬49에 이어지는)

하영 (김 형사 보며) 금품 갈취도 없었고요?

김 형사 네. 찌르고 나서 가방은 손도 안 대고 도망갔어요.

하영/영수 (의미심장하게 서로를 보는)

김 형사 피해자가 들어가려는데 이 새끼가 뒤에서 갑자기 달려들더니 팔을 잡고 돌렸대요. 그리곤 바로 찔렀어요. 인상착윈 놀라서 기억을 못 하고. 키는 작다고 했어요. 170 정도?

/다시 하영의 차 안

두 사람 넋이 나가 있는데, 뒤에서 빵빵- 경적 울린다. 그제야 출발하는 하영.

51 ___ 신흥4동 주택가 골목 / 저녁

사건이 벌어진 골목 주변을 살피며 현장을 둘러보는 하영과 영수.
(→ CCTV는 없고, 주택들 즐비한 골목에 가로등도 보이는)

영수 이런 치안 사각지대에 CCTV가 없는 게 항상 문제네.

하영 그래도 작년보다는 상황이 나아지고 있는 거 같아요. 꽤 생기기 시작했더라고요.

영수 그래 뭐, 그나마 다행이지.

동작서에게 받은 주소지 확인하며, 목격자가 거주하는 2층 창을 올려다보는 두 사람.

52 ___ 목격자의 방 / 저녁

2층 창밖을 내려다보는 하영과 영수. 그 뒤로 목격자(20대 남)가 서 있다.

목격자 거기에서 소리쳤어요.

하영 범인은 어디쯤 있었습니까.

목격자 (뒤에서 아직 불 안 켜진 가로등 가리키며) 저기- 가로등 아래요. 이상해 보여서 좀 지켜봤는데, 갑자기 여자가 비명을 지르잖아요. (걱정되는) 다친 분… 살아 있는 거죠?

하영 네. 병원에서 치료 중입니다.

목격자 아 다행이다… (하고) 제가 "얌마! 너 뭐야!!!" 소리쳤더니 냅다 뛰는데 엄청 빨랐어요.

영수 키가 작았다고요.

목격자 네. 키는 작고, 머리숱이 없어서 정수리가 훤했어요. 그렇게 나이 든 느낌은 아니었고.

영수 신발은요?

목격자 (갸웃) 신발이요?

영수 혹시 등산화 같은 거 신고 있지 않았어요?

목격자 그건 잘 모르겠는데…

하영 (의아한) 근데 빨리 뛰었다는 건 무슨 뜻입니까.

목격자 아- 불빛이 환해서 도망가는 게 다 보였거든요. 와- 엄청 빨리 뛰더라고요.

하영 그 순간에 빠르다는 생각이 들 정도로요?

목격자 네. 좀 놀랐어요.

53 ___ 신흥4동 주택가 골목 / 저녁

하영과 영수, 방금 목격자가 가리킨 가로등 아래 서 있고. 2층 창밖으로 고개 내민 목격자가 두 사람을 보며 "네 거기 맞아요!" 소리친다. 의아한 듯 가로등 올려다보는 하영인데. 그때, 가로등에 불이 탁! 들어오면서 두 사람을 환하게 비추고.

54 ___ 카페 / 저녁

금천서 형사와 앉아 얘기 중인 태구, 일영.

금천서 피해자도 누가 해코지한 게 아니냐 의심부터 하니까, 우리야 면식범으로 추정하고 주변 인물부터 수사한 거죠.

일영 근데 별다른 특이점이 없었다는 거지?

금천서 어.

태구 두 건 다 지문이나 단서도 없고요?

금천서 예. 작정한 거마냥 집 앞까지 따라오더래요. 설마설마했는데 빌라 입구까지 따라 들어오더니 잠바 안에서 뭘 꺼내길래, 봤는데. 순식간에 찔렀대요.

태구 잠바 안에서 꺼낸 게 칼이겠네요.

금천서 그렇죠.

일영 (태구에게) 지금 설명한 게 구오동 사건이고.

금천서 근데 보림동 사건도 똑같아. 장소만 다르지 단서도 없고. 하필 그 날은 비까지 와서.

태구 (보림동 자료 보며) 둘 다 레저용 칼에 하복부 자창. 없어진 금품이나 현금도 없고.

금천서 빗소리 때문에 따라오는 것도 몰랐대요. 피해자가 당하고 쓰러져 있는데 골목에서 자동차 진입하는 거 보고 놀라서 도망갔나 봐요.

태구 그 차량 주인이 발견하고 신고한 거군요.

금천서 네.

일영 둘 다 인상착의가 비슷한데도 못 찾은 거야?

금천서 키가 작고, 쓰러져서 뛰는 발이 보였는데, 운동화를 신고 있었고-(하는 데서)

태구 등산화가 아니고요?

금천서 운동화라고만 했는데.

태구/일영 (서로를 보는)

금천서 얼굴은 당시 트라우마 때문에 기억을 못 하고, 추리닝 비슷한 걸 입고 있었다는 게 다예요. 아시겠지만 그런 놈이 한둘이 아니니까. (일영 보며) 이게 관할만 하나지 발생 지역 간에 거리도 있는데다 피해자들 주변인도 아니고, 단서도 없어서 쉽지가 않다.

태구 운동화…

금천서 등산화 추측하셨으면 혹시 그놈이에요? 부유층 노인 연쇄살인범?

태구 아직은 조심스러운 상황이라. 확인되면 꼭 공유하겠습니다.

금천서 공조 필요하면 얘기해주세요. 우리도 이 사건 마냥 손 놓고 있는 건 아니니까. 쉬쉬해도 동네 소문이 빨라서 해 떨어지면 순찰도 강화하고 계속 예의주시하곤 있어요.

태구 네.

55 ___ 거리 일각 / 저녁

일영 (차로 향하며) 금품, 현금 갈취가 없다는 게 제일 찝찝해요.

태구 (골몰한) 그치? 1월과 2월에 각각 범행을 저질렀고. 4월인 아직까지 다른 건은 없고.

일영 분석팀이 말했던 냉각기 뭐 그건가?

태구 (어느새 차에 도착해 타는) 우선 현장부터 가보자.

56 ___ 보림동 주택가 골목(씬36 동) / 저녁

환한 가로등 불빛 아래 서 있는 태구와 일영.

태구 (의아한 듯) 여기 맞아?

일영 이상하다. (다시 위치 확인하며) 네. 맞아요.

태구 (갸웃) 여긴 너무 환하잖아.

일영 그러게요.

의아한 얼굴로 주변을 둘러보는 태구와 일영.

57 ___ 1호선 부영역 출구 앞 / 밤

운동화 신고 지하철역 계단을 내려가는 남기태.

58 ___ 분석팀 / 밤

서울시 지도 크게 출력해 테이블에 펼쳐두고 투명 비닐 커버를 씌우는 하영. 그 위에 동작서에서 벌어진 3건의 사건 발생 지역(1호선 라인: 신흥5동, 신흥2동, 신흥4동)에 빨갛게 동그라미 표시하는 데서.

59 ___ 1호선 신흥역 출구 앞 / 밤

신흥역 ×번 출구라고 적힌 역 계단을 오르는 남기태.

60 ___ 분석팀 / 밤 (씬58에 이어)

하영, 프로파일링 지도에 빨갛게 표시한 지역마다 각각의 사건 발생 날짜와 시각, 대중교통 노선(1호선+버스 노선)을 적어 넣는다.

영수 (옆에서 보며) 레저용 칼에 피습당해서 중상을 입은 것만 총 3건.

우주 사건 발생 시각도 전부 새벽이네요.

하영 공격당한 피해자는 모두 젊은 여성. 다른 점이라면 한 건은 주택가 골목, 나머지 두 건은 피해자의 집 문 앞이라는 거예요. 피습당한 장소는 다르지만, 엠오(MO)[7]가 유사해 보이는 3개의 사건이 존재한다는 건… 다른 범행도 존재할 가능성을 암시합니다. (잠시)

---

7 MO(Modus Operandi): 가해자가 범행하는 방식의 특성.

공격한 위치가 모두 피해자의 복부인 것도… 불안해요.

영수 (우려하듯 공개수배 전단 보며) 저놈 짓일까?

하영 같은 놈으로 보기엔 범행 도구부터 범행 시각, 방식까지 너무 달라요.

우주 근데 체구는 비슷한 거 같은데요.

영수 그것 때문에 확신이 안 서긴 하는데.

하영 엄청 빨리 뛰었다고 했어요.

영수/우주 (?, 하영을 보면)

하영 뛰는 속도가 눈에 띌 정도면 등산화는 아닐 거예요.

우주 아, 그렇겠네요. 등산화 신고 뛰면 둔하니까.

영수 이미 뒷모습에 등산화까지 공개됐는데, 더는 안 신지 않을까?

하영 (확신하는) 무엇보다 우리가 찾는 범인은 피해자가 저항할 겨를도 없이 둔기로 무자비하게 살인을 행했어요. 아무리 방식이 바뀌었대도 그보다 작은 칼을 들고 나왔을 리가 없어요.

영수 음… 같은 놈이라고 가정하면… 이 폭력 사건들 전부 미수에 그친 걸로 해석이 되니까… 성에 안 찼을 거고. 그럼 같은 흉기로 세 번이나 반복하진 않았겠네.

우주 반복했다는 건 피해자의 생사 여부를 몰랐다는 의미로도 해석할 수 있지 않아요?

하영 (생각하는) 생사 여부를 몰랐다고 해도 마찬가지야. (수배 전단 보며) 저놈은 침입 범죄를 저지르면서 흔적 하나 안 남겼어. 근데 외부에서 피해자를 따라갔다? 목격자가 생길 수도 있는 상황인데, 절대 그런 모험을 할 리가 없어. 엄청 조심스러운 놈이니까.

영수 다른 놈이라고 치면?

우주 피해자가 전부 상해만 입었으니까 살인범이 아닌 강도 상해범 아닐까요?

하영 금품엔 관심이 없었어. 강도는 아니야.

우주 하… (의도가) 대체 뭐지.

영수 … 만약 우리 추측대로 피해자가 중상을 입은 게 범행 목적을 실패해서라면…

하영 … 대한민국엔 두 명의 연쇄살인범이 존재하게 되는 거예요.

심각해지는 세 사람의 얼굴에서.

61 ___ 신흥4동 주택가 골목 / 밤

환하게 비추는 가로등에서 멀리 떨어져 주위를 살피는 남기태. (2층 목격자 집에서도 멀리 떨어져 서 있는) 여전히 아무 일 없었다는 듯 조용한 골목에 또 표정 구겨진다.

남기태 안 죽었어 또?! (이걸로 안 되나? 싶게 안주머니 레저용 칼 슬쩍 꺼내 보는)

62 ___ 남기태의 방 / 밤

씩씩거리며 들어오는 남기태. 레저용 칼을 서랍에 넣으려다가 보며 깨달은 듯 "너무 작네" 한다. 레저용 칼을 이불장 아래 숨기듯 밀어 넣는 남기태. 방에서 잠시 나갔다가 들어오는데, 손에 커다란 식칼을 쥐고 있다. 이불 위에 서서 식칼을 쥐고
휘익-휘익 휘두르며 찌르는 시늉해보더니 그제야 만족한 듯 씨-익 웃고. 커다란 식칼을 다시 서랍에 반듯하게 넣어두는 모습에서.

63 ___ 서울지방경찰청 건물 앞 / 아침

프로파일링 지도와 동작서 사건 자료 들고 다급히 기수대로 향하는 영수와 하영.

64 ___ 기수대장실 / 아침

길표에게 보고 중인 하영과 영수. 동작서 사건 보고서 건네고.

길표 (받으며) 또 뭔데 (무심하게 보다가)?!, 레저용 칼…?

영수 그거 세 건 다 같은 흉기에요.

하영 (테이블에 프로파일링 지도 펼쳐 보이며 발생 지역 짚는) 여기, 여기, 여기. 멀지 않은 거립니다. 흉기 종류에 공격당한 부위, 범행 시간대까지 일치하는 부분이 많아요.

길표 (듣는지 마는지, 보고서 내용만 보는 중인) 중상…

영수 (지레 반감) 왜요. 사망 사건 아니라서 안 돼?

길표 (시선은 계속 보고서에) 그게 아니고…

하영 (길표의 표정 짐작한) 뭐가 있는 겁니까?

길표 (심각한 얼굴로 문 열고 태구를 부르는) 윤 팀장! (태구가 이쪽 보면 손짓하며) 와봐. (일영도 무슨 일인가 싶어 이쪽 보는데) 남 형사도 같이.

태구와 일영, 들어서며 펼쳐놓은 프로파일링 지도에 시선이 가는.

길표 (태구에게 동작서 자료 건네며) 이거 좀 봐봐.

태구 뭔데요. (하고 받아보는데, 일영도 옆에서 같이 보다가 두 사람 동시에)

!!!

영수　왜? 뭔 말을 해줘야 될 거 아냐.

태구　(동작서 보고서 보며) 금천서에서도 같은 사건이 두 개나 있어요.

하영　!!, 레저용 칼입니까?!

태구　네. 그 두 건도 피해자가 중상이라 폭력 사건으로 보고가 됐어요.

영수　이 봐… 이 봐… 이상하댔지… 이거 연쇄범죄일 확률이 높아.

길표　연쇄범죄 뭐, 살인?

영수/하영 (조심스레 그렇다는 눈빛만…)

일영　(프로파일링 지도에 위치 짚으며) 구오동, 보림동, 각각 올해 1월, 2월 사건이에요. 저희도 부유층 노인 연쇄살인 용의자의 동일 범행으로 보고 조사 중입니다.

하영　같은 놈이 아닙니다.

길표　뭐?

하영　다른 놈이에요.

태구　(반박) 피해자 증언에 의하면 부유층 노인 연쇄살인 용의자와 키와 체구도 비슷해요.

하영　그것 말고는 공통점이 없습니다. 범행 방식도 도구도 달라요.

태구　방식이 바뀔 수도 있다는 말 기억하는데요.

하영　네. 방식이 바뀔 순 있죠. 하지만 이미 둔기로 살인의 쾌감을 맛본 놈입니다. 더 작은 흉기를 사용했을 리 없어요.

태구　그렇다면 연쇄살인범일 가능성은 더 낮아지네요. 이 사건들은 피해자가 살아 있어요.

하영　다행히 피해자들이 살아 있지만, 그 점이 오히려 범인의 잠재된 공격성을 자극하고 있을지 모릅니다. 더 큰 피해자가 생기기 전에

찾아야 해요.[8]

길표　뭔 소리야. 지금 저 연쇄살인범 하나 잡는 것도 골치가 썩을 지경인데 뭔 벌어지지도 않은 연쇄살인범을 또 잡으래.

일동　(부정하지 못하고 지켜만 보는)

하영　몽타주 그리죠.

일동　(몽타주? 싶은)

영수　!, 그래요, 몽타주를 그립시다. 피해자들 다 살아 있고 목격자까지 있으니 가능해요.

태구　금천서 피해자들은 트라우마 때문에 얼굴을 기억 못 해요.

하영　법최면으로 시도하면 됩니다.

65 ___ 몽타주 / 다른 날. 낮

 # 최면실

눈을 감은 채 두 손을 모으고 최면 의자에 기대 있는 피해자[9]의 모습 위로.

하영e　알다시피 돈을 노린 범행이 아닙니다.

 # 국립과학수사연구소 외경

연구소에서 나오는 영수와 하영. 하영의 손에 들고 있는 몽타주 비춰지면. 남기태와 닮은!!

8　남기태의 폭력 사건만 인지한 상태(아직 살인 사건은 인지하지 못하고 있는 상황).

9　보림동 시장 골목 피해자.

하영e　돈도 원한도 아닌 경우… 목적은 하나예요.

66 ___ 남기태의 집 앞 / 저녁

하영e　살인.

신문 둘둘 말린 식칼 점퍼 안주머니에 넣고, 출근하듯 집을 나서는 남기태.

67 ___ 목격자의 집 앞(씬53) / 저녁

몽타주를 살피고 있는 목격자. 영수와 하영이 대답을 기다리고 서 있다.

목격자　맞아요. (이 그림이랑) 비슷하게 생겼어요. 말라서 이렇게 얼굴도 홀쭉하고.

cut to

아직 켜지지 않은 가로등 아래에 서서 주변을 살피는 하영과 영수인데. 저만치에서 태구와 일영이 다가오고.

하영　(태구에게 몽타주부터 건네고) 15일 새벽에 피해자가 이 자리에서 칼에 찔렸어요.

일영　(태구 보는 몽타주 함께 보며) 이 새끼가 부유층 노인 연쇄살인범일 수도 있는 거네.

하영　동일범이 아니에요.

태구 저흰 동일범에 가능성을 두고 조사할 거예요. 그래야 기수대에서 수사할 수 있어요.

영수 (답답한데 확인하듯) 동일범이든 아니든, 같은 사건을 쫓는 건 맞잖아. 그죠?

태구 (잠시 망설이다가) 네.

하영 (동의 확인하고) 그럼 다시 짚어볼게요. 어두운 밤인데, 하필 환하게 밝혀진 가로등 아래에서 범행을 저질렀습니다. 뭔가 이상해요.

태구 보림동도 가로등 아래에요.

영수 보통은 자신을 숨기기 위해서 어두운 곳을 찾는 게 정상인데.

하영 게다가 뒤가 아니라 앞에서 공격당했죠.

영수 설마 일부러 얼굴을 드러낸 걸까?

하영 (저만치 뛰어가서 재연해보는) 보세요. 피해자가 여기서부터 이렇게 걸어왔을 겁니다. 걷다가 겁을 먹고 들고 있던 핸드백을 던져줬어요. 가져가라고.

태/영/일 (보며 듣는)

하영 그런데 범인은 핸드백에 관심도 주지 않았고, 공포를 느낀 피해자는 (빠르게 걸어 보이며) 더 속도를 냈겠죠.

일영 (범인 입장으로 가까워진 하영의 뒤를 쫓아가는) 범인은 저처럼 쫓아갔을 거고.

하영과 일영이 가로등 아래에 앞뒤로 멈춰 선다. 태구와 영수 둘을 지켜보는데.

태구 쫓아온 범인이 피해자를 향해 흉기를 휘둘렀겠지. (하면)

일영 (하영을 돌려세우며 찌르는 흉내 내는데)

영수 (일영이 하영을 돌려세우는 순간 심각한 표정으로 바뀌고) 잠깐.

하영, 태구, 일영이 영수의 심각한 얼굴을 확인하는 데서 세 사람이 동시에 같은 생각한 듯 놀라는 표정으로 바뀌는 그때!!
가로등 불이 지지직- 하며 켜지고!

하영　!!, 일부러 돌려세운 거예요.

태구　(불길한) 설마…

일영　(설마 하는 마음으로)… 피해자가 돌아보는 순간일 수도 있잖아요. (하는데)

하영　이 사건들의 공통점 중 하나가 복부를 찔린 겁니다. 모두 정면에서 공격했어요.

하영, 영수, 태구, 일영. 할 말을 잃은 듯 잠시 정적이 흐르고.
가로등 불빛에 넷의 심각한 표정은 더 확연히 드러나고!!

68 ___ 기수대 사무실 / 밤

일영　진짜 다른 놈일까요? 어떻게 생각하세요?

태구　우린 팩트만 쫓자. 기수대가 현재로서 이 사건을 수사할 방법은 동일범의 소행으로 본다는 전제라야 가능해.

일영　그죠… (애써 부정하며) 에이- 그리고 믿고 싶지도 않아요. 미친놈이 둘이나 활보한다는 거.

69 ___ 분석팀 / 밤

사무실로 들어오는 하영과 영수. 하영이 테이블에 프로파일링 지도부터 펼친다. '구오동'과 '보림동'이라고 적힌 금천서 사건 2개를 동작서와 구분하기 위해 파란색으로 추가 표시하고, 그 옆에 사건 발생 시간을 적어 넣는.

70 ___ 기수대 사무실 / 밤

태구 사건이 발생한 날, 비가 왔다고 했지?

일영 네. 오히려 시야가 흐려져서 범행을 저지르는 입장에선… 더 나은 조건이었을 텐데.

태구 그러게. 게다가 밝은 장소로도 부족해서 자신의 얼굴을 일부러 드러낸 이유가 뭘까?

일영 원한도 아닌데 지 얼굴을 왜 보여주지? 암만 생각해도 이해가 안 되는데…

태구 … 사건 발생 시간이 몇 시였지?

일영 밤 9시경이요.

태구 (시계 보는데 9시 조금 넘은) 보림동 현장 다시 가보자.

일영 네.

일어나 나가는 두 사람에서.

71 ___ 분석팀 / 밤 (씬69에 이어)

하영 (프로파일링 지도 보며) 지역으로 보면 전부 서남부 쪽이에요.

영수 근처에 거주하는 걸까?

우주 기수대는 왜 이 사건 용의자를 부유층 노인 연쇄살인 범인이랑 동일범으로 보는 거예요? 그놈은 강남 강북을 오가면서 고급 주택가만 노렸는데, 지금 여기 표시된 동네는 전부 서민 주택가 골목이잖아요.

하영 차근히 다시 따져보자. 우리가 가정하는 건 이놈이 살인을 목적으로 범행을 저지른다는 거. (영수, 우주 끄덕이면) 그 범행이 서남부 일대에서 5차례나 이루어졌고.

영수 그건 아직 피해자가 살았다는 걸 인지하지 못했다는 얘기도 될 수 있지.

우주 인지하는 순간, 다시 수법이 바뀔까요?

하영 그럴 가능성이 크지. 근데 그전에… (지도를 보며 잠시) 우리는 폭력 사건이 살인 사건이 되는 걸 우려하는 거니까… 범인이 지금까지 피해자의 사망 여부를 몰라서 같은 방식으로 범행을 저질렀다 치고. 수법이 바뀔 땐, 그걸 어떻게 인지하게 될까?

우주 뉴스나 신문 기사겠죠?

영수 !, 현장에 다시 가볼 수도 있겠네.

하영 본인의 범행 기사가 확인이 안 되면… 범행 현장으로 돌아와서 확인할지도 몰라요.

72 ___ 몽타주 / 밤

- 신흥4동(씬53 동) 주택가 골목 주변을 살피는 하영, 영수의 모습 위로.

영수e 오늘부터 그럼 여기로 출석 도장 찍는 거지?

하영e 네.

영수e 근데 범인이 정말 현장을 다시 찾을까?

- 보림동(씬34 동) 골목과 가로등 아래를 주의 깊게 살피는 태구, 일영의 모습 위로.

하영e　그보다 우린 범인의 입장에서 생각하는 게 우선이니까요.

일영　(태구를 따라가며) 이건 너무 막연하잖아요. 일어나지 않을 사건 때문에 거의 보초 서는 거 같은데.

태구　같은 사건이지만 우리 관점은 다르다는 걸 인지해야 돼. 동일범이라는 전제로, 우린 지금 일어나지 않은 살인 사건이 아니라, 이미 일어난 연쇄살인범을 쫓는 중이야.

- 신흥2동(씬4 동) 골목 주변과 빌라 입구를 살피는 하영, 영수의 모습 위로

하영e　(끊임없는 의문 이어지고) 범인은 왜 이 지역들을 선택했을까요. / 주택가 골목 분위기가 다 비슷해요. /피해자를 공격하고 도주하기 용이한 곳이었을까요? /혹시 놈한테 익숙한 환경인 걸까요?

매일 현장을 탐문하는 하영, 영수, 태구, 일영의 모습에서…

73 ___ 푸르매공원 / 새벽

빗줄기에 드문드문 위치한 가로등 불빛마저 흐릿한 공원. 그 위로 '5월 16일 일요일' 자막 뜨고. 입구로 들어서는 우산 쓴 양희원(20대 여)의 뒷모습이 보인다. 잠시 후, 주위 두리번대며 공원 입구로 들어서는 남기태. 저만치 앞서가는 양희원 발견하는데. 그 시선이 (성별 가늠하느라) 우산 아래 양희원의 원피스 입은 맨다리

로 향한다.

어느새 양희원의 다리 뒤에 바짝 다가선 남기태의 모습에서…!!
양희원의 우산, 가방, 휴대폰이 바닥에 나뒹굴고. 핸드폰 밖으로 "희원아! 어디라고? 희원아!" 하는 남자 친구의 목소리 들린다.
이내 핸드폰 쪽으로 퍼져오는 붉은 핏물. 그 방향을 거슬러 비추면, 양희원이 피를 잔뜩 흘린 채 배를 움켜쥐고 쓰러져 있다.
그때 공원 안쪽을 걸어가던 40대 여, 바닥에 떨어진 양희원의 우산과 가방 발견하고, 의아한 표정으로 걸어오다가… (양희원을 발견한 듯) 놀라 비명을 지르는 데서!!

74 ___ 도로 / 밤

사이렌 울리며 빗길을 달리는 경찰차와 구급차! 그 위로!!

앵커e　오늘 새벽 서울 푸르매공원에서 20대 여성이 흉기에 찔려 피살되는 사건이 발생했습니다.

75 ___ 남기태의 방 / 아침

TV 화면에 뉴스가 나오는 중이고. 남기태 작은 밥상 앞에서 혼자 밥을 먹는 중인데.

앵커e　피해 여성은 수차례 칼에 찔려 발견 당시에 이미 피를 많이 흘린 상태로-

자신의 뉴스가 나오자 밥상을 밀어내고, TV 앞으로 바짝 다가앉아 보며 흐뭇해하는.

76 ___ 기수대 회의실 / 낮

프로파일링 지도 화이트보드에 크게 펼쳐 붙이는 하영과 옆에서 돕는 일영. 자리에 준식, 길표, 태구, 영수, 봉식 앉아 있다.

하영 (지도의 '푸르매공원'에 빨간색 동그라미 추가하고) 마찬가지로 서남부 지역입니다.

봉식 이건 주택가 골목도 아니고 공원이잖아. 심지어 흉기도 레저용 칼 아니고, 식칼. 이렇게 다른데 또 같은 놈이라고 보는 거야? 아니면 세 번째 인물이냐?

준식 (봉식에게 눈치 주고)

하영 20대 여성, 새벽에 피습. 복부 자창. 피해자군, 범행 시각, 공격 부위까지 일치합니다. 게다가 공원이긴 하지만, 현장에 직접 다녀온 결과 지하철에서 내려 주택가로 가는 지름길이라 동네 주민 대부분이 밤에 이 공원길을 주로 이용했어요.

일영 그게 왜요?

하영 주택가 골목길과 같은 개념으로 봐야 한단 얘깁니다.

일동 (주의 깊게 듣는데, 봉식만 내키지 않는 얼굴)

영수 용의자 인상착의도 있어요.

준식 목격자가 있어?

태구 아뇨. 피해자가 구급차에 실려 가는 동안… 진술했답니다.

길표 (안타까운) 그때까진… 살아 있었나 보네.

/ins. 푸르매공원

공원 내에 CCTV와 가로등 위치 확인하는 태구와 일영. 그 위로,

태구e　30대 남자로 키는 170cm가량, 스포츠머리. 어두운색 운동복 차림. 사고 직후 남자 친구와의 통화에서 모르는 사람이 따라와 찔렀다는 말만 남기고 대화가 끊겼답니다.

공원 입구부터[10] 천천히 걸어 들어오며 살피는 하영과 영수. 그 위로,

하영e　우려한 대로 앞선 범행들에서 충족이 안 된 범인은 더 크고 날카로운 흉기로 바꿔 다시 범행을 저지른 걸로 해석됩니다.

/다시 기수대 회의실

봉식　난 여전히 반대에요.

길표　뭘?

봉식　(짜증스럽게) 분석팀이 하는 얘기들! 다- 반대에요. 이제 그만들 휘둘릴 때도 되지 않았어요? (하며 휙 나가버리고)

일동　(못 말린다는 듯 보는)

길표　아 저 성질머리…

준식　그러니까 분석팀의 생각은 서남부 피습 사건 범인이랑 푸르매공원 사건이 같은 놈 짓이다 이거지?

영수　(푸르매 사건 현장 사진들 보여주는데, 양희원의 가방과 가방 속 소지품들 찍혀 있고. 지갑, 지갑 속 현금도 각각 찍힌) 네! 봐요. 성폭행도 아

10 프로파일러는 사건이 벌어진 장소의 바깥부터 살피며 현장을 파악(밖→안의 순서).

니고 금품 갈취도 아니에요.

길표 아니 그럼, 부유층 연쇄살인이랑은 다른 놈이라는 거고?!

하영 인정하고 싶지 않겠지만 우린 지금 각각 다른 두 명의 연쇄살인범을 잡아야 합니다.

일동 (미치겠고)

기수대1 하나로도 미치겠는데 둘이라니. 돌겠네.

태구 !, 섣부르게 사안을 확장시키지 마세요. 우리가 명백한 증거도 없이 연쇄살인범이 두 명이다 공표한다면, 이후 시민들이 느낄 불안감은 배가 될 겁니다. 경찰에 대한 신뢰 역시 흔들릴 거구요.

하영 (지지 않고) 현장에서 발견된 물적 증거만 단서가 아닙니다. 범인이 머문 시간과 장소에는 반드시 그날의 흔적이 남아 있어요. 사소해 보이는 실마리라도 범인을 추측할 수 있는 단서가 됩니다.

준식 음… 그래서 어떻게 하고 싶은 겨?

하영 범행 도구뿐만 아니라, 조건 범위를 넓혀서 유사 사건이 있는지 더 찾아봐야 합니다.

태구 (무리라는 듯) 서울 31개 경찰서에 공조 요청을 하자는 건가요?

하영 (단호한) 할 수 있으면 해야죠.

기수대2 아무리 기수대여도 그건 무리에요.

기수대3 이 형사 말이 맞아요. 합당한 이유가 있지 않으면 반발만 심해지고 난리날 걸요?

기수대1 저희도 현장 뛰는데 일선 서 형사들하고 부딪치기 시작하면 밥그릇 싸움만 커져요.

고민하는 준식의 답을 기다리는 모두의 얼굴에서.

77 ___ 푸르매공원 / 아침-밤

아침부터 밤까지 사람 하나 들르지 않는 공원의 을씨년스러운 분위기에서 컷 튀고, 낮. 공원 내 가로등을 점검하고 설치하는 인부들의 모습 보인다.

78 ___ 버스정류장 + 카페 / 밤

딸, 아내, 연인 등을 마중 나온 다양한 연령대의 남성들. 버스에서 기다리던 여성이 내리면 반기며 함께 걸어가는 그 위로, "푸르매 공원 살인 사건으로 시민이 불안에 떨고 있는 가운데 20대 여성이 흉기에 찔려 사망한 사건이 지난 4월 '구로구'에서도 발생-" 하는 앵커 목소리 들리면서, 버스정류장 보이는 창가에 앉아 크림 잔뜩 올린 커피 마시는 최 기자. 정류장 풍경을 지켜보고 있다. 노트북 화면에 「약자를 대상으로 한 연이은 살인 사건과 피습 사건에 불안에 떠는 시민들」 기사 언뜻 보이고.

79 ___ 서울지방경찰청 기자실 / 낮

임무식에게 슬쩍 쪽지 건네주고 가는 봉식. 보면, '서남부 지역' 적혀 있고, 임무식이 빠르게 편집국장에게 '서남부 지역 연쇄피습 사건'이라는 문자 보낸다.

80 ___ 거리 일각 / 저녁

전광판에 《대한일보》 속보. 〈서울 서남부 부녀자 연쇄피습 사건,

경찰 수사 확대 예정〉 크게 떠 있고, 행인들 지나가며 뉴스 속보 올려다보는 그 위로,

앵커e 서울지방경찰청은 기동수사대와 31개 경찰서 서장이 모인 가운데 회의를 열고, 서울 서남부 부녀자 연쇄피습 사건을 해결하기 위해 동기가 없는 범죄에 대한-

81 ___ 하영의 집 거실 / 저녁

앵커e 수사 정보망을 구축하고 경찰서 간 공조 수사를 보다 확대한다는 방침을 발표했습니다.

뜨개질하던 영신이 TV 채널을 이리저리 돌리는데 홈쇼핑에 '보디가드 서비스 판매'라고 뜬 화면이 보인다. "오늘 판매 상품은 바로 개인 경호 서비스입니다! 나만을 위한 보디가드를 하루 8시간, 총 5회-" 하며 적극 상품 판매하는 쇼호스트. 영신, 금세 채널 돌리는데, 이번에는 '경보 장치 판매'라고 뜬 홈쇼핑 화면. 다시 채널 돌리는 영신. 드라마에 고정하고 뜨개질에 집중하는 데서.

82 ___ 몽타주 / 여러 날

- 거리 일각. 밤거리의 분위기를 보는 하영. 혼자 걷는 남성들이 모두 의심스럽게 보이는데, 동시에 두리번거리는 자신을 경계하는 여성들의 시선도 느껴지고. "부유층 노인 연쇄살인과 부녀자 연쇄피습 사건의 범인이 동일범 아니냐는 여론이-" 하는

앵커 목소리 들리는 데서.
- 낮. 동작서 3건, 금천서 2건, 푸르매공원까지 현장(동네 분위기) 사진을 담는 하영.
- 기수대 회의실. 기수대 팀원들 모여 있는 가운데, 커다란 서울시 지도 펼쳐 벽에 붙이고, 서남부 일대 6건의 사건 발생 지역 표시하는 태구.
- 동네마다 신문 배달원, 야쿠르트 배달원을 만나 이야기 중인 일영. 배달원들 저마다 고개 가로젓는 모습 보이고.

83 ___ 푸르매공원 / 새벽

공원 앞에 차를 세우고 영수와 내리는 하영. 프로파일링 지도와 수첩 들고 공원 입구로 들어서면 인적 없는 공원에 새로 설치된 가로등들 전과 달리 환하게 주변을 밝히고 있다. 덕분에 한쪽에 크게 걸린 '목격자를 찾습니다' 현수막 한눈에 들어오는.

84 ___ 하영의 집 / 새벽

하영, 집으로 들어오는데, 마침 새벽기도 가려고 현관을 나서던 영신과 마주치고.

하영 어디 가세요?

영신 응. (손에 든 묵주와 성경책 들어 보이며) 새벽 미사.

하영 (잠시) 데려다드릴게요.

영신 아냐 됐어. 매주 가는 덴데 뭘. 해도 떴어 걱정 마.

하영 아녜요. 데려다드릴게요. (하며 나서는)

85 ___ 하영의 차 안 (성당 앞) / 여러 날, 새벽-아침

성당으로 들어가는 영신을 지켜보는 하영의 모습에서.

앵커e 지난해 9월부터 발생한 부유층 주택가 노인 살해 사건과 올해 1월부터 5월까지 연속적으로 발생한 서남부 부녀자 연쇄피습 사건 모두 뚜렷한 용의자가 나타나지 않는 가운데, 시민들의 우려가 공포로 바뀌며 경찰의 무능함을 지적하는-

미사를 끝내고 나오는 영신과 영신을 기다리는 하영의 모습들 컷컷컷!

하영na 악마는 또다시 자취를 감췄다.

86 ___ 구영춘의 단칸방 외경 / 낮

자막_2004년 여름.
집 밖으로 수도관 물소리 쉴 새 없이 들리고, 드르륵, 탁, 하는 정체불명의 소리도 드문드문 이어진다. 그때 집 앞을 지나던 러닝셔츠 차림의 이웃 남, 밖에까지 들리는 소리에 "뭔 공살 저리 맨날해" 하며 대수롭지 않게 지나가는.

87 ___ 구영춘의 단칸방 / 낮

물소리 멈추지 않는 화장실에서 나오는 구영춘, 하의는 팬티 차림. 젖은 발을 발수건에 문지르면 핏물이 함께 묻어나고. 성큼 상반신만 보이는 거울 앞에 서서 거울에 비친 자신의 표정을 관찰하기 시작한다. (→ 뒤에 붙어 있는 전신 엑스레이도 비치는)
그러다 거울 선반에 둔 위조한 경찰공무원증과 수갑 들고, 신분증 내보이는 시늉 반복하더니, 이내 수갑 들고 허리춤을 슬쩍 내보이는 시늉까지 이어지는데… 스스로도 어색한지 다시 처음부터 동작을 반복하는 그때 툭툭- 문 두드리는 소리 들리고.

88 ___ 구영춘의 집 앞 / 낮-아침

구영춘의 집 쇠문을 두드리는 30대 여가 보인다.
잠시 후, 안에서 문을 열어주면 여자가 안으로 들어가는 모습에서 컷 튀고…
아침. 다시 이어지는 물소리와 드르륵, 탁, 하는 정체불명의 소리!

89 ___ 하영의 차 안 (도로) / 낮

영수, 보조석에 앉아 신문을 보고 있고, 하영은 운전 중이다.

영수　목요괴담, 흰옷 괴담, 여고에선 애들 야간자율학습도 중단했대. 이대로 미제로 남으면 어떡하나 매일 악몽 꾼다 나는 요즘.

하영　…세상이 왜 이렇게 되어가는 거죠.

영수 그러게…

하영 분명 앞을 향해 달려가고 있는데 제자리에 갇힌 것 같은 기분이에요.

영수 (깊은 한숨 내쉬는 그때 길표에게 전화 걸려오고. 갸웃하며 받으면)

길표e 너 어디야. 빨리 들어와 봐.

영수 왜요.

길표e 그놈 잡은 거 같애.

영수 (자세 바로 세워 앉으며) ?! 그놈?! 그놈 누구요?

하영 (운전하다 귀 기울이고)

길표e (경황없이 재촉하기 바쁜) 그놈이 니 신분증을 위조해서 가지고 있어.

영수 신분증 위조는 또 뭔 소리야?… 설마 4년 전에 잃어버린 거?!

/ins. 도로 위

길표e 아!! 잔말 말구 빨리 와!! 부유층 노인 연쇄살인범 그놈!! 잡았으니까!!

급히 유턴하는 하영의 차!!

90 ___ 기수대 취조실 / 낮

관찰 유리 너머로 혼자 앉아 있는 구영춘의 모습이 보인다. 그 위로.

길표e 김봉식이가 성매매업소 사장 지인 뒤봐주다가 마포서랑 같이 이놈을 잡았는데, 성매매업소 종업원을 암매장했다고 떠들더니 부유충 노인 연쇄살인 사건 그것도 지가 했다는 거야.

하영e 지금 어디에 있습니까.

태구e 취조실에 있어요.

91 ___ 기수대 관찰실 / 낮

다급히 들어오는 영수와 하영. 그 뒤로 길표와 태구도 따라 들어 왔고, 이미 일영, 봉식이 관찰실에서 구영춘을 지켜보고 있다.
하영, 관찰실 유리 너머로 멍하게 앉아 있는 구영춘을 주시하는 데서, 하영이 지켜보는 방향으로 시선을 돌리는 구영춘.
마치 눈이 마주친 듯한 하영과 구영춘의 시선에서!!!

92 ___ 에필로그. 분석팀 / 아침 (씬41에 이어지는)

출근하는 하영을 반기는 영수와 우주가 하영에게 선물 상자 건네면, 쑥스러운 듯 상자 풀어보는 하영. 각각 영수의 작은 신형 녹음기와 우주의 고급 연필 세트 들어 있고. 하영의 표정이 밝아지면서 책상 위 구형 녹음기와 몽당연필 가득 찬 투명한 통이 비춰진다. 이어 테이블에서 음식들(씬37) 늘어놓고 함께 먹는 세 사람의 모습 위로.

작가 Comment

수정 전의 엔딩 장면은 아래와 같이 마포서로 향하는 설정이었으며, 이후 회차의 내용 연결상 수정 '전' 버전을 붙였다.

89 ___ 하영의 차 안 (도로) / 낮

영수, 보조석에 앉아 신문을 보고 있고, 하영은 운전 중이다.

영수 목요괴담, 흰옷 괴담, 여고에선 애들 야간자율학습도 중단했대. 이대로 미제로 남으면 어떡하나 매일 악몽 꾼다 나는 요즘.

하영 …세상이 왜 이렇게 되어가는 거죠.

영수 그러게…

하영 분명 앞을 향해 달려가고 있는데 제자리에 갇힌 것 같은 기분이에요.

영수 (깊은 한숨 내쉬는 그때 핸드폰 울리고, 모르는 번호에 갸웃하며 받으면)

남 형사e 여기 마포경찰선데요. 국영수 형사님 되십니까?

영수 네, 전데요. 마포경찰서요?

남 형사e 다른 게 아니라. 저희가 성매매 여성 납치 용의자를 한 명 잡았는데, 그놈이 국영수 형사님 신분증을 가지고 있어서요.

하영 (새어 나오는 남 형사의 말에 영수를 보는데)

영수 신분증? 설마 4년 전에 잃어버린 거요?! (신기한 듯 하영과 눈이 마주치고)

/ins. 도로 위

영수e 네. 지금 가겠습니다. (하는 목소리에서)

유턴하는 하영의 차!

8화

1 ___ 기수대 관찰실 / 낮

관찰 유리 너머로 봉식과 마주 앉은 구영춘을 지켜보는 준식, 길표, 태구, 일영, 영수, 하영.

준식 성매매 여성 납치 용의자로 잡아 왔다고?

태구 네. 종업원들이 연달아 연락 두절돼서 업주가 의심 끝에 신고했답니다. 오늘 새벽 공오 시 삼십 분경 검거했고, 피의자 구영춘이 소지한 핸드폰과 실종 여성들 물품은 마포서에서 조사 끝낸 상태입니다. 이틀 전 실종된 피해 여성 차량도 감식 중이고요.

준식 실종 피해자들은?

태구 죽였다, 아니다, 암매장했다, 아니다. 진술이 오락가락해요.

준식 김봉식 계장은 저놈을 어떻게 같이 잡은 겨?

태구 … 신고한 업주 곽만현이 김봉식 계장님 지인이랍니다.

길표 코빼기도 안 보이는 이유가 그거였어.

준식 노인네들 어쩌구 떠든 건 확실한 겨?

일영 그런 건 같은데, 저희가 여기로 데려오는 동안에도 횡설수설하더라고요.

하영과 영수, 가만히 집중하며 구영춘의 태도를 지켜보는데.
관찰 유리 너머로 보이는 구영춘, 혼자서 툭툭 웃음을 내비쳤다 말았다 한다.

준식 (잠시 고민하다가 구영춘에게 집중하고 있는 하영을 보며) 송 경위 생각은?

일동, 하영의 의견을 묻는 준식의 태도를 의외라 여기면서도, 하영의 답에 집중하는.

하영 (구영춘에게서 시선 떼지 않고) 우선 정신질환이나 성격장애 치료 병력이 있는지 확인하는 게 좋을 거 같습니다.

준식 (6화, 씬71 회의실. 준식이 보던 보고서[1] 비춰지는) 프로파일링 보고서에 썼던 그거?

하영 네.

준식 (일영 보며) 얼른 확인해봐.

일영 네. (하며 나가는)

2 ____ 기수대 취조실 / 낮

봉식 (테이블 내리치며 버럭) 구영춘!! (보면) 여기 서울지청 기동수사대

---

1 수사 대상자-정신분열, 성격장애자(경계선장애, 충동조절장애, 반사회성, 분열성 또는 공격 성향이 강한 장애) 중점 확인.

야. 그러니까 똑바로 얘기해! 아가씨들 니가 죽이고 암매장한 거 맞아?

구영춘 예.

봉식 노인네들 죽였다는 얘긴 뭐야.

구영춘 (쉽게 답하지 않으려는 듯) 뭐긴 뭐예요. 말 그대로 노인네들 내가 죽였다고요.

봉식 (다시) 니가 죽였다는 노인들. 부유층 노인 피살 사건 말하는 거 맞아?!

구영춘 (봉식을 보는 눈빛에서)

타이틀, 악의 마음을 읽는 자들 8화

3 ____ 서울지방경찰청 앞 / 낮

일영, 나오다가 계단에 지루하게 쪼그리고 앉아 있는 최 기자를 보며 지나가는.

최 기자 (일영 보며 벌떡 일어서는) 저기요! (보면) 구영춘, 아직 취조 중인 거죠?

일영 (귀찮은 듯 그냥 가려는데)

최 기자 저 마포서에서부터 쫓아왔어요. 그거만 알려주고 가시죠!

일영 (조심하듯) 알려드릴 게 없어요- (하고 그대로 가버리는)

최 기자 (아쉬운) 믿을 구석은 정우주밖에 없는 건가. (하며 우주에게 전화하는 모습에서)

4 ___ 분석팀 / 낮

우주를 따라 들어오는 최 기자. 분석팀의 허름함에 입이 떡 벌어지는데. 문을 열자마자 보이는 사건 현장과 시신 사진들로 벽면 가득 채운 풍경(6화, 씬70 동)에 또 한번 놀라며 "엄청나네" 감탄사 튀어나오고. 호기심 어린 눈빛으로 바짝 다가가 천천히 들여다보면, 그런 최 기자가 더 신기한 듯 보는 우주.

5 ___ 기수대 취조실 / 낮

봉식 (구영춘에게 종이와 펜 건네며) 몇 명이나 죽였는지 써.

구영춘 (태연하게) 노인네들이요? 아가씨들이요?

봉식 이 새끼가 진짜. (하더니) 싹 다 써!

빈 종이 보며 머뭇대던 구영춘. 순간 또다시 관찰 거울을 바라보고 쓰윽 웃는데, 거울에 비친 제 모습에 웃는 건지, 거울 너머의 누군가를 향해 웃는 건지 알 수 없는 표정이다.

6 ___ 기수대 관찰실 / 낮

하영, 시선이 마주친 것처럼 웃는 구영춘의 표정을 매섭게 주시하고. 그 옆에 준식, 길표, 태구, 영수는 구영춘의 행동에 짐짓 놀란다.

길표 뭐야 저놈. 자꾸 기분 나쁘게. (하며 밖으로 나가고)

준식 남 형사 연락 오면 바로 알려주고.

태구 네.

준식도 관찰실을 나가면, 하영, 영수, 태구만 남고.

영수 (답답한지) 저놈 하는 말 믿어도 될까?

하영 (구영춘에게 집중한 채) 거짓말 같아 보이진 않은데, 좀 지켜봐야겠어요.

하영의 말에 다시 구영춘의 태도 살피는 영수와 태구.

7 ___ 분석팀 / 낮

제자리에서 보고서 정리 중인 우주와 테이블에 우주를 등지고 앉아 있는 최 기자.

최 기자 무슨 사무실에 커피 믹스도 하나 없냐.

우주 (일하는 중인) 그런 거 마실 틈도 없단 뜻이야.

최 기자 송하영 경위님 드디어 만나보나 기대했더니. 얼굴 보기 되게 힘든 분이네. (둘러보다가) 너 여기서 4년을 버틴 거야?

우주 (PC만 보며) 버틴 거 아니다. 자부심 갖고 잘 다니고 있다.

최 기자 (우주 쪽 돌아보며 한숨) 너나 나나… 팔자를 스스로 꼬고 있는 게 아닌가 하는 의문이 문득 드네.

우주 (계속 제 일하며) 뭐래.

최 기자 (우주 옆에 의자 끌고 다가와 앉으며) 내가 아까 기삿거리 있다는 연락받고 마포서에 갔거든? 갔더니, 구영춘이라고 성매매 여성 납치 용의자가 있는 거야. 근데 이놈이 아가씨들을 여럿 죽여서 묻었댔다가 아니랬다가, 어디 묻었는지 기억이 난댔다가 모른댔다가 횡설수설하는 거지. 그러다 갑자기. (벽에 붙은 사진들(씬4) 보며) 노인들도 지가 죽였대.

우주　(그제야 최 기자를 보는) ?

최 기자　이상하지? 그러더니 서울지청 소속 형사 셋이 그놈 하나를 우르르 끌고 가더라. 그러니 내가 여기까지 안 쫓아 오고 배겨!? 그래서 생각한 건데. (잠시) 구영춘 말이야…

우주　(진지한 얼굴로 보면)

최 기자　설마 그놈일까?

우주와 최 기자의 표정이 심각해지는 데서, 벽에 붙어 있는 공개수배 전단 비춰지고.

구영춘e　어디 묻었는지 안 궁금해요?

8 ___ 기수대 취조실 / 저녁

구영춘　그래서 나 여기 데려온 거 아니에요?

반신반의하며 구영춘을 보는 봉식.

9 ___ 기수대 관찰실 / 저녁

영수, 하영, 태구, 여전히 구영춘을 지켜보는 중이고, 준식과 길표가 들어오며 "아직이야?" 묻는다. 관찰 유리 너머로는 혼자 앉아 있는 구영춘이 보이는데.

봉식　(문 열고 들어오는) 시신부터 확인하러 가시죠. (하며 준식에게 진술서 건네 보이고)

일동　(준식이 들고 있는 진술서 같이 보며 놀라는)!!

길표　18명?? 뭐야 이 미친놈…

영수　…주택 침입 살해 7명, 여성 납치 살해 11명…(하영에게) 같은 놈으로 볼 수 있을까?

하영　(구영춘에게 시선 떼지 않고) 엠오(MO)[2]를 바꿨다면… 가능해요.

길표　엠오가 범행 수법 그거 말하는 거야?

영수　맞아요.

하영　더 강한 자극을 원했다면, 수법의 변화 가능성이 있습니다.

길표　(심각한) 진짜로 서남부 사건도 전부 저놈인 거 아니야!?

하영　그건 아닐 겁니다.

태구　(하영의 말을 부정하듯) 아직 아무것도 장담할 수 없어요. 하나씩 확인해봐야죠.

준식　… 같은 놈이든 아니든, 저놈 하는 말이 진짜면 심각한 상황이니까 보안 유지 철저하게들 해.

태구　네. 마포서에도 연락해놓겠습니다.

길표　(영수에게) 니가 감식반이랑 같이 가봐.

영수　노진동?

길표　응. 가서 암매장한 게 사실인지 확인부터 해.

영수　알았어요. (하며 나가는)

2　MO(Modus Operandi): 가해자가 범행하는 방식의 특성.

하영은 끝까지 혼자인 구영춘의 태도 관찰하며, 시선 떼지 않은 채 지켜보는 중이고.
기수대 팀원들 관찰실 나가려는데, 유리 너머로 별안간 바닥으로 픽 쓰러지며 발작을 일으키는 (낡은 운동화 신은) 구영춘의 모습이 보인다. 놀란 하영이 "구영춘!" 하며 관찰실 밖으로 먼저 튀어나가면, 다들 나가다 말고 구영춘 확인하고는 놀라며 후다닥 취조실로 뛰어가는!

10 ___ 기수대 취조실 / 저녁

하영, 얼른 입고 있던 재킷을 벗어 구영춘의 머리맡에 받쳐주면, 태구는 의자와 테이블 밀며 주변을 치우고, 봉식이 구영춘의 손목을 조이는 수갑을 푼다. 다들 지켜보며 놀라는 얼굴에서 길표가 "얘 왜 이래" 하며 봉식 의심하듯 보면, 봉식, 아무 짓 안 했다며 강하게 손사래 치는데, 구영춘이 입에 거품을 물기 시작하고. 그 모습에 준식이 "물! 물! 가져와!" 소리치면, 봉식이 급히 뛰어나간다. 구영춘의 머리 조심스럽게 측면으로 돌려주는 하영. 태구 머리에 말아 올린 볼펜 보며 "그거 빼서 입에 물려주세요" 한다. 태구, 얼른 머리에 꽂아둔 볼펜을 빼 구영춘의 입에 가로로 물려주고, 하영은 "잘못하면 혀 깨물고 사망합니다" 설명하고. 길표, 우려하며 "119 불러야 되는 거 아니야?" 물으면, 침착하게 손목시계 보며 "5분 지나도 진정 안 되면 부르세요" 하는 하영. 모두 긴장하며 구영춘을 지켜보는 모습에서 서서히 발작이 잦아들고.

11 ___ 서울지방경찰청 앞 / 저녁

CSI 조끼 입고, 장비 챙겨 서둘러 승합차에 오르는 현장감식반 인원들과 인탁이 보인다. 건물 안에서 뛰어나온 영수도 그 차에 오르면, 급하게 출발하는 차량!

12 ___ 기수대 취조실 / 저녁 (씬10에 이어)

어느새 정신을 차리고 앉아 있는 구영춘과 봉식만 남아 있는 취조실.

봉식 (물을 건네며) 간질 있냐?

구영춘 (마시며) 예.

봉식 … 그래도 현장은 가야 된다.

그때 문을 열고 들어오는 태구.

태구 준비는 다 됐습니다.

봉식 (수갑 다시 채우려는데)

구영춘 (안색이 말이 아닌)… 맑은 공기 한 번만 쐬게 해주세요.

잠시 수갑을 채우려다 망설이는 봉식.

13 ___ 기수대 복도 / 저녁

태구와 봉식이 수갑 대신 구영춘의 양팔을 포박하고 걷다가 멈춘다. 복도 창문을 열어주는 봉식을 의아하게 보는 구영춘.

봉식 어차피 밖에 나가면 실컷 쐴 거 아니냐. 일단은 여기서 정신 차려.

구영춘, 잠시 삐죽대며 열린 창밖으로 고개 내밀어 숨 깊게 들이쉰다. 구영춘의 몸이 기울어지면서 팔을 더 단단히 잡으며 기다려주는 태구와 봉식.

태구 (잠시 후) 출발하죠. 이제.
구영춘 화장실 가고 싶어요.
봉식 (짜증 난) 아- 가지가지 하네 이 새끼.

14 ___ 화장실 앞 / 저녁

여전히 구영춘의 양팔을 포박하고 있는 태구와 봉식이 남자 화장실 문 앞에 다다르고, 봉식이 남자 화장실 팻말 가리키며 태구를 본다.

태구 허튼수작 마, 구영춘. (하고 잠시 포박했던 손을 놓으면)
봉식 (화장실 문 대신 열어주는데)

구영춘, 안으로 들어가려고 걸음을 떼는 순간! 봉식을 힘껏 밀치고 도주하는!!!
태구, 빠르게 구영춘을 쫓고. 봉식도 냅다 뛰며 "저 새끼 잡아!!!!!" 소리친다.

15 ___ 기수대 사무실 / 저녁

준식과 길표 외 사무실 인원들 분주하게 현장 나갈 채비 중인데, 준식이 길표에게 "국 팀장이랑 감식반 출발했지?" 물으면 길표, "아까 바로 갔어요" 서둘러 답하고. 하영, 우주와 통화하며 "응, 우주야. 관련 사건 자료들 먼저 챙겨놔 줘" 하는 그때 "저 새끼 잡아!!!!" 다급히 소리치는 봉식 목소리 들린다. 본능적으로 후다닥! 사무실 뛰쳐나가는 하영! (→ 책상에서 그대로 내팽개쳐져 줄 길게 매달린 수화기 너머로 "송 경위님! 경위님!" 하는 우주 목소리 어렴풋이 들리고)

16 ___ 서울지방경찰청 앞 / 저녁

건물 밖으로 뛰어나오는 구영춘의 모습이 보이고, 태구가 그 뒤를 쫓는다. 그때, 차에서 내리던 일영이 그 모습을 보는데, 뒤이어 나오던 봉식이 일영을 보며 "일영아!!! 잡아!!!!" 소리치며 뛴다. 순간적으로 구영춘을 쫓는 일영.
그 뒤로, 쫓아 뛰어나온 하영도 모습을 보이는 데서!

17 ___ 거리 일각 / 저녁

필사적으로 뛰는 구영춘과 그 뒤를 차례로 쫓는 태구, 하영, 일영, 봉식.

18 ___ 시장 골목 / 저녁

계속해서 쫓고 쫓기는 구영춘과 태구, 하영, 일영, 봉식인데. 봉식과 일영의 속도가 어느새 지친 듯 느려진다. 일영은 잠시 쉬었다가 다시 뛰기 시작하고, 봉식은 이내 다리에 힘이 풀려 뛰기를 포기하고 멈춰 헉헉거린다. 장애물을 넘어뜨리며 필사적으로 달리는 구영춘과 아랑곳 않고 쫓는 태구와 하영. 끝까지 구영춘을 쫓으며 골목 모퉁이를 도는 그 순간! 눈앞에 보이는 막다른 골목에서 멈칫하는데. 구영춘이 없다! 어디에서 놓쳤는지 가늠이 안 돼 당황하는 태구와 하영인데. 가까스로 도착한 봉식과 일영이 헉헉거리고. "뭐야?!" "이 새끼 어디 갔어요?!" 차례로 묻는다.

19 ___ 기수대 사무실 / 저녁

다급해진 분위기에 비상소집한 기수대 인원들, 길표와 준식 앞에서 있다.

준식　이놈 놓치면 큰일 나. 최대한 빨리 도주 수배 전단 뿌리고 연고선 파악해.

길표　일단은 조심스럽게 움직여야 하니 전단은 절도 용의자로 만들죠.

준식　그렇게 하고, 국 팀장한텐 현장에서 뭐 나온 게 있는지 수시로 확인하고.

길표　예.

준식　자자- 경력 배치 지시했으니까 도주 용이한 지하철, 기차역, 버스터미널도 집중 수색하고!

준식의 말이 떨어지자마자 일사불란하게 움직이며 나가는 인원들.

20 ___ 시장 골목 / 저녁

시장 골목 어디쯤. 아무렇게나 꽂혀 있던 칼을 집어 드는 구영춘. 칼을 숨기고 빠른 걸음으로 주변을 살피며 조심스럽게 이동하는 모습에서.

21 ___ 몽타주 / 저녁-밤

- 저녁. 기수대 사무실. 준식과 길표가 구영춘의 '절도 용의자 도주 수배 전단' 배포하며 경찰들에게 지시하는 모습.
- 저녁. 서울지청 건물에서 우르르 나와 차량에 올라타는 경찰들을 보는 최 기자.
- 밤. 기차역(영등포역) 앞에서 구영춘 '절도 용의자 도주 수배 전단' 들고 수상한 사람과 차량 검문하며 전단 사진 비교하는 경찰들 모습.
- 밤. 땀이 흥건한 채 봉식, 하영, 태구, 일영이 각자 역 주변 수색하는 모습.

22 ___ 성인 전용 PC방 입구 / 새벽

건물에서 나오다가 하영을 마주치는 태구. 둘 다 지친 기색 역력하다.

태구 도주 수배 전단 뿌리고 갈 만한 곳에 검문 검색도 강화했으니 멀린 못 갔을 거예요.

하영 (주변 계속 살피며) 여기가 구영춘의 집과 가장 가까운 역입니다. 서울을 벗어나려면 분명 근처 어딘가에서 상황을 살피고 있을 거예요.

태구, 끄덕이고. 두 사람 다시 흩어져 이동하는 모습에서.

23 ___ 영등포역 뒷골목 / 새벽

인적 없는 골목을 살피던 태구. 저만치 가는 수상한 남자의 뒷모습을 발견하는데,
구영춘이 입었던 것과 옷이 다르고. 그럼에도 갸웃하며 조심스레 뒤를 밟는 태구가 남자의 신발을 확인하면. 구영춘이 신었던 낡은 운동화(씬9) 그대로다. 이내 확신하고 빠른 걸음으로 구영춘을 쫓는 태구. 그러다 어느 순간 다시, 구영춘이 사라진다.
태구, 사라진 방향 가늠해보느라 주변을 두리번거리며 조심스럽게 걸음을 떼는 그때! 뚜벅뚜벅 익숙한 발자국 소리 들리고. 태구가 휙! 뒤를 돌아보는 데서 오버랩.

/ins. (과거. 1990년대) 몽타주

골목 어딘가. 발자국 소리에 앳된 태구가 돌아보는데 아무도 없고. 차 뒤에서, 집 앞에서, 골목에서, 매일 밤마다 태구의 뒤를 쫓는 낯선 발자국 소리 이어진다. 그때마다 태구가 불안감에 휙!휙! 휙! 뒤를 돌아보는데, 아무도 없고. 그저 태구를 지켜보는 스토커의 불길한 시선만 반복해서 이어질 뿐인.

/다시 골목

태구, 바짝 긴장한 모습으로 경계하듯 자세 갖추는데.[3] 구영춘이 뒤에서 달려들어 태구를 찌른다. 윽- 신음하는 태구. 구영춘, 그 틈 놓치지 않고 마구잡이로 칼을 휘두르며 태구를 밀쳐내는데, 옆구리를 움켜쥔 태구의 손에 흥건하게 피가 고인다.
구영춘, 태구의 옆구리를 다시 발로 힘껏 걷어차고 태구가 잠시 고통스러워하는 사이, 재빠르게 도망치려는 그때! 도착해 상황을 목격하는 하영! 도망가려던 구영춘을 제압하려는 순간! 구영춘이 먼저 픽! 쓰러진다.
보면, 철철 흐르는 피를 한 손으로 누른 채 숨을 고르며 구영춘을 제압한 태구! 마침내 구영춘의 팔을 꺾어 수갑 채우려는데 다른 한 손에 힘이 빠진다. 하영, 대신 수갑을 받아 채우려는데 마다하는 태구와 그 모습에 멈칫하는 하영.
이내 태구가 힘겹게 구영춘의 손목에 수갑을 채우는 모습에서!!
뒤늦게 우르르 도착한 봉식, 일영 외 경찰들. 일영이 놀라 "팀장님!" 부르는 그 위로.

24 ___ 도로 일각 / 새벽

사이렌 울리며 이동하는 기동대 승합차량과 그 뒤를 달리는 구급차가 보인다.

25 ___ 분석팀 / 새벽

---

3 (5화, 씬1) 태구가 떨어뜨린 조깅용 타이머 건네던 후드 남 경계하며 긴장하던 모습과 같은 느낌.

책상에 구영춘 관련 자료들 잔뜩 쌓아두고, 초조한 듯 앉았다 일어났다 왔다 갔다 하며 잠시도 가만있지 못하는 우주. 최 기자, 그런 우주 보며 상황 진즉에 눈치챘고.

최 기자 (국장에게 연거푸 걸려오는 핸드폰 무시하며) 부유층 노인 연쇄살인범, 맞지?

우주 (대답 않고)

최 기자 그냥 말 좀 해주면 안 돼?

우주 친구이기 이전에 너 기자야. 난 아무것도 말 못 해.

최 기자 그래. 알았다. 아무튼 난 안 갈 거니까. (하며 자리에 앉아 노트북 펼치면)

우주, 그런 최 기자를 어쩌지도 못하는데.
그때 사이렌 소리 들리고! 기다린 듯 다급히 밖으로 나가는 두 사람!

26 ___ 서울지방경찰청 앞 / 새벽

기동대 차량에서 내리는 구영춘과 봉식 외 형사들 모습 보이고. 이어, 하영도 내린다. 그 모습에 우주가 "경위님!" 하며 하영에게 향하는데. 최 기자는 우주의 말 못 듣고, 우르르 건물 안으로 들어서는 형사들과 구영춘을 포박한 봉식을 먼저 따라간다.
최 기자, 출입문 앞에서 《팩트 투데이》 명찰 내보이지만, 제지당하고.

최 기자 으! 씨! 내가 기필코 시경 캡[4] 달고 만다!

하는 그때 우주와 하영, 최 기자를 지나쳐 건물 안으로 향하는데.

최 기자 (우주 보며) 어?! 야야! 나도!!

최 기자가 우주를 불러보지만, 우주는 손만 저을 뿐 무시하며 들어가고. 그 순간 최 기자를 돌아본 하영과 눈이 마주친다. 최 기자, 아는 척해보려는데, 다시 훅, 들어가버리는 하영을 보며 아쉬운 듯 발을 구르는.

27 ___ 기수대 취조실 / 새벽

혼자 앉아 있는 구영춘. 수갑 채워진 손과 옷에 태구가 흘린 피 잔뜩 묻어 있다.

28 ___ 기수대 관찰실 / 새벽

관찰실에 모여 있는 준식, 길표, 봉식, 하영인데.

하영 (기다린 듯) 윤 팀장님은 어떻다고 연락 없습니까?
길표 다행히 급소는 비껴갔다니까- (하는데)

4 서울경찰청(시경) 출입 기자.

그때 일영이 들어오고.

일영 (OL) 아휴!! 구영춘 이 새끼!

길표 (애써 침착한) 성질 죽여. 괜히 꼬투리 잡힐 일 만들지 말고.

일영 대장님, 지금 이 상황에! 윤 팀장님 하마터면!

길표 우리는!! 나는!! 남이라 참는 거 같애?

봉식 열 받는 게 당연하죠! 내 식구가 칼에 맞았는데. (하다가) 송하영 너는 같이 있으면서 뭐했냐?

하영 (개의치 않고) 윤 팀장님은 어떤 상황인 겁니까?

일영 응급 처친 잘됐는데 상처가 꽤 커서 며칠 입원해야 한대요. 병실로 이동해서 주무시는 것까지 확인하고 왔어요.

하영 (그제야 안심하고)

일동 (안도의 한숨들)

준식 윤 팀장 단단한 사람이니까 금방 일어날 겨. 여기 우리도 다 같은 마음인 거 아니까 일단은 침착하고. 노진동은 연락 아직이여?

길표 네. 열심히 찾고 있는데 아직인가 봐요.

/ins. 노진동 뒷산

산자락 어딘가. 넓게 폴리스라인이 둘러져 있고, 그 안에서 영수, 인탁 외 감식반원들, 땀 흘리며 삽과 곡괭이 들고 땅을 파헤치는 중이다. 그 위로,

봉식e 이 새끼 뒷산에 묻었다는 거 뻥 아니야?

준식e 시신 확인을 해야 진술에 신빙성이 생기니까 그것부터 서둘러야 돼.

/다시 관찰실

준식 그리고 취조실엔 내가 들어갈 테니까 김 계장은 있어.

봉식 (구영춘) 와- 놓쳤다고 벌써 이러시는 겁니까!

하영 (거들며) 백 과장님이 먼저 들어가시면 안 됩니다.

일동 (?, 하영을 보는)

하영 취조 내내 살펴본 바로는 과시하는 성향이 강해 보입니다. 자기 마음대로 상황을 좌지우지할 수 있다고 생각하는 것 같아요.

봉식 거봐, 내가 그랬지? 마포서에서부터 이랬다저랬다 아주 형사들을 가지고 놀았다니까.

하영 처음부터 백 과장님이 상대해주면, 그 밑에 직급은 아예 조사를 못 하게 될 겁니다. 신중하게 접근하지 않으면 입을 아예 닫아버릴 놈이에요.

일영 (!!) 제가 들어갈까요?!

준식 (고민하다가) 정신질환 병력은 알아봤어?

일영 '간질 발작에 의한 정신질환'으로 1992년~1994년까지 진료받은 기록이 있어요.

봉식 (그 말에 하영을 보는)

일영 (아쉬운 듯) 윤 팀장님이랑 강력범들 5년 전 진료 기록까진 찾아봤었는데… 훨씬 더 오래전이네요.

길표 프로파일링 보고서가 맞긴 맞았네.

준식 (결정한 듯) 일단 남 형사가 먼저 들어가자.

29 ___ 기수대 취조실 + 관찰실 교차 / 새벽

취조실

구영춘과 마주 앉아 있는 일영.

구영춘　내가 찌른 분은 어떻게 됐어요?

일영　(치밀어 오르는데) 왜?

구영춘　미안해서요.

일영　(참는) 마음에도 없는 소리 말고, 여기(진술서) 다 있으니까, 허튼 생각은 그만해.

구영춘　(기분 나쁜 듯 태도 바꾸며) 그거 다 거짓말입니다. 내가 안 죽였어요.

 # 관찰실

길표　하… 저 새끼 진짜 사람 환장하게 하네.

구영춘의 태도를 놓치지 않으려 응시하는 하영.

 # 취조실

일영　(진술서 보이며) 그럼 이건 뭐야?!

구영춘　TV에 나온 거 보고 썼어요. 여기저기 많이 나왔잖아요. 장소며, 방법이며.

일영　(화를 누르며) 좋아. 그럼 거짓말은 왜 했어?!

구영춘　(보다가 당당하게) 몰아붙이니까요.

일영　(꾹 참고 일부러) 그치? 내 생각에도 넌 사람 죽일 정도론 안 보여. 열여덟이나 죽이고 열한 명을 암매장했다고? 거짓말하니까 재밌어?

구영춘　(… 가만히 일영을 보다가) 진실이 알고 싶어요?

 # 관찰실

봉식　아 놔! 저런 건방진 새끼를 봤나! (준식 보며, 내가!!) 들어가면 안 돼요?!!

준식 (안 된다는 도리질)

봉식 (답답한지 하영에게 허락받듯 다시 묻는) 안 돼?!!

하영 (대답 고르는데)

길표 내가 안 돼. 너 지금 그 성질로 들어가면 그나마도 어려워져.

봉식 (머리 털며) 아 미치겠네 진짜!!

 # 취조실

구영춘 (반말인 듯 아닌 듯) 여기 제일 높은 사람이 누구지? 나랑 얘기하고 싶으면 대장 정돈 와 앉아야지.

일영 뭐 이 새끼야?

구영춘 (일영을 가리키는 고갯짓하며) 승진하고 싶어? 나 같은 거물 잡으면 바로 특진 아닌가?

일영 아 놔 이 새끼가!! (박차고 일어나는데)

구영춘 (태연한) 이봐. 피라미들이랑은 대화가 안 돼. 가서 높은 사람을 데려와요. 사람을 열여덟이나 죽이고 열한 명을 암매장한 용의잔데. 내가.

 # 관찰실

길표 저놈이 날 부르네. 원하면 들어가 주지 뭐. (하는데)

준식 (잡으며) 둬. 내가 들어갈 겨.

일동 (?. 준식을 보면)

준식 저렇게 하는 말마다 휘둘렸다간 경찰 간부 줄줄이 소환할 놈이여. (하영에게) 안 그려?

하영 (쉽게 답하지 못하고)

준식 (나가려는데)

하영 잠시만요. 잠시만 기다려주세요. (서둘러 관찰실을 나가고)

일동 ??

30 ___ 기수대 복도 (관찰실 앞 복도) / 새벽

하영이 나오다가 벽에 기대서 있는 우주를 본다.

하영　왜 여기 있어?

우주　아… 제가 거기까지 따라 들어가는 건 아닌 거 같아서요.

하영　(서두르며 분석팀 향하는) 아까 부탁한 자료들- (하면)

우주　(서둘러 따라가며) 다 모아놨어요.

31 ___ 분석팀 / 새벽

사무실 들어서는 하영과 우주인데, 최 기자가 혼자 앉아 있고.

우주　(당황하며) 안 갔어?!

최 기자　(시선 하영에게만) 내가 들어올 수 있는 데가 여기밖에- (하는데)

하영　(우주 책상에 쌓아둔 자료 보며) 이거야?

우주　네.

하영과 우주, 품 안 가득 사건명 적힌 자료 나눠 들고 나서려는데, 보고만 있던 최 기자가 "잠깐만요" 하며 벽에 붙어 있던 구영춘의 공개수배 전단을 재빠르게 뗀다.

최 기자　(전단 하영의 맨 위에 올리며) 혹시 모르니까 이것도요. (확인하듯) 송 경위님.

하영, 고개 끄덕이며 나가는 모습에서.

32 ___ 기수대 관찰실 / 새벽

파일과 낱장 서류들 잔뜩 안고 들어오는 하영. 그 뒤로 우주도 따라 들어오고.

길표 이게 다 뭐야?

하영 (준식에게 건네며) 가지고 들어가서 옆에 올려두세요. 자료에 눈길을 주시되, 실제 들여다보지는 마시고요.

준식 (알아듣고) 기선 제압이다 이거지.

하영 (끄덕이며) 이미 많은 걸 알고 있다는 뉘앙스만 주시면 됩니다.

준식 오케이.

하영 하나만 더요. (보면) 따지듯 물으면 기분 나빠하는 태도를 보입니다. 그때부터 삐딱해지는 거 같고요. 그러니 처음엔 그냥 오냐오냐해주십쇼. 추궁 조사 시작하면 의자에 등 기대고 앉을 놈입니다.

봉식 나 참. 상전 났네.

우주 (눈치 보다가 구영춘 도주 수배 전단 집어 올리는) 이것도 같이요.

우주가 전단 맨 위에 올려두면, 알았다는 듯 자료들 안고 나가는 준식.

33 ___ 기수대 취조실 / 새벽

준식이 안으로 들어서자 일어서 밖으로 나가는 일영.
준식, 테이블 한쪽에 자료들 올리면, 구영춘의 시선이 자료들로 향한다.

준식 나랑 얘기하자.

구영춘 이제 급이 좀 맞아 보이네. 직급이 어떻게 돼요? 대장쯤 되나?

준식 대장보다 위. 총경이여. 서울지청 형사과장.

구영춘 (그제야 만족한 듯 끄덕이는)

준식 (타이르듯) 구영춘. 더 시간 끌어봐야 너만 불리해지는 겨. (자료들 가리키며) 형사가 바보는 아니잖여?

테이블에 놓여 있던 진술서 들춰보는 준식을 의식하는 구영춘. 진술서 몇 장을 넘기면, 구영춘이 그린 수성, 군곡, 진중, 황화동 집 내부가 보인다.

준식 (그림들 보며) 그림 솜씨가 제법이네.

구영춘 (잠시 우쭐) 어릴 때 그림 좀 그렸습니다.

준식 그렇구나. 근데 말이여, 여기 언론에 공개 안 한 내용들은 어떻게 알고 그린 겨? (구영춘, 멈칫하면) 금고가 어디에 있었는지, 넘어져 있었는지, 서 있었는지까지 다 아는 거 보면 영락없는데. 안 그려?

구영춘 …

준식 (기세 몰아서 맨 위에 있는 뒷모습과, 얼굴이 찍힌 수배 전단 2개 구영춘의 앞에 내려놓고) 이거, 누가 봐도 니 뒷모습이잖여. 인제 이렇게 얼굴까지 있고. 도망가봐야 또 금방 잡히는 상황인 겨. (망설이는 듯한 구영춘을 보는)

구영춘 …… 잠시만 시간을 주세요. (망설이는 모습에서)

34 ___ 서울지방경찰청 건물 앞 / 새벽

"나왔답니다! 노진동 뒷산이요!" 하는 일영의 목소리 위로, 우르르 승합차에 올라타는 준식, 길표 외 형사들! 수갑 찬 구영춘을 태우는 봉식과 일영도 보이고. 하영과 우주도 얼른 하영의 차에 오르며 서둘러 출발하는 모습에서! 건물 앞에서 내내 대기하고 있던 최 기자가 긴장한 얼굴로 상황을 지켜보는.

35 ___ 병실 / 새벽

멀리 들려오는 사이렌 소리에 눈을 뜨는 태구. 해가 뜨는지 커튼 쳐진 병실이 차츰 밝아지기 시작하면서 왼쪽 손등에 꽂힌 주삿바늘을 본다. 이어지는 긴 줄을 따라 링거대 올려다보면, 링거액 줄줄이 달려 있고, 다시 이불을 들춰 보면 환자복 입고 허리에 붕대 잔뜩 휘감은 모습이 드러난다.

36 ___ 병원 앞 / 이른 아침

힘겹게 병원을 나서는 태구의 모습 위로 "아직 퇴원하면 안 돼요!" 하는 의사 목소리.

37 ___ 노진동 뒷산 / 이른 아침

제복 경찰, 사복 경찰 두서없이 잔뜩 섞여 몰려 있는 산자락 어딘가. 커다란 나무에 작고 빨간 ×자 표식이 보이고. 그 옆으로 넓게 두른 폴리스라인 안에서 인탁과 감식반원들 여전히 삽과 곡괭이 들고 땅을 파헤치는 중이고, 기수대와 하영, 우주가 도착하면,

영수가 곡괭이를 내려놓고 하영 쪽으로 다가간다. 봉식과 일영은 수갑 찬 구영춘을 포박하고 있고, 하영, 영수, 준식, 길표, 우주가 심각하게 그 모습 지켜보는데, 감식요원 하나가 "계장님! 여기요!" 소리친다. 인탁을 부른 감식반원, 삽을 내려놓고. 인탁이 대신해 손으로 조심스럽게 땅을 파헤치기 시작하는 데서, 모여 숨죽인 채 그 모습을 지켜보는 일동. 이내, 인탁이 흙을 걷어내면 서서히 두개골의 형체가 드러나는 데서… "여기요!" "여기도 있습니다!" "계장님 여기요!" 너나 할 것 없는 감식반원들의 목소리 이어진다. 이어 손가락뼈, 정강이뼈 등이 차례로 발견되고, 부슬부슬 비마저 내리기 시작하면서 산자락에 모여 그 상황을 지켜보는 준식, 길표, 봉식, 일영, 영수, 하영, 인탁, 우주의 참담한 표정이 차례로 비춰진다. 어느새 도착한 태구도 영수와 하영 사이에서 처참한 표정 짓는데. 배에 붕대 두른 채 현장에 도착한 태구의 모습이 안쓰러우면서도 상황의 처참함에 누구 하나 쉽게 말 한마디 건네지 못하고… 지켜보던 영수가 비를 맞으며 라이터 휠 돌려대다가 길표에게 다가가면, 길표가 영수에게 담배 한 개피 건네고. 영수, 망설임 끝에 결국 담배에 불을 붙이고 마는 모습에서… 손가락을 누른 채 현장을 지켜보는 하영의 시선이 구영춘에게 향한다. 구영춘, 무덤덤한 표정으로 서 있다가 시선을 느꼈는지 고개 돌려 하영을 보는데. 둘의 눈빛이 마주치는 데서, 분노와 슬픔이 엉킨 듯 손가락 더 힘껏 누르며 주먹 꽉 쥔 손이 바르르 떨리는 하영… 그런 하영의 모습이 한참을 비춰지는 데서……

앵커e　속봅니다. 지난 1년 동안 무려-

38 ___ 구영춘의 단칸방 + 화장실 / 낮

앵커e 18명의 무고한 시민을 엽기적인 방법으로 살해한 용의자가 경찰에 붙잡혔습니다.

 # 단칸방

피비린내에 코를 막으며 들어서는 감식반원들. 이어 서랍, 침대 밑, 장롱 등을 살피고. 그 사이에서 인탁이 서랍장 아래 둔 구영춘의 망치 가방을 열어보고는 육각형 붉은 쇠망치 꺼내 든다. 그제야 수수께끼가 풀린 듯 각진 부분 유심히 들여다보는 인탁. 다시 벽에 붙어 있는 전신 엑스레이 사진에 시선을 주며 인상을 찌푸리고.

 # 화장실

혈흔을 체크하기 위해 감식반원 하나가 불을 끄고 루미놀을 뿌리기 시작하면, 어둠 속 곳곳[5]에 푸른빛이 드러나기 시작하는 데서.

앵커e 서울지방경찰청 형사과장이 발표한 수사 내용을 들어보시겠습니다.

39 ___ 서울지방경찰청 강당 / 낮

백드롭 걸린 단상 앞. 준식이 서 있고, 그 옆에 길표, 봉식, 태구, 일영도 보인다.

강당을 채운 기자들 사이 앞쪽에 자리 잡은 최 기자와 뒤쪽에 자

---

5 천장, 세면대 아랫면, 화장실 슬리퍼, 내측문 일부.

리 잡은 임무식. 카메라 플래시 쉼 없이 터지는 중이고. 하영, 영수, 맨 뒤에서 상황 지켜보며 서 있다.

준식　피의자 구영춘을 대동해 사체 유기 장소로 지목한 서울 서대문구 소재 노진동 뒷산에서 2~30대 신원불상의 여성 사체 11구가 암매장된 사실을 확인했습니다.

최 기자　부유층 노인 살해에 대한 범행도 확인이 됐습니까.

준식　구 씨의 집에서 범행에 사용한 둔기를 입수했고, 구 씨의 진술을 토대로 범행 도구에서 발견된 혈흔 DNA를 확인 중에 있습니다.

임무식　추가 범죄 및 공범은 없습니까.

준식　현재까지 수사 결과 구 씨의 단독 범행으로 파악하고 있으며, 여죄 부분을 집중 수사하고 있습니다.

40 ___ 서울지방경찰청 기자실 / 낮

여기저기서 "국장님! 구영춘 전과자니까 이전에 검거했던 형사들 찾아가서-" "처음 검거한 형사랑 신고자 신원 파악-" 하는 캡들의 통화 내용 들린다. 그 사이에서 "구영춘 이웃 인터뷰부터 하나 따시죠-!" 하며 전화 끊고 헤드라인 문구 쓰는 임무식. 보면, 「희대의 살인마 검거, 하늘이 도왔다!」 적는 중인.

41 ___ 팩트 투데이 사무실 / 낮

「사회적 약자층을 대상으로 하는 극악한 범죄 행위. 근본적 치안 대책 필요」 기사 제목 입력하는 최 기자.

42 ___ 몽타주 / 저녁 - 이른 새벽

- 대학교 도서관. 구비된 PC에서 잠시 구영춘의 인터넷 기사 검색하는 여대생. 《팩트 투데이》 클릭해서 들어간 화면에 최 기자의 기사가 보인다.
- 이른 새벽. 집집마다 대문 앞에 던져지는 신문들 컷컷컷! 1면에 구영춘의 기사 실려 있고. 그중, 임무식의 「희대의 살인마 검거, 하늘이 도왔다!」 헤드라인도 보인다.

43 ___ 분석팀 앞 + 서울지방경찰청 건물 앞 / 낮

기수대로 향하는 영수와 하영. 하영의 손에는 수첩이 들려 있는 그 위로.

청장e　서남부 사건까지 전부 구영춘으로 엎어가도 되지 않아? 다 그놈 짓인 거 같은데.

/ins. (같은 날) 청장실

청장 앞에 서 있는 준식, 난감한 얼굴.

준식　일단 본인은 아니라고 하고 있어서 더 확인을 해봐야 합니다.

청장　아니라는 말을 어떻게 믿어. 구영춘 소행이라는 전제로 옴짝달싹 못 하게 파고들어 봐.

준식　저희도 어디까지가 그놈 짓인지 가늠이 안 돼서 서남부 말고도 미제 사건까지 전부 확인하고 있긴 합니다.

청장　(골치 아픈 듯) 최대한 같이 묶어서 자백 끌어내.

준식　검찰 송치 후에 증거 안 나오면 저희가 더 곤란해집니다.

청장　그건 그때 가서 생각하고! 당장 발등에 떨어진 불부터 처리하는 게 급선무야. 우리는 일단 구영춘 검거한 걸로 피해갈 수 있는 방법 좀 찾아봐. 언론에서 지금 1분마다 구영춘하고 각종 미제 사건들 묶어서 떠드는데 뭐라도 하나 던져줘야 우리한테 쏟아지는 말들이 바뀔 거 아냐.

준식　…하신 말씀 염두에 두고 최대한 조사해보겠습니다.

44 ___ 기수대 취조실 / 낮

태구　(구영춘과 마주 앉아 사건 자료 들춰보며) 현금 강취가 목적이었다는 거야?

구영춘　옷도 잘 차려입고, 돈이 좀 있어 보였어요.

45 ___ 기수대 사무실 / 낮

사무실 들어서는 영수와 하영을 보며, 일영이 묵례하고. 봉식은 달갑지 않게 보는.

영수　아직 여죄 파악 중인 거죠?

일영　네. (임영동 사건 적힌 파일 건네고, 취조실 시선 주며) 윤 팀장님이 취조 중이에요.

길표　김 계장이랑 윤 팀장이 번갈아 들어가면서 미제 사건들 확인하는데, 어휴! 인간 같지도 않은 놈 비위 맞추느라 화딱지 나 죽겠다. 가져다 들이대는 족족 지가 했대. 안 잡혔으면 100명을 죽였을 거라는 등.

봉식　(훗) 또라이 새끼. 지가 무슨 영웅이라도 된 줄 알아. 그러다 심기라도 거스르면 또 번복하고. 개봉식 성질 안 통하는 새낀, (잠시 하영을 보며) 너 빼고 처음이다.

영수　(지지 않고) 미친개는 안 물지. 송 경위가.

일영　(그 말에 붉으락… 참는 봉식과 신경 안 쓰는 하영을 번갈아 힐끔 보는데)

하영　(그러거나 말거나 파일 보다가) !, 이 사건. 레저용 칼이네요?!

영수　?! (그 말에 옆에서 같이 보는데)

일영　동작서, 금천서 사건도 전부 구영춘 짓인지 확인했는데, 그건 또 다 아니래요.

하영　(심각한) 이것도 아닐 겁니다.

길/봉/일　(??, 무슨 소린가 보는)

길표　구영춘이 지 입으로 지가 했다는데 왜.

영수　1월? 사망 사건이 진즉에 있었던 걸… 동대문구라 놓쳤나 보다…

하영　다시 보니… 일일 보고서에서 봤던 기억이 나요.

영수　각 관할 공조 수사 이거 빨리 개선해야 돼요.

봉식　(못마땅한) 분석팀은 오지랖 참 넓어. 너무 많은 걸 할려고 들어 항상.

영수　(발끈하려는데)

봉식　(얼른 담뱃갑 집어 나가며 구시렁대는) 위에선 엎어가라 그러고- 눈엣가시들은 곧 죽어도 아니래고- 정작 사람 죽인 노무 새끼는 (답답한) 니기랄- (하며 나가는)

일영　(눈치 보며 하영, 영수에게) 윤 팀장님이 지금 그 임영동 살인 사건 자백받는 중이에요.

길표　엠오인지, 그게 바뀌었다며. 그럼 되는 거 아니야? (하는데)

하영 다른 사건입니다. 이건. (심각한 얼굴로 임영동 사건 내용[6]을 수첩에 옮겨 적어놓는)

46 __ 기수대 취조실 / 낮 (씬44에 이어)

복귀해 구영춘 취조 중인 태구.

구영춘 경찰신분증 보여주면서 다가갔는데도 갑자기 겁먹고 뒷걸음질치더라고요? (화내는) 나 참. 경찰이라는데 왜 도망가. 내가 추레해 보였나 싶어서 순간 열이 확 받더라고.

태구 그래서 따라가서 칼로 찔렀다?

구영춘 (뻔뻔한) 예. 형사님 내 덕에 승진하겠네. 이제 그때 찌른 거 갚은 거예요.

태구 (그러거나 말거나 반신반의하는)

47 __ 관찰실 / 낮

뻔뻔하게 답하는 구영춘의 진술 태도 지켜보는 길표, 영수, 하영인데. 보다 못한 길표, "난 더는 못 봐주겠다" 하며 나가버리면, 영수와 하영만 남고.

영수 아무리 봐도 임영동은 아니지?

---

6 사건 일자: 2004년 01월 30일(금) 범행 장소: 임영동 노상, 피해자: 28세 김양희, 범행 도구: 레저용 칼.

하영　네. 망치에서 레저용 칼로 바뀌는 건 구영춘의 성향이 아니에요. 구영춘은 수법이 변한다기보다 자극이 발전하는 놈 같아 보입니다.

두 사람 의심스럽게 구영춘을 지켜보는 모습에서.

48 __ 기수대 복도 / 낮

맞은편에서 걸어오는 하영과 태구. 하영이 먼저 태구에게 말을 건네는.

하영　몸은 좀 어떠세요.
태구　많이 좋아졌어요.
하영　다행이에요.
태구　걱정 안 하셔도 돼요. 그럼 수고하세요. (하며 먼저 가는 데서)

49 __ 남기태의 방 / 저녁

앵커e　연쇄살인범 구영춘에 대한 '여죄' 조사를 벌이고 있는 경찰은 구 씨가 지난 1월 말 동대문구에서 20대 여성 1명을 더 살해했다는 진술을 했다고 밝혔습니다.

TV에선 뉴스 나오는 중이고. 이불 한쪽으로 밀어두고 방바닥에 신문지 펼쳐 깔아둔 어수선한 방. 신문지 위에 남기태의 낡은 운동화가 놓여 있다. 그중 한 짝 들고 앉아 밑창을 열심히 뜯어내며 한 번씩 TV에 시선 주는 남기태의 모습 위로, "임영동 살인 사건을 저지른 혐의가 입증될 경우 구 씨가 벌인 범행에 의한 희생자는 19명에 이를 것으로-" 하는 앵커 목소리 들리는데.

남기태 (밑창 뜯다 말고 집중하며) 어? 뭐야… 저거 내 껀데?

50 ___ 분석팀 / 밤

앵커e 경찰은 그동안의 수사를 마무리하고, 내일 구 씨의 신병과 수사기록을 검찰에 넘기기로 했습니다.

하영, 프로파일링 지도에 동작서 4건, 금천서 2건과 함께 동대문서(임영동)까지 체크해 넣고, 영수는 칠판에 각 관할 사건 정보들을 적어 내려간다. 우주는 각 현장 사진들[7] 챙기는 데서, 현장 사진들 보며 특징을 살펴보는 하영, 영수, 우주의 분주한 모습에서.

51 ___ 서울지방경찰청 앞 / 아침

형사들에 둘러싸인 구영춘. 봉식과 태구에게 포박돼 모자와 마스크 쓰고 이동하는 모습 보인다. 몰려든 기자들 사이 임무식과 최기자도 치열하게 파고들어 사진 찍기 바쁘고. 저만치에서는 하영, 영수, 우주가 송치되는 구영춘을 지켜보고 있다. 그 위로.

---

7 사건과 관련한 직접적인 그림이 아닌, 하영이 현장 분위기를 담느라 따로 찍은 각 동네 사진.

영수e 구영춘 면담할 시간 안 주고 바로 송치하는 게 어딨어요.

52 ___ 기수대장실 / 저녁

길표 지 기분 나쁘다고 아무도 안 만나겠다는데 어떡하냐. 대답 하나 얻을라고 우리 애들 줄줄이 쩔쩔맨다 아주. 취조하고, 현장 확인하면서 기운 다 빼놓고. 구영춘 보통 놈 아니야.

영수 보통 놈이 아니니까 더 만나야 된다고요. 내가 왜 범죄행동분석팀 만들었는지 이제 눈으로 확인했잖아요.

길표 아무도 안 만나겠다는 걸 어떡하냐. 그놈이 자백한 여죄까지 합치면 피해자가 스무 명 가까이나 돼. 괜히 건드렸다가 또 번복하면 골치 아파진다.

영수 (한숨 쉬는)

53 ___ 분석팀 / 낮

하영, 사무실 들어서는 영수를 기다렸다는 듯, 벌떡 일어나는데.

영수 (맥없이 고개 젓는) 그놈 지 마음대로라 아주 줄줄이 애먹었나 봐.

하영 (… 아쉽지만) 쉽지 않았을 거예요.

우주 그럼 구치소로 가셔야겠네요.

영수 그래야지. 우리가 분석팀을 왜 만들었는데.

세 사람 끄덕이며 자료 준비하는 모습에서.

cut to

밤. 하영 혼자 남은 사무실. 책상에 쌓여 있는 구영춘 자료 보며 출신 학교, 전과, 병력, 키, 몸무게까지 꼼꼼히 파악하고, 주요 내용들 수첩에 기록하는 중이다. 그 위로,

하영na　프로파일러의 질문은 일종의 유혹이다. 원하는 것을 얻으려면-

cut to

자료들 가득 챙겨 들고 퇴근하는 하영. 불을 끄고 사무실을 나서는 모습에서.

하영na　상대를 철저히 파악해야 한다.

54 ___ 하영의 방 / 밤

책상에 앉아 자료들을 다시 펼쳐 보는 하영. 그 위로.

하영na　그러기 위해 이제부터 나는. 구영춘이 되어야 한다.

55 ___ 형사과장실 / 낮

영수, 간절한 듯 통화 중인 준식을 보고 있다. 전화를 끊은 준식을 긴장한 얼굴로 바라보는 영수. 이내 준식이 고개 끄덕이며 '구치소로 가봐' 하는 입 모양 보이면,
그제야 다행스러운 한숨 짓고.

56 ___ 구치소 외경 / 낮

잔뜩 흐린 하늘. 주차장에 하영의 차가 멈추고, 양복 입은 하영과 영수가 내린다.
영수, 트렁크에서 영상 녹화 장비를 꺼내고, 하영, 서류 가방을 들고 안으로 들어가는 뒷모습 보이는 데서.

57 ___ 구치소 접견실 / 낮

테이블에 하영의 신형 녹음기와 자료들 놓여 있다. 영수는 영상 녹화 장비 설치 중이고, 하영은 창가에 서서 구영춘이 지나올 운동장을 내려다보고 있는데. 창밖으로 멀리, 접견실로 다가오는 구영춘의 모습이 보인다. 두 명의 교도관에게 포박된 채 포승줄에 족쇄까지 채워져 잰걸음 걷는 구영춘. 수염이 덥수룩하게 자랐고, 그런 구영춘의 모습 뒤로는 비명 소리와 함께 울부짖는 피해자들의 환영이 겹겹이 보인다. 분노와 슬픔이 뒤섞인 얼굴로 다시 부르르 떨리는 주먹으로 손가락을 꾹 누르는 하영.

하영na 나의 분노는 잠시 누른 채.

58 ___ 구치소 복도 / 낮

발에 채워진 쇠사슬과 바닥의 마찰로 인해 걸을 때마다 들리는 소리가 접견실에 가까워질수록 점점 커진다.

59 ___ 구치소 접견실 / 낮

긴장한 듯 넥타이 바르게 조여 매는 하영과 영수. 구영춘, 불편한 자세로 자리에 앉으며 하영과 영수를 낯설게 바라보는 데서 잠시 정적이 흐른다.

하영 (잠시 창밖을 보며 먼저 말을 꺼내는) 날이 흐리네요.

영수/구영춘 (덩달아 창밖 하늘을 올려다보는)

구영춘 (의아한 듯) 조사 다 끝났는데, 뭘 또 조사하러 왔습니까?

하영 우리는 조사하는 사람이 아닙니다.

구영춘 그럼 누군데요.

하영 이 사건이 왜 벌어졌는지 그 이유를 알고, 원인을 분석해보고 싶어서 왔습니다.

구영춘 (하영과 영수를 보는 알 수 없는 눈빛에서) 범죄심리분석 뭐 이런 건가? 심리학자?

영수 (가만히 집중하는)

하영 비슷합니다. 잘 알고 있네요. 모르는 사람들이 더 많은데.

구영춘 (으쓱한) 나도 내 심리가 궁금하긴 했어요. 도대체 이게 뭔지.

하영 (구영춘의 긴장이 풀어진 걸 확인하고) 그전에 일단 각 사건에서 궁금한 것들부터 이야기하는 건 어때요.

구영춘 (끄덕이면) 뭐 그렇게 하시죠.

하영 (조심스레) 사건과 관련한 부분들은 옆에 계신 팀장님이 질문할 겁니다.

구영춘 (영수를 보는) 그러시죠.

영수 범행 도구를 직접 만든 이유가 있었나요.

구영춘 처음엔 칼 들고 개로 실험을 좀 해봤는데-

영수/하영 (잠시 개로 실험했다는 말에 반응하고)

구영춘 피를 철철 흘리면서 그냥 안 죽고 막 뛰어가더라고. 그래서 쇠망치로 바꿨어요.
손잡인 길면 쥐기도 불편하고, 가방에도 안 들어가고 해서 짧은 걸로 만든 거고.

영수 공개수배 이후에 범행을 멈춘 이유는 뭐예요?

구영춘 심리분석 하신다면서 당연한 걸 물으시네. 전국에 사진이 떴는데 일단 조심해야죠.

하영 그렇네요. 우린 구영춘 씨가 모든 행동에 조심하는 성격이라고 추측했어요. 현장에 증거를 안 남긴 것도 그렇고.

구영춘 그럼요. 완전범죄엔 철저한 계획이 필요한 법이죠.

하영 완전범죄는 없어요.

구영춘 나, 못 잡았잖아.

영수 잡았으니까 여기 있죠.

구영춘 그거야 내가 다 자백해서 그런 거고.

영수 (작은 한숨) 황화동에 불을 낸 이유도 본인 혈흔이 남았을까 봐라고 진술했던데.

구영춘 골프채로 금고 부시려다가 손만 다쳤지 절대 안 부서지더라고. 우리나라가 금고를 잘 만드나 봐.

하영 그때 지른 불은 금방 꺼졌어요.

구영춘 알아요. 근처 언덕에 올라가서 봤어요.

하영/영수 (!)

/ins. 6화. 씬21. 거실

하영 이전에 없던 행동을 했어요. 특히, 신문에 불을 붙인 걸 보니 따로 인화 물질을 준비한 건 아니고. 기존 방화범들이 갖는 심리적 쾌감을 의도한 것도 아니에요.

영수 심리적 쾌감이 목적이었으면 불이 크게 나는 걸 눈으로 확인하고 갔겠지?

/다시 접견실

하영 잘 타는지 궁금해서 지켜본 겁니까.

구영춘 (끄덕이며) 불안하니까 멀리 떨어져서 봤죠. 불내는 것도 쉬운 일이 아니더라고? 그렇게 금방 꺼질 줄은 몰랐네.

영수 금방 꺼졌는데, 혈흔 남았을까 걱정 안 됐어요?

구영춘 별생각 없었는데.

영수 잠바는 왜 훔쳐 입고 나갔어요?

구영춘 예상치 못한 상황이 생기니까 괜히 긴장해서 춥더라고. 옷에 피도 많이 묻고 해서, 겸사겸사 눈에 보이길래 입고 나갔어요.

영수 잠바는 버렸습니까.

구영춘 집에 가다 노숙자 줬어요.

영수 등산화는 찢어버렸고…

구영춘 그것도 같이 수배 내용에 있으니까 버렸죠.

영수 그렇게 조심스러운데 피가 묻은 옷들은 어떻게 했어요? 진술 보니까 옷을 갈아입거나 하진 않았던데.

구영춘 (훗) 피가 묻든지 말든지 사람들 신경도 안 써요. 신경 쓰이면 건물 화장실이나 지하철 화장실 같은데 들어가서 좀 닦고. (하다가) 다 자기 살기 바쁘지 인간들 남 일에 별로 관심 없잖아. 나 같은 인간 정도 세상에 나와줘야 관심을 갖지.

영수 … 그러네요.

구영춘 나같이 살인하는 인간 처음 봤죠?

하영 본인이 특별하다고 생각합니까.

구영춘 두 분도 그래서 여기까지 나 찾아온 거 아니에요? 질문도 많고?

하영 (순간 차갑게) 당신 같은 사람들이 궁금하지 딱히 당신이 궁금하진 않습니다.

구영춘 (기분 나쁜 듯 대꾸 없이 보기만)

영수 질문 계속할게요. 노인 살해 사건의 경우는 부유층이 사는 지역에서 보안 장치가 없는 곳들을 위주로 골랐던데. 보안 장치 말고도 장소 선택에서 고려한 게 있었어요?

/ins. 분석팀

회의 중인 하영, 영수, 우주.

하영 구영춘은 지금까지 만난 범죄자들과 양상이 달라요. 진술 태도만 봐도 증거를 남기지 않았다는 자신감과 범행에 대한 우월감을 동시에 갖고 있는 거 같았고요.

영수 그래. 여죄 인정할 때도 보니까 그렇더라.

하영 조금 더 예민한 접근이 필요합니다.

영수 어떻게?

하영 이를테면 질문할 때 쉬운 장소만 골랐다는 직접적인 뉘앙스는 피한다든가.

우주 괜히 자존심 건드리지 말자는 거죠? (하영, 고개 끄덕이는)

/다시 접견실

구영춘 보안 장치? 에이. 나는 그런 건 몰라요. 그냥 교회 가까이 있는 집을 고른 거지.

영수 교회는 왜요?

구영춘 신(神)이 바로 옆에 있어도 돕지 않는다는 걸 증명해 보이고 싶었거든. 그들이 살고 죽는 건 신이 아니라, 내가 결정했으니까.

영수 …

하영 신(神)이 당신도 돕지 않았다는 생각이 든 적 있습니까.

구영춘 많죠. 항상 그랬지 뭐. 스무 살 때 도둑질하고 잡혀서 재판받을 때, 변호사가 집행유예일 거라고 했어요. 나도, 제발 교도소만 안 가게 해주면 착하게 살겠다고 그렇게 간절히 기도했는데 안 들어 줍디다.

하영 신이 당신을 버렸다고 생각했습니까.

구영춘 (코웃음 치는) 누가 누굴 버려요. 신을 믿는 것들이 한심한 거지. 그렇게 거룩한 척 살면서 돈 벌고 남 무시하고…

하영/영수 ……

구영춘 (하영, 영수 번갈아 보며) 우리 집 가봤어요?

하영/영수 (끄덕이고)

구영춘 (우쭐) 욕실 들어가는 문턱 있죠? 거기가 바로 이승과 저승을 가르는 선이랄까. 내가 지배하고 결정하는 삶과 죽음의 선. (하고, 표현이 마음에 들어 만족한 듯 웃는 데서)

/ins. 하영의 상상. 구영춘의 집

구영춘e 그 선을 넘어가면 살아 나온 사람이 없어. (하는 구영춘의 목소리 위로)

화장실 문이 쾅- 닫히고, 끔찍한 비명 소리가 이어진다.
문밖에서 그 소릴 듣는 하영. 다급히 문을 열어보려 안간힘 쓰는데,
환영처럼 문과 손잡이가 손에 닿지 않아 괴로워하는 모습 위로.

영수e (애써 감정 누르고) 토막을 내서 유기한 이유가 뭐예요? 쉽지 않았을 텐데.

/다시 취조실

구영춘 (제법인데 싶고) 사람 죽여봤어요?

영수 … (애써) 해봤으면 우리가 여기 이렇게 마주 못 앉아 있겠죠?

구영춘 (농담하듯) 그쵸. (건물 향하며) 저 안에 나랑 같이 있었겠지. 근데 사람도 안 죽여본 분들이 어려운 건 어떻게 알아요? 비슷한 범인들 좀 만나봤나 보네?

하영 그게 우리 일이니까요.

구영춘 힘들기야 했지. 그래서 기분이라도 낼라고 노래도 틀어놓고 해봤는데 안 되더라고요.

영수 (기분?) 두려웠어요?

구영춘, 영수의 뜻밖의 질문에 움찔하고. 순간, 움츠러든 구영춘의 표정 캐치한 하영.

구영춘 (태연한 척) 종이랑 펜 좀 줄 수 있나?

영수 그건 어려운데. 왜요?

구영춘 에이- 내가 뭐 펜으로 두 분 죽이기라도 할까 봐서? (포박된 자신 가리키며, 우쭐한) 손발을 이렇게 꽁꽁 묶어두고도 내가 무서워요? (웃으며) 어떻게 잘랐는지 궁금할 거 같아 보여줄라고 그러지.

하영, 그런 구영춘을 응시하는 데서 컷 튀고.
종이에 사람 형태 그린 구영춘. 토막 낸 부위마다 선을 긋고 숫자를 붙이다가 18토막에서 끝내더니, 다 그린 그림과 펜을 영수, 하영의 앞에 밀어놓는다.

하영 방에 붙여둔 엑스레이 이거 때문에 찍은 겁니까.

구영춘 그럼요. 나 공부 많이 했어요. 엑스레이 말고도 법의학 책도 사서 열심히 봤지. 언제, 어디에 칼을 대야 쉬운지 다 나오더라고.

하영 그렇게까지 노력을 들인 이유가 뭡니까.

구영춘　이 인간이란 동물이 잘 안 죽어. 덩치도 크고, 살겠다는 의지도 크고- (하는데)

하영　(들다못해) 그래서 쇠망치를 골랐다는 얘긴 이미 했습니다.

구영춘　(아는 체) 아- 했지. 그럼 그거 알아요? 토막 낼 때 피를 빼놓고 시체경직이 올 때까지 기다리면 훨씬 더 쉬워요. 모든 일엔 효율이 필요한 법이잖아요.

영수　(기막힌 듯 작게 혼잣말) 효율…

하영　(테이블 아래로 주먹이 쥐어지고…잠시, 분노 애써 누르는)

구영춘　효율을 높이려면 공부를 해야지. 아마 여기 들어온 놈 중에 나만큼 인체를 잘 아는 놈도 없을걸? 두 분보다도 잘 알 텐데 내가.

하영　(차갑게) 11명이나 시신 처릴 해야 했으니… 필요했겠네요. 효율. (잠시) 유기 장소에 따로 표식을 남긴 것도 같은 이웁니까.

/ins. 씬37. 노진동 뒷산

(씬37에 이어지는) 작업이 끝나고 모두가 떠난 현장에 남은 하영과 영수. 커다란 나무에 새겨진 × 표식을 보는 데서.

하영e　자기만의 표식을 남긴 이유는 뭘까. 범행을 추억하려는 일종의 정서적 행위인가.

그 위로 디졸브되는 구영춘의 모습. 다 묻은 듯 삽으로 흙을 탁탁 내리쳐 고르게 덮고, 이어 커다란 나무에 작고 빨간 ×자 표식을 남긴다.

구영춘e　(거만한) 내가 묻은 곳 까먹고 또 땅 파면 안 되잖아.

/다시 접견실

하영e 악마에게 감정이 있을 거라 추측한 것은 나의 오판이었다.

구영춘 뭐… 죽은 사람들도 불편할 거고. 일종의 죽은 사람에 대한 배려도 있었지.

하영e 그에겐 감정이 아닌, 자기 위안과 합리화만이 있을 뿐.

하영/영수 (기막힌) …

구영춘 암튼 그렇게 몇 번 반복하니까 점점 익숙해지더라고.

하영 그래서 시신을 훼손하기 시작한 겁니까.

구영춘 (으레) 내가 호기심이 많아. (퀴즈 내듯) 살인은 해봤으니 그다음은 뭐겠어요?

하영/영수 …

구영춘 토막 냈잖아. 그럼 그다음은? (하고 둘의 반응을 일부러 지켜보는데)

하영/영수 …

구영춘 (훗 웃으며 잘난 체) 리처드 체이스[8] 사건이라고 들어보셨나 모르겠네.

하영/영수 (잠시 눈을 마주치고)

/ins. 7화. 씬14. 분석팀

하영 오늘 연구할 리처드 체이스 역시 어린 시절에 부모의 학대를 경험했고, 많은 연쇄살인범이 공통적으로 가지는 야뇨증과 방화, 동물 학대의 전력이 있습니다.

/다시 취조실

하영 (모르는 척) 처음 들었는데요.

구영춘 (아는 체하며) 미국에서 벌어진 흡혈 살인 사건인데. 그놈은 정신

---

8 Richard Trenton Chase.

분열병 환자라 훼손에 식인을 했거든요? 훼손도 공부도 없이, 그냥 막- 정신이 나가서 한 거예요. 근데 난 아니야. 다르지.

하영 다방면으로 살인에 관한 공부를 꽤 많이 했네요.

구영춘 공부하는 걸 좋아해요. 내가 호기심이 많아서.

구영춘, 자신의 말에 반응하는 영수와 하영의 표정을 가만히 살피는 듯 본다.
영수, 하영, 애써 태연한 척 끄덕여주는 데서. 두 사람에게 다가오는 교도관.

교도관 점심 식사 시간입니다. 식사 후에 다시 면담하시죠.

구영춘 (웃으며) 이런 얘기 듣고 밥이 넘어가실라나 모르겠네.

하영/영수 (아무렇지 않은 듯 애써 미소 지어 보이는)

60 ___ 구치소 매점 / 낮

넥타이 헐겁게 풀어내며 걸어 들어오는 영수와 하영.

영수 와- 진짜 욕이 목구멍까지 차오르는 걸 간신히 참고 있었네.

하영 (매점 주인에게) 생수 한 병 주세요.

영수 (옆에서) 하나 더 주세요. (하며) 밥맛도 없지?

하영 (없다는 듯 고개 젓는)

앉아서 생수만 한 통씩 벌컥벌컥 들이키는 영수와 하영인데.

영수 너 혼자 들어가는 게 낫겠어.

하영 (?, 보면)

영수 나는 성질나서 못 들어가겠다- 행여라도 휘둘리지 않으려면 둘보다 하나가 나을 것 같아. 계속 우리 반응 봐가며 말하는 거 봤지?

하영 (의미심장한) 별거 아닌 놈을 너무 과대평가한 것 같아요. (/씬59. "두려웠어요?" 하는 영수의 뜻밖의 질문에 움찔하는 구영춘) 이젠 내 방식대로 상대해야겠어요.

61 ___ 구치소 접견실 / 낮

창가에서 아까와 같은 모습으로 운동장 가로질러 오는 구영춘을 지켜보는 하영. 구영춘의 잰걸음에 가소로운 표정 하며 넥타이 풀어 넣고, 소매 걷으며 셔츠 단추까지 하나 풀어버리는 데서.

cut to

다시 구영춘과 마주 앉은 하영. 이번에는 먼저 말을 꺼내지 않고 구영춘을 보기만.

구영춘 (알아챘다는 착각에 웃는) 한 분은 어딜 가시고. 형사님이 깡은 더 좋은가 본데, 딱 보니까 식사는 못 하셨네.

하영 사건 얘긴 이쯤이면 될 것 같아서 저만 들어왔습니다.

구영춘 그럼 무슨 얘길 더 하시게?

하영 (대뜸) 임영동 사건은 왜 자백했습니까.

구영춘 (멈칫)

하영 그건 당신의 짓이 아닐 텐데.

구영춘 (갸웃하더니… 답하지 않고 비릿하게 웃어 보일 뿐인데)

하영 (잠시 지켜보다가) 자신이 왜 그렇게 됐을까 생각해본 적 있습니까.

구영춘 음… 뭐 나 같은 인간들 빤하지 않나? 때리는 아버지에 기댈 사람 하나 없는 불우한 어린 시절.

하영 아버지 때문이라는 건가요.

구영춘 술 마시면 망치 휘두르면서 가족 위협하는 아버지랑 안 살아봤죠?

하영 (대수롭지 않게) 아버지 안 계십니다. 태어나는 날 돌아가셨어요.

구영춘 (의외라는 듯 짐짓 놀라는) 운이 좋네. 그런 아버지랑 사느니 없는 게 낫지. 안 삐뚤어질 수가 없어.

하영 그게 이유라고 생각해요?

구영춘 범죄심리분석한다면서 나 같은 어린 시절 보내면 연쇄살인범 된단 얘기도 못 들어봤나 보네. (하영의 표정 살피고) 교도소 가면 넘쳐요. 나처럼 기댈 사람 하나 없이 세상에 혼자밖에 없는 인간들.

그 말에 잠시 침묵이 흐르고. 하영이 다시 먼저 말을 꺼낸다.

하영 침입 범죄에서 피해자를 집으로 유인하는 방식으로 범행을 바꾼 이유는 뭐죠.

구영춘 말했다시피 내 집이 삶과 죽음을 결정하는 곳- (하는데)

하영 (OL, 하찮음을 못 참고) CCTV에 찍힌 이후로 잡힐까 봐 겁이 났던 게 아니고?

구영춘 (발끈) 나요, 스무 명 가까이 살인한 놈입니다. 증거도 안 남고 시신 처리도 쉬운 방법을 알았는데 뭐 하러 모험을 해요.

하영 두려웠던 게 아니고?

구영춘 (발끈하며 단호한) 아니. 두려워서가 아니라 내 집이야말로 아무 걱정 없이 죽일 수 있는 장소였기 때문이에요.

하영 (더 듣고 싶지 않은 듯) 간질 치료는 왜 멈췄습니까. (구영춘, 답하기 싫은 듯 망설이면) 기수대에서 그 자리에 있었습니다.

구영춘 에이 씨- 그 꼴을 다 봤네. (씁쓸한) 입원도 해봤는데. 안 나아. (괜히) 인생에 뭐 하나 뜻대로 되는 게 없었어. 사람 죽이는 거 말곤.

하영 … 하고 싶은 게 많았나 봐요.

구영춘 어릴 땐 그림 그리고 싶었어요. 근데, 그것도 돈 있는 놈들이나 하는 거더라고. 그래서 경찰이 될까 싶었는데-

하영 경찰?

구영춘 힘, 권력, 돈. 살아가는 데 젤 중요하잖아요. 없으면 무시당하고. (비웃듯) 근데, 경찰도 비리나 저지르는 집단 아닌가.

하영 왜 그렇게 생각해요?

구영춘 경찰신분증 위조해서 돈 뜯는데 다들 자연스럽게 주더만요. 부자는 불법으로 돈 벌고, 여자들은 몸 간수 똑바로 안 하고, 공무원들은 벌레처럼 사는 세상 (감정 격해지는) 다 혼나야지. 나 같은 사람 아니면 누가 그것들을 벌줘.

하영 마치 자신이 사회 정의를 구현하는 것처럼 말하네요. 대체 무슨 자격으로 그런 말을 하는 겁니까.

구영춘 (거들먹거리듯) 뭐, 자격이라기보다 살인은 그냥 내 직업 같은 거지.

하영 (기가 막힌) 직업?

구영춘 누군가는 해야 할- (하는데)

하영 !, 그래서 자신보다 약한 사람들만 골랐나? (말문 막힌 듯 대답 없는 구영춘 빤히 보며) 그게 얼마나 찌질한 짓인지 사실 스스로도 알고 있잖아. 구영춘.

구영춘 뭐?!

하영 너는 그 사람들을 벌할 자격이 없어. 설령 그들이 잘못을 저질렀다고 해도, 법의 테두리 안에서 벌을 받아야 하는 거야, 니가 아니

라. 그러니 어설픈 합리화로 니(너의) 그 끔찍한 행위들을 정당화 하지 마.

구영춘 아니지, 나는 삶과 죽음을- (관장, 하는데)

하영 (OL) 너는! 법을 어긴 살인자일 뿐이야. (하는 데서)

접견실 문 닫히는 소리 선행되고.

62 ___ 구치소 복도 / 저녁

교도관 손에 이끌려 수감동으로 돌아가는 구영춘이 보이고, 반대 방향으로 걸어가던 하영, 걷다가 고개 돌려 구영춘의 뒷모습을 보는데. 구영춘의 "살인은 그냥 내 직업 같은 거지" 하는 목소리 들린다.

하영na 구영춘은 자기 행동에 거룩한 의미를 부여하고, 자신의 무력감을 분노로 치환해 사람들을 공격하는 비열한 놈일 뿐이다.

이내 반대 방향으로 걸어가는 하영과 구영춘의 모습이 부감으로 보이는 데서. 바닥에 끌리는 구영춘의 족쇄 소리 크게 울리는.

63 ___ 구치소 앞 / 저녁

하영의 차 안에서 기다린 영수가 재킷 손에 들고 터덜터덜 걸어 나오는 하영을 보며 얼른 차에서 내린다. 이내 하영이 차에 오를 때까지 차마 말을 건네지 못하는 영수.

64 __ 하영의 차 안 (구치소 앞 + 도로) / 저녁

구치소 앞. 한참을 출발하지 못하는 하영인데.

하영 식사하실래요.

영수 (뜻밖의 제안에 잠시 당황/뭐라도 동의하는 마음으로) 식사? 그래. 그러자.

그때서야 시동 켜고 출발하는 하영인데, 흔들리는 묵주에 새삼 둘의 시선이 향하는.

65 __ 포장마차 / 저녁

테이블에 앉는 영수와 하영. 영수가 자연스럽게 "소주 하나, 콜라 하나요" 주문하고. 우동 국물과 술, 콜라 내오면, 영수가 우동 국물 한 번 떠먹고는 소주잔에 술 따른다. 한 잔 단숨에 입에 털어 넣는 영수를 보는 하영.

영수 교회 옆에 있는 집을 골랐다고? (훗) 대한민국 사방천지에 있는 게 교횐데. 들어가기 쉬운데 골랐다. 죽이기 쉬운 여자와 노인만 골랐다. 그거 인정하기 싫으니까, 지놈이 마치 뭐라도 되는 양 이유라고 떠드는 꼴이- (하는데)

하영 (듣는지 마는지 콜라 대신 영수 옆에 있던 소주병을 들고, 그대로 음료수잔에 가득 따르는)

영수 (놀라며) 어-어? 뭐해.

하영 (잔 들어서 보며 잠시 망설이더니 단숨에 마셔버리고)

영수 (말리지도 못하고 놀라서 보는데)

하영 (잔 내려놓고 담담하게) 술이 미지근하네요.

영수 (뭐라 말을 못 하고) 사장님! 여기 소주 시원한 걸로! 잔이랑 같이 하나 더요!

테이블에 술과 소주잔 놓이면, 영수가 하영의 답답한 마음 짐작한 듯, 대신 잔 채워주는데. 차마 가득 따르진 못하고 반만 채우면, 하영이 다시, 단번에 마셔버리는.

하영 … 살인이 직업이랍니다.

영수 (?) 무슨 소리야. (하다가) 구영춘이? (열 받은) 와-!! 이 미친 개!@#@$!ㅃㄲㅉ!!

하영 이전까지는 시신을 토막 내기 위해 어떤 연구를 했는지, 훼손하면서 어떤 감흥을 느꼈는지 누구에게서도 들어본 적이 없어요… 게다가 그 우월감과 희열에 찬 얼굴… 인간으로서 처음 접하는 장면이었어요.

영수 …

하영 … 멈출 수 없는 걸까요. 우리가 이 일을… 멈추지 않는 것처럼…

영수 … 구영춘은 언제든 멈출 수 있는 순간이 있었어. 그런데도 무시하고 살인을 선택한 거야. 우린 그런 놈들을 잡기 위해서 포기하지 않는 거니까… 비교하면 안 되지.

하영 … 포기하지 않는다… (다시 잔에 술을 채우려는데)

영수 (말리고)

하영 (결국 술잔 채우고)… 왜 하필 저였습니까.

영수 (말리려다가 멈칫)

하영 (꽉 채워진 잔만 보며) 왜…

영수 하영아 그건…

하영　(OL) 담배가 보험이라고 하셨죠. 저도 취하면 괜찮아질까요? (단숨에 마시고 내려놓으며) 우리에겐 앞으로 뭐가 남을까요.

영수　……

하영　(일어서며) 저 먼저 들어갈게요. (하고 돌아서 가는)

하영의 무거운 뒷모습을 바라보는 영수의 얼굴에서.
포장마차 천막 위로 빗방울이 떨어지기 시작하는.

66 ___ 성당 / 밤

마치 하영을 내려다보듯 걸려 있는 거대한 십자고상이 비춰지고.
대성전에 홀로 앉아 있는 하영의 젖은 옷에선 빗방울이 뚝-뚝 떨어진다. 무력함을 느끼듯 한참을 멍하게 있다가, 이내 손가락을 꾹 누른 채 십자고상을 물끄러미 올려다보는 모습에서…
두 손을 모으고 눈을 감는 하영.

67 ___ 노진동 뒷산 / 아침

무참히 파헤쳐진 발굴 현장이 무색할 만큼 볕이 가득 든 뒷산.
저만치에서 걸어오는 하영이 폴리스라인 앞에 멈춰 서고,
하얀색 국화 한 송이 놓고 돌아가는 모습에서.

68 ___ 하영의 방 / 낮-밤

식은땀 흘리며 끙끙 몸살을 앓고 있는 하영. 이어 영신이 물컵과 물수건 쟁반 들고 들어온다. 하영의 이마에 손 대보는 영신. 이내 손을 떼고 걱정스럽게 물수건 이마에 올려주는 모습에서 책상 위 하영의 핸드폰 진동 소리 반복되고. 계속해서 걸려오는 영수의 부재중 전화가 쌓이면서, 동시에 이마에 수건을 바꿔주는 영신의 모습 컷컷컷.

69 ___ 하영의 방 / 아침

사용한 물수건과 빈 물컵이 놓인 쟁반 책상에 놓여 있고, 그 옆으로 셔츠를 다리는 하영이 보인다. 어느새 양복을 갖춰 입고 거울 앞에 선 하영. 양복 재킷까지 챙겨 입고, 가방 들고 방을 나서는 모습에서.

70 ___ 분석팀 / 아침

사무실 들어서는 하영을 보며, 영수와 우주가 벌떡 일어나 반긴다. 두 사람 동시에 "몸은 좀 어떠세요" 묻고.

하영 (미소) 괜한 걱정을 끼쳤네요. 제가.

영수 (마음에 걸리는 듯 하영을 안쓰럽게 보는데)

아직 붙어 있는 벽면 가득 채운 구영춘 자료들과 칠판에 적어둔 서남부 사건 정보들로 시선이 향하는 하영.

71 ___ 기수대 사무실 / 낮

태구, 서류를 살피다가 잠시 인상 찌푸리며 서랍에서 진통제 꺼내 먹는데.

일영 (보며 걱정되는) 괜찮으신 거 맞아요?

태구 (안심시키는) 그렇다니까. 걱정 마.

일영 그래도 며칠 쉬시는 편이…(하는데)

사무실 들어서는 준식과 길표 보며, 모두 "오셨어요" 인사하며 일어서고.

준식 구영춘이 그놈은 검찰에서도 계속 애먹이는 중이랴.

봉식 (도리질하는) 개 버릇 남 못 주죠.

길표 (남 얘기한다는 듯 피식 웃으며 봉식을 보면)

태구/일영 (알아채고 봉식의 반응 살피는데)

봉식 다들 도통 표정을 못 숨기네. 그래요. 내가 개봉식이라 잘 압니다.

준식 서남부 건은 어찌 돼가는 중인 겨?

태구 관할서마다 비슷한 사례 있는지 공조 요청하고, 예의주시하고 있습니다.

준식 그려. 잘하고 있네. (하다가) 이번 구영춘 수사 보고서 올릴 때 수사 교훈도 만들어서 올리라는 지시가 있으니까 뭐가 부족했었나, 잘 대처한 건 뭔가, 파악해서 회의들 준비혀.

봉식 (짜증스럽게) 잡아도 난리, 못 잡아도 난리. 우리가 놀았나?!

길표 바로잡았길 망정이지 도주 건으로 징계 안 내린 것만으로 다행인 줄 알아.

준식, 길표 다시 사무실을 나가고.

72 ___ 분석팀 / 낮

서남부 피습 사건 정보 적힌 칠판 보며 회의 중인 하영, 영수, 우주.

영수 임영동 사건, 구영춘이 아니라고 생각하는 거지?

하영 네. 면담 때도 조심스럽게 물어봤는데 대답을 안 하더라고요. 자기 과시적 경향이 있고, 그 때문에 머리를 쓰는 타입이에요. (하다가) 제 생각엔…

영수/우주 (?)

하영 공권력 트롤링[9]의 목적이거나… 사형이 내려지기까지 시간을 벌기 위한 거짓 자백일 거 같아요.

우주 (도리질) 진짜 가지가지 하네요.

하영 구영춘의 범행 패턴은 서남부 사건과 달라요. 부유층 노인 살해 사건은 침입 범죄, 여성 살해 유기 사건은 납치를 통해 자신의 집에서 범행을 저질렀죠. 방식은 다르지만, 자신이 통제할 수 없는 만일의 사태를 피하고자 의도적으로 피해자와 본인만 있는 상황을 만들었어요.

영수 임영동은 확실히 다르지. 범행 대상을 통제하기 어려운 노상에서 벌어졌고, 사람들의 눈도 많은 데다 증거를 남길 위험까지 있으니까.

---

9 고의적인 논쟁과 선동을 일으킴으로써 주제에서 벗어난 내용으로 사람들의 감정적인 반응을 유발하는 행위.

우주 그리고 서남부 사건은 범행 지역이 전부 치안 사각지대에요. (지도 보며) 범위가 넓어서 주거지를 추측하긴 어렵지만… (씬50 사진들 보며) 각각 다른 장소임에도 분위기가 크게 다르지 않아요.

하영 맞아. 그래서 뭔가 범인에게 익숙한 환경인가를 추측해보는 중이야.

영수 정리해보면, 임영동 사건은 주거 침입도 없고, 무엇보다 망치가 아닌 칼을 사용했으니 엠오를 변경한 구영춘의 행동이 전혀 보이지 않는다는 건데.

하영 납치 행위나 시신 훼손도 없고요.

우주 임영동 사건이 구영춘의 범행이 아니라면, 이미 범인은 (지도로 시선 향하며) 금천구, 동작구에서 있었던 폭력 사건들 이전에 레저용 칼로 살인을 성공한 거네요?

하영 그렇지. 우리의 우려보다 앞서서 이미 살인을 저지른 놈이었어.

영수 서두르지 않으면 살인 피해자가 또 생길 거야.

하영, 영수, 우주의 심각한 얼굴에서.

73 ___ 곱창집 / 밤

불판 위 곱창 구워지고 있고, 하영 앞에 콜라, 영수 앞에 맥주 놓여 있다. 우주 옆에 맥주병 여러 개 놓인 채 꾸벅꾸벅 조는 중이고.

영수 우리한텐 뭐가 남느냐고 물었지?

하영 아… 그날은 제가-

영수 (OL) 아니야. 니 말이 맞아. 우리한테 남는 건 뭘까… 악의 마음을 들여다보느라 정작 조각조각 부서지는 우리 마음은… 뭘로 채울 수 있을까. 나도 계속 고민했어.

하영 …

영수 담배도, 술도 그걸 대신할 순 없는 거 같아.

하영 (듣는)

영수 그래서 말인데. (하영의 눈치를 보며) 같이 고민하면서 찾아보자.

하영 (끄덕이며) 네.

영수 (대답에 그제야 안도하는) 아휴, 주말 내내 연락도 안 되고, 그만둔다고 할까 봐 내가 얼마나 조마조마했는지 알아?

하영 그만두긴요. (잠시) 서남부 사건 범인도 잡아야죠.

영수 (하영을 잠시 보고) 그래. 우리 이제 그놈 잡아야지. (잠시) 널 끌어들인 게 난데, '왜 하필 저예요' 하는 순간 가슴이 철렁했다. 마음이 어찌나 무거운지…

하영 죄송해요. 그런 의도는 아니었는데.

영수 아냐. 근데 또 이상하게 좋았어. 이젠 제법 나한테 속풀이를 하는구나 싶더라고?

하영 제가 그렇게… 그랬나요?

영수 (웃고) 앞으론, 팀장인 나도 있고, 똘똘하고 착한 우리 우주도 있고. (졸고 있는 우주 머리 쓰다듬으면, 잠시 깨는 듯하더니 이내 다시 졸고) 분석팀 믿어주는 직속 상관 백 과장님도 있으니까 혼자 힘들어 말고. 화나면 욕도 퍼부으면서 어?!

하영 (조금 가벼워지는 듯한) 서남부 피습 사건이랑 비슷한 사건이 더 있는지 범위를 더 넓혀서 찾아봐야겠어요.

영수 그래. 동작서, 금천서 말고도 전체적으로 훑어봐야겠어.

하영 임영동도 놓친 걸 보면, 분명 비슷한 건이 더 나올 거예요.

영수 (하영을 잠시 보며) 왜 하필 너였는지, 미안한 마음 드는 것도 사실인데. 난 다시 돌아가도 널 선택할 거야. (신뢰하듯 바라보는 데서)

우주　(잠꼬대하듯, 혼잣말) 저도요… (하면)

하영/영수 (우주를 보며 웃는)

74 ___ 기수대 복도 / 밤

퇴근하던 태구가 복도에서 봉식을 마주치고 짧게 인사하며 지나치려는데, 봉식, 태구를 붙잡듯 말을 건네는.

봉식　송하영이 그 뱀 같은 새끼가 아직까지 특진 핑계로 꼬투리 잡는 건 아니지?

태구　(보며) 갑자기 무슨 말씀이시죠?

봉식　내가 눈치가 백 단이잖아. 기수대 와서 쭉 보니까 둘이 내내 어색해 보여서 하는 말이야. 송하영이 그거 앞에서만 정의로운 척 무게 잡지, 뒤통수치는 솜씨 보통 아닌 거 내가 잘 알잖냐.

태구　(더 듣기 싫은 듯 가려는데)

봉식　야- 난 니가 잡은 정수창이 그놈한테, 그날 얘기 듣고도 아무한테도 말 안 했거든? 근데 송하영인 또 몰라.

태구　(그 말에 돌아보며)?!, 누구한테 뭘 들었다고요?

봉식　정수창 말이야. 설마 잊은 거야? 에이- (아니겠지) 그 새끼 취조할 때 어찌나 떠벌리는지. (생색) 이제야 말하지만 내가 입도 뻥긋 못하게 반 조져놨던 거 너 몰랐지? 내 덕에 니 특진이 가능했던- (하는 데서)

빠르게 먼저 가버리는 태구의 모습 위로.

75 ___ (과거. 1990년대) 거리 일각 / 밤

"필구동 술집에서 정수창을 목격했다는 제보가-" 하는 무전 소리와 함께 앳된 태구가 동네 골목들 살피며 뛰어다니는 모습이 보인다. 이어, 태구의 뒤에서 뚜벅뚜벅 다가오는 익숙한 발자국 소리 들리고, 긴장하기 시작하는 태구. 그때 아무렇지 않게 태구의 옆을 스쳐 가는 남자 보이는데. 다시 지지직- 하며 "정수창 필구1동 뒷골목에서 놓쳤습니다!" "필구1동 일대 싹 다 뒤져!" 하는 무전이 흘러나온다. 그 소리에 걸음을 멈추고 태구를 돌아보는 남자. 별안간 태구에게 칼을 들이대는데! 순간 저도 모르게 굳어진 태구에게 바짝 다가서서 목에 칼을 대는 정수창! 그 찰나, 앳된 하영이 나타나 정수창의 팔을 꺾어버린다. 이어 둘의 짧은 몸싸움 이어지고, 정수창이 바닥으로 나동그라지면, 괜찮으냐며 태구를 챙기는 하영인데. 그제야 정신이 드는 듯한 태구가 쓰러져 있는 정수창에게 다가가 팔을 뒤로 꺾으며 수갑을 채운다.

태구 (떨리는 목소리 진정시키려 노력하며) 정수창! 당신을 강도 살인 및 도주 혐의로 체포합니다. 당신은 변호사를 선임할 수 있고, 묵비권을 행사할 수 있습니다! (하는데)

뒤늦게 우르르 달려오는 형사들 사이 젊은 봉식도 보이고. 일동 "윤 경사가 잡았어?" "와- 이제 형사 다 됐네" 하는데, 태구가 주위를 둘러보면, 하영은 이미 가고 없는.

76 ___ 분석팀 앞 / 밤

희미하게 불빛 새어 나오는 분석팀 사무실을 보는 태구.

77 __ 분석팀 / 밤

임영동과 동작서, 금천서, 푸르매 사건 현장 사진들 펼쳐놓고 보는 하영. 그때, 노크와 함께 문을 열고 들어오는 태구.

하영 (놀라는) 무슨 일 있어요?

태구 (사무실 둘러보며 괜히) 퇴근하는 길에 사무실에 불이 켜져 있는 거 같아서 와봤어요. 아직 퇴근 안 하셨네요?

하영 아… 확인할 게 있어서요.

태구 (하영이 보는 자료들 보며) 서남부 피습 사건이죠?

하영 아… 네.

태구 구영춘과 동일범일 거라 추측했지만 수사팀도 이제 다른 방향으로 접근해보고 있어요. 공조 요청했으니 다른 보고 들어오는 거 있으면 알려드릴게요.

하영 네.

태구 (보며) 참… 끔찍한 놈들은 끊임없이 나오네요.

하영 얼른 들어가 쉬시죠. 몸이 제대로 회복되려면 시간이 걸릴 텐데요.

태구 (괜히 사진들 앞에 바짝 다가가 보며) 그동안 제가 송 경위님을 오해했어요.

하영 … 오해요?

태구 (그제야 하영을 보며) 특진 앞두고 정수창 제가 잡은 거 아니라고, 바로잡겠다고 했을 때. 송 경위님이 뭐라고 대답했는지 기억나요?

하영 … 그 얘길 갑자기 왜. 정수창은 윤 팀장님이 잡은 거죠.

태구 맞아요, 그때도 똑같이 얘기했어요.

하영 당시에 스토킹 때문에 고생했다는 거 알아요. 그런데도 다들 인기 좋다며 대수롭지 않게 웃어넘겼던 것도요.

태구 그땐, 범인을 잡아야 할 순간에 겁먹은 형사였던 것도 사실이었죠.

하영 누구에게나 공포의 순간이 있습니다. 그건 저도 마찬가지예요.

태구 ……

하영 전 윤 팀장님이 다칠 뻔했던 걸 막았을 뿐이고, 검거는 윤 팀장님이 한 게 맞습니다.

태구 고마웠어요. 그때 고맙다는 말도 못 한 게 내내 걸렸는데, 지금에서야 하네요. 뭐 물론, 제가 어떻게 생각하든 중요하지 않은 분이겠지만.

하영 (보며, 잠시) 저는 그저 해야 할 일을 한 것뿐입니다.

78 ___ 태구의 집 마당 / 새벽

어스름한 새벽. 조깅을 마치고 온 태구의 몸에 땀이 흥건하고. 집 안으로 들어가려다 마당에 놓인 채 여태 뜯지 못한 낡고 큰 흔들의자 박스(6화, 씬45)를 본다. 테이프 뜯고 박스를 벗기기 시작하는 태구. 이내 커다란 흔들의자가 드러나면, 태구가 적당한 위치를 찾아 이리저리 힘겹게 끌다가 다리에 큰 흠집이 나버리는데. 새 의자 흠집이 속상한 듯 한참 들여다보던 태구.

하영e 그것만 지키면, 누가 뭐라고 해도 우리가 형사라는 사실은 변하지 않습니다.

뭔가 깨달은 듯 다시 자리 잡아보더니 이내 흔들의자에 앉아보는데. 편안함을 느꼈는지 스르르 눈이 감기고 입가에 옅은 미소 보이는 데서… 서서히 동이 터 오르는.

79 ___ 푸르매공원 / 새벽

가로등 환하게 켜 있는 현장. 이른 새벽 운동하는 사람들 간간이 보이고, 하영이 밤을 새운 듯 같은 옷을 입고 프로파일링 지도와 수첩 손에 들고 서 있다. 수첩 펼치면, 임영동에도 추가 체크한 녹색 동그라미 보이면서… 소방차 사이렌 소리 선행되고.

80 ___ 충문동 빌라 앞 / 새벽

주택가 골목. 다세대 주택 2층이 불에 활활 타오르는 현장을 지켜보는 남기태.
잠시 후 어디선가 "불이야!!" 하는 소리 들리고, 남기태가 빠르게 골목을 벗어난다.

81 ___ 기수대 사무실 / 아침

제일 먼저 출근한 사무실. 자리에 앉아 서남부 피습 사건 자료를 펼치는 태구.

82 ___ 분석팀 / 이른 아침

공원에서 사무실로 다시 온 듯한 하영. 사무실 불을 켜고 벽에 붙어 있던 구영춘 자료와 사진들을 하나씩 떼어낸다. 전부 떼고 난 후의 깨끗해진 벽 위에 남기태의 몽타주를 붙이는 하영. 몽타주를 바라보는 모습에서!!!

작가 Comment (1)

수정 전 버전의 8화 오프닝은 구영춘이 마포서에서 검거된 설정으로 시작했다.

1 ____ 마포경찰서 외경 / 낮

'마포경찰서' 크게 붙어 있는 건물이 보이고, 하영의 차가 안으로 들어선다.

2 ____ 마포경찰서 건물 앞 / 낮

차에서 내린 영수와 하영. (→ 여름. 둘 다 재킷은 차에 두고 셔츠만 입은)

건물로 향하는데, 밖에서 담배 피우던 봉식과 마주치는.

봉식 (담배 바닥에 툭툭 털어 던지며) 하- 그 새끼, 내가 알아서 한다니까 고새 연락했네.

영수 ?, 김 계장은 여기 왜 있어요?

봉식 신분증 도용 연락받고 오셨죠?

영수 그런데요.

봉식 (하영 쓱 보며) 신고한 놈이 아는 동생이라 개인적으로 부탁받고 잠깐 들렀어요.

영수 아, 예. (들어가려는데)

봉식 들어가실 필요 없어요. 번거로우실 텐데 제가 알아서 처리하겠습니다.

영수 내 일을 왜 김 계장이 처리해요. (하며 무시하고 들어가면)

봉식 (하영에게 괜히 화풀이하듯 막으며) 허구한 날 혼자 다니던 놈이 잘 도 붙어 다니는 거 보면, 국 팀장 능력이 좋긴 한가 봐.

하영 (무시하고 들어가는 데서)

봉식 (성가시게 됐다는 표정)

32 ___ 마포경찰서 사무실 안 / 낮

낯설게 들어서는 영수와 하영. 어린 형사(이하, 마포서) 하나가 그런 두 사람을 본다. 마포서 앞에는 구영춘[10]이 고개 숙인 채 앉아 있고. 뒤에는 팔뚝 문신에, 금목걸이 한 곽 사장 따로 앉아 있다. 곽 사장 옆에 최 기자의 배낭과 카메라 놓여 있고.

영수 연락받고 왔습니다. 서울지청 범죄행동분석팀 국영수 팀장입니다. (공무원증 보이고)

마포서 (그제야) 아, 이쪽으로 앉으시죠. (영수 앉으면, 증거물 봉투 속 위조된 경찰공무원증 내보이는) 이놈이 가지고 있었어요. 유선상 설명드린 대로, 성매매 여성 납치 용의자고요, (곽 사장 고갯짓하며) 포주예요. 절차상 몇 가지만 여쭤보겠습니다.

영수 (구영춘을 힐끔 보며) 그러시죠.

영수에게 이것저것 묻는 마포서. 하영, 고개 숙인 구영춘과 곽 사장 보며 분위기 살피는데, 최 기자가 화장실 다녀왔는지 바지에

---

10 낡은 운동화 신은.

젖은 손 닦으며 들어서다 하영을 본다.

최 기자 어?! 맞죠? 서울지청 형사님!

하영 (묵례만)

그때, 손에 믹스커피 3잔 들고 태연하게 들어서는 봉식이 최 기자는 본체만체,
비위 맞추려는 듯 영수와 하영에게만 한 잔씩 건넨다. 마지못해 받는 영수와 하영.

봉식 (곽 사장 보며) 곽가야 인사해라.

곽 사장 (벌떡 일어나 허리 꺾어 넙죽 인사하고)

봉식 (비꼬는) 서울지청에서 미래 범죄 예방에 힘쓰시는 중요한 분들이시다. (손으로 훑으며) 차림새부터 나랑은 다르게 고급지지 않냐?

최 기자 ??, 미래 범죄 예방? (하며, 하영을 의아하게 보는)

봉식 (영수에게) 이놈이 아는 동생 놈이에요. (마포서 보며) 적당히 하고 보내드립시다.

마포서 (성가신) 다 됐어요. (영수에게) 마지막으로 하나만 여쭤볼게요. 언제 잃어버리셨죠?

영수 (잠시 따져보는데)

최 기자 (마포서 형사 보며) 도용한 신분증이 서울지청 소속 형사님 거예요?

마포서/영수 (최 기자를 보는)

봉식 (거슬리고) 어이- 기자 아가씨. 아까부터 보니까 궁금한 거 참 많네.

최 기자 (지지 않고 강조) 인터넷 신문《팩트 투데이》최윤지, 기잡니다. 앞으로 또 마주치면 '아가씨'는 빼고, 최 기자라고 불러주세요. 김봉

식 계장님.

하영/영수 (봉식에게 지지 않는 최 기자를 관심 있게 보는)

봉식 (훗) 깡따구 있네. (사이) 최 기자.

영수 (그러거나 말거나) 우리 조현길 검거한 게 언제였지?

봉식 ('우리'라는 표현 거슬리고, 작게) 우리 같은 소리 하네.

하영 (바로) 7월 12일이요.

영수 그래 맞어. (마포서 보며) 4년 전이고요.

봉식 (마포서 입력하는데) 내가 책임질 테니까 그만하고 보내드리자고요.

마포서 (봉식이 귀찮아 죽겠는) 다 됐습니다.

영수 (일어서며) 내 일은 내가 책임져요. (곽 사장 힐끔 보며) 지인 사건 해결하랴 (봉식이 건넨 커피 들어 보이며) 커피 대접하랴 다방면으로 바쁘실 텐데.

봉식 (웃으며 영수 귓가에) 저 오늘 여깄던 건 비밀로 해주시고. 조심히 가십쇼- (하는데)

영수 여기 기자님도 계시고 한데, 내 입만 단속한다고 비밀이 되겠나. (부러 웃어 보이면)

최 기자 (얼른, 영수에게 명함 건네는) 최윤지 기잡니다. 저도 명함 하나 부탁드려도 될까요?

영수, 주머니 뒤적이는 그때, 대뜸 입을 여는 구영춘.

구영춘 생각났어요. 어디 묻었는지.

그 말에, 하영, 영수, 최 기자, 봉식, 마포서 외 사무실 인원 구영춘을 돌아보는데.

곽 사장　(다가가 멱살 잡는) 너 이 새끼! 우리 애들 죽었으면 너도 오늘 초상 치를 줄 알아!

마포서　(말리며) 가서 앉아요!

하영　(구영춘을 주시하고)

봉식　(별거 아닌 듯 구영춘 뒤통수 갈기는) 이 새끼가 아까부터 우릴 가지고 논다 아주. (하영에게) 신경 쓰지 말고 가.

구영춘　(맞은 게 거슬렸는지 뒤통수 만지며) 노인네들도 내가 죽였는데.

?!, 순간 정적이 흐르고, 모두 구영춘에게 집중하는 데서.
심각한 표정으로 구영춘에게 다가가는 하영.

하영　어디에 묻었습니까.

일동　(의아한 듯 그 모습 지켜보는데)

구영춘　여기서 가깝죠.

마포서　(이런 상황 반복된 듯) 그러니까 아가씨들 어디 묻었는지, 똑바로 장소를 대라고!

하영, 마포서에게 잠시 멈추라는 손짓하면.
일동, 하영에게 집중하고.

구영춘　(하영을 넌지시 올려다보며) 가볼래요?

하영　(떠보는) 노인들도 같은 곳에 묻었습니까.

구영춘　(비웃듯 웃음 뱉는) 노인네들은 안 묻었지. 다 두고 나왔는데.

그 순간!! 상황을 감지한 하영과 영수의 눈이 마주치는 데서!!
(타이틀 뜨고)

작가 Comment (2)

상처가 깊어 병실에 입원해 있는 것으로 수정했다.

35 __ 병실 / 새벽

멀리 들려오는 사이렌 소리에 눈을 뜨는 태구. 해가 뜨는지 커튼 쳐진 병실이 차츰 밝아지기 시작하면서 왼쪽 손등에 꽂힌 주삿바늘을 본다. 이어지는 긴 줄을 따라 링거대 올려다보면, 링거액 줄줄이 달려 있고, 다시 이불을 들춰 보면 환자복 입고 허리에 붕대 잔뜩 휘감은 모습이 드러나는데, 힘에 겨운 듯 다시 눈을 감는 태구.

42-1 _ 병실 / 아침

퇴원하는 듯 사복으로 갈아입은 태구. 일영이 옆에서 짐 가방 들어주며 거들고, 병실 침대엔 구영춘 기사 실린 각종 신문들 놓여 있다.

작가 Comment (3)

오해로 비롯된 하영과의 지난 감정을 해소한 후 태구의 감정을 담은 장면이었으나, 논의 후 하영의 대사가 빠지고 태구의 단단한 이미지를 강조하기 위해 달리는 장면으로 수정했다.

78 ___ 동네 뒷산 / 새벽

호트러짐 하나 없는 표정으로 가쁜 숨 내쉬며 달리는 태구의 모습 위로.

9화

1 ____ 화장터 주차장 / 아침

검은 옷차림의 태구. 차에서 내리는데, 옆에 하영의 차가 주차되어 있다. 하영의 차를 잠시 보며 안으로 향하는 태구.

2 ____ 화장터 / 아침

화장로 안 화르르 치솟는 시뻘건 불꽃에서.
화장로로 들어가는 관을 지켜보는 영수와 하영. 그 뒤로, 태구 혼자 떨어져 서 있고.

3 ____ 봉안당 / 낮

서류 보관 창고처럼 보이는 철제 선반들이 빼곡히 세워진 좁은 공간. 반듯하게 봉한 옥색 플라스틱 유골함들이 선반에 차곡차곡

안치돼 있는 봉안당이다. 하영, 영수, 태구, 각자 유골함 하나씩 들고 좁은 통로로 들어가 비어 있는 선반 위에 안치하고.

4 ____ 무연고 추모의 집 앞 / 낮

간판도 없이 덩그러니 세워진 작은 건물에서 나오는 하영, 영수, 태구와 직원1.

직원1 항상 저 혼자 진행했는데 오늘은 세 분이나 여기까지 와주셨네요. 감사해요.

영수 감사는요, 무슨.

직원1 다들 사랑을 받으면서 태어났을 텐데… 자신이 누군지도 전하지 못하고 간다는 게 참 허무해요. 그러니 여길 찾는 사람도 없고.

쉽게 말을 보태지 못하고 듣기만 할 뿐인 하영, 영수, 태구인데… 직원1, "들어가세요. 감사합니다" 하면, 세 사람 고개만 숙여 답하고, 어찌할까 머뭇거리는 영수를 보며 태구가 먼저 "그만 가죠" 입을 뗀다. 세 사람 말없이 각자 차로 향하는 데서.

5 ____ 하영의 차 안 (도로) / 낮

무거운 표정으로 한참을 말없이 가는 영수와 하영.

영수 (흔들리는 묵주 보며 원망하듯) 고단하게 살다가 비참하게 생을 마감한 분들, 부디 그곳에선 행복만 누릴 수 있게 해주시죠. 구영춘은 꼭 지옥을 경험하게 하시고.

하영 … 구영춘 같은 놈한텐 지옥도 사치 같아요.

영수 그러네. 에이 씨- 뭐 한다고 사람 지문까지 다 잘라놓느냔 말이야. 악마 같은 새끼.

6 ____ 추모의 집 앞 / 낮

아직 자릴 뜨지 못한 채 무거운 표정으로 건물 앞 벤치에 앉아 있는 태구 모습 위로.

일영e 변사자 신원 수배 전단을 3만 부나 배포했는데도 신원 확인이 안 됐잖아요. 가출 신고자 가족들 DNA 검사도 해서 대조 작업도 했고… (사이) 팀장님 충분히 할 만큼 했어요. 마음 쓰시는 건 알지만, 이제 그분들도 편히 보내드려요.

태구 (혼잣말)… 미안합니다…

7 ____ 하영의 차 안 (도로) / 낮 (씬5에 이어)

영수 … 윤 팀장, 밤낮으로 신원 미상 피해자 연고 찾느라 고생한단 얘긴 들었는데, 여기까지 올 줄은 몰랐어.

하영 … 윤 팀장님 머리 안 자르는 이유 피해자 때문이에요.

영수 머릴 왜?

하영 긴 머리카락이 주는 거추장스러움이 본인이 할 수 있는 애도라고 생각해요.

영수 … 마음 한 켠에 생기는 죄책감 어쩔 수 없나 봐 우린.

도로를 달리는 하영의 차량에서.

청장e 경찰은 구영춘의 범죄 사건을 수사하는 과정에서 부족한 모습을 보인 것에 대해 국민 여러분께 깊은 사죄의 말씀 드립니다.

8 ____ 몽타주

청장e 대한민국 역사상 유례없이 많은 피해자가 나온 사건을 계기로 범정부적 차원의 민생 치안 종합 대책이 필요한 때임을 인식하여 향후 같은 실수의 반복을 방지하고자 구영춘 범죄 사건 백서를 제작하여 수사 매뉴얼로 만들고, 경찰 모두 공부할 수 있도록 준비하고 있습니다. (그 위로, 각자의 방법으로 애도하는 모습들 비춰지는)

- 강당. 단상에서 브리핑 중인 청장 옆에 서있는 준식, 길표 보이고.
- 기수대 사무실. 유족들에게 시체인수서 교부하는 일영. /체육관. 정신 딴 데 쏟으려는 듯 땀 흠뻑 흘리며 대련 중인 일영.
- 팩트 투데이 사무실. 최 기자는 기사 쓰는 중이고, 최 기자를 기다리며 빈 의자에 앉아 피해자들(6화 씬61동) 얼굴을 스케치하는 우주. 이어 최 기자 비추면, '피해자들의 무고한 죽음을 애도하며.' 적힌 헤드라인 보인다.
- 소주잔 부딪히는 준식과 길표.

9 ____ 기수대 사무실 / 낮

청장e 또한 연쇄살인범 구영춘에 대한 수사 과정에서 중대한 실수를 범한 경찰관들에 대해 대대적인 문책 조치를 내렸습니다.

작은 박스에 조촐한 짐을 싸는 봉식. 씁쓸한 얼굴이고. 태구와 일영은 묵례만 하고 박스 들고 나가는 봉식의 뒷모습을 보기만 하는데, 화풀이하듯 사무실 문을 세게 발길질하며 가는.

10 ___ 국과수 회의실 + 기수대 회의실 교차 / 낮

/ins. 문밖에 국립과학수사연구소 회의실 팻말 붙어 있고

'진실을 밝히는 과학의 힘' 적힌 커다란 액자 걸려 있는 회의실. 영수, 하영, 우주, 인탁, 함영규, 안진덕 교수 둘러앉아 있고, 화이트보드에 '6차 법의감식 연구회: 구영춘' 적혀 있다. 각자 앞에 테이크아웃 커피와 자료들 놓여 있고, 회의 준비하는.

영수 오늘 연구할 사례는 아시다시피 얼마 전 검거한 연쇄살인범 구영춘입니다.

 # 기수대 회의실

태구, 일영 외 기수대 팀원들 둘러앉아 있고, 일영은 수첩을 펴 놓은. 그때 회의실 들어와 앉는 길표, 준식인데, 길표가 테이블에 신문들 툭 내려놓는다. 「엽기적 연쇄살인! 경찰은 왜 못 막았나」「급증하는 무동기 범죄. 시민은 여전히 불안」「새벽길 부녀자 연쇄피습」「다시 고개 드는 목요괴담」 신문 기사들 보이고.

준식 빨리 못 잡았다고 안팎으로 원성들이 자자혀.

일영 우리가 일부러 안 잡은 건 아니죠.

기수대1 그래, 마음먹고 숨어서 증거 하나 안 남기는 놈을 어떻게 하라고요. 나 참.

길표 성가신 거 아는데, 구영춘이 같은 놈 이제까지 본 적 없잖아.

태구 하루라도 빨리 구영춘을 잡았다면, 이렇게까지 많은 피해자가 나오진 않았을 거고요.

준식 대비 차원에서 한 번은 필요한 일이니께, 의견들 내봐.

일영 ('무동기 범죄에 대한 수사 역량 재고' 메모하는)

태구 관할 구역이 다른 경우 공조 수사를 보완할 필요가 있습니다.

길표 서남부 사건은 공조 요청했잖아?

태구 더 체계적인 시스템이 갖춰줘야 할 거예요. 구영춘 때문에 그나마 분위기가 잡혔지만, 여전히 내켜 하지 않는 관할도 있습니다.

준식 초동 수사는 문제없었고?

일영 사건 발생 지역이 다 다르니까 초동 수사도 각각 다른 관할서에서 하고. 그 정보 통합에만도 시간이 꽤 걸렸어요.

준식 기수대가 확대 개편되면 해결 방안이 나올 수 있을까?

일동 ?! (개편? 싫은데)

태구 초동 수사를 기수대가 직접 할 수 있도록 개편한다면 혼란을 줄일 수 있지 않을까요.

준식 (끄덕이고) 다른 문제는?

태구 구영춘이 부유층 노인 살해 사건 이후 범행 수법을 바꿨을 때, 여성 피해자들에 대한 실종 신고가 여러 건 있었음에도 단순 가출로 처리했어요.

일영 음… 근데 성인은 실종 신고 자체가 성립이 안 되잖아요. 노인이나 장애가 있지 않는 이상 다 가출로 처리할 텐데.

태구 여성이 11명이나 실종됐는데도 수사 대상에서 제외됐다는 건 문제가 있지.

길표 (끄덕이며) 그건 윤 팀장 말이 맞네.

태구 기존 수사 방식이 통하지 않았다는 점도 인지해야 합니다. 피해품이 없어서 원한에 의한 주변인의 범행으로 판단했고, 그 과정에서 수사에 지체된 시간이 너무 길었어요.

기수대2 원한 관계 뒤지고 관련 전과자 찾는 게 수사의 수순이자 기본인데, 어떻게 무시해요?

태구 무시하자는 게 아닙니다. 구영춘 사건은 무동기 범죄로 판명됐고, 이제까지 없던 형태의 범행이에요. (때문에) 새로운 수사 방법을 받아들일 필요도 있다는 얘기고요.

길표 일리가 있어. 범죄분석팀이 만든 보고서가 이번에도 제대로 적중했잖아.

일동 (인정하듯 끄덕이고)

준식 음… 그래서 말인데 이번 경우처럼 무동기에 비면식범일 때 피의자 특정을 위해서 프로파일링을 수사에 적극 이용했으면 하는데. 생각들 어떤가?

일동 (쉽게 답하지 못하고 망설이는)

준식 강력 사건 수사랑 가장 가깝게 맞닿아 있는 게 기수대 아니겠나. 그래서 물은 겨. 남들이 이해 못 해도, 우리가 분석팀이 필요하다! 강조하면 다들 아무 소리 못 할 테니까.

태구 (그제야) 프로파일링의 가능성을 확인한 건 저 역시도 부정할 수 없는 사실이에요. 다만 자칫하면 분석 보고서에 의존하게 될 우려가 있다는 점도 고려해야 합니다.

기수대3 에이- 우리가 그깟 거에 휘둘릴 정도로 줏대 없진 않지.

준식 남 형사는 어때?

일영 저도 윤 팀장님 의견에 동의해요. 프로파일링을 수사에 활용하는 건 찬성이지만, 별개로 움직일 필요는 있다고 봐요.

 # 국과수 회의실

각자의 앞에 놓인 붉은 쇠망치 프린트물을 보는.

영수 이번 사건에서 가장 아이러니했던 게 사용한 둔기가 뭐냐였죠.

함영규 육각형 쇠망치라니 상상도 못 했지.

인탁 내리칠 땐 모서리 일부분만 닿으니까 삼각형으로 상흔이 생기는 게 당연한데, 왜 아무도 그 생각을 못 했을까요.

하영 쇠망치를 아무도 사람 죽이는 데 쓰진 않으니까요.

/ins. 6화, 씬64. 하영의 상상

황화동 거실. 소파에 앉아 있는 피해자에게 성큼성큼 다가가 쇠망치 치켜드는 구영춘을 응시하는 하영.

/다시 국과수 회의실

안진덕 범인의 입장을 상상한다… (끔찍) 아무나 할 수 있는 건 아닐 거 같은데.

일동, 상상만 해도 싫은 듯한데, 영수만 하영의 마음을 헤아리는 듯 안타깝게 보는.

하영 … 구영춘이 쇠망치를 택한 건 손쉬운 제압을 위해서였어요. 오로지 살인에만 목적을 뒀단 얘기죠.

인탁 (착잡한) 대한민국에 이런 놈이 튀어나올 줄은 몰랐어요.

우주 왜 그렇게까지 괴물이 됐을까요…

영수 그걸 연구하는 게 이 스터디의 목적이기도 하지.

함영규 범죄 유형 분류상 연쇄살인범의 유형이 4가지로 분류된 댔지?

영수 권력형, 사명감형, 쾌락형, 망상형이요.

함영규 구영춘은 어디에 속하지?

하영 망상형을 제외하고 3가지가 결합된 혼합형 연쇄살인범으로 볼 수 있습니다.

우주 그럼 (따져보는) 권력형, 사명감형, 쾌락형이겠네요.

하영 피해자들을 통제하며 권력을 과시했고, 살인을 위해 준비도 철저하게 했어요.

안진덕 준비?

하영 손쉬운 살해 방법을 찾느라 손 망치를 개조하고, 전신 엑스레이를 찍어서 절단 부위도 공부했습니다. 살해 후엔 시신 훼손의 강도가 점차 높아졌고요.

인탁 준비 과정과 훼손을 통해서 쾌락을 느꼈다는 거군요.

하영 (끄덕이는)

영수 환각을 보는 망상형과는 거리가 멀지만. 사명감형에 속하는지는 잘 모르겠는데?

하영 특징은 있다고 봐야지 않을까요. 사회악을 제거하기 위해 살인을 저질렀다는 말도 안 되는 논리로 자신의 범죄 행월 정당화하는 언행을 보였어요.

안진덕 (자료 들춰보며) 부(富)를 독점한 일부 부유층을 제거하고 성적으로 타락한 여성들을 징벌한다는 사명감을 갖고 범행을 했다…

인탁 (도리질) 너무 기가 막혀요. 그래서 사람을 죽였다는 게.

우주 그치만 실제 피해자들은 노인과 여자들뿐이잖아요.

영수 사명감이네 뭐네 거창하게 운운해도 결국 쉽게 제압할 수 있는 약한 상대만 고른 거야.

하영 입으로만 떠드는 최악의 찌질인 거죠. (하는 데서)

11 ___ 동네 놀이터 / 저녁

주변에 아이들 노는 모습 보이고, 흔들리는 그네에 앉아 있는 남기태의 시선이 시소 타는 아이 1, 2에게 향해 있다… 잠시 후, "그만 놀고 밥 먹어!" "○○아 밥 먹어!" 하며 어디선가 애들을 부르는 엄마들의 목소리 하나둘씩 들려오면, 그 소리에 놀이터에서 놀던 아이들도 하나씩 떠나고 시소 타던 아이2도 자리를 뜨는데. 기울어진 시소에 아직 홀로 남아 있는 아이1을 빤히 보는 남기태… 그때, 남기태와 눈이 마주친 아이1, 놀이터로 데리러 나온 엄마를 보고 일어나 반가운 듯 달려가 안긴다. 엄마와 아이1, 놀이터를 떠나면, 남기태가 시소로 다가가 타이어 안을 살피는데 타이어 안에 쇠망치 숨겨져 있다. 그제야 안심하는 남기태.

12 ___ 분석팀 / 밤

하영 혼자 남아 있는 사무실. 심리분석 보고 파일을 열고, 신형 녹음기 플레이 버튼 누르면 "(8화, 씬61) 뭐 나 같은 인간들 빤하지 않나? 때리는 아버지에 기댈 사람 하나 없는 불우한 어린 시절" 하는 구영춘의 목소리가 흘러나온다.

/ins. 8화. 씬61

구영춘 술 마시면 망치 휘두르면서 가족 위협하는 아버지랑 안 살아봤죠?

하영 (대수롭지 않게) 아버지 안 계십니다. 태어나는 날 돌아가셨어요.

구영춘 (의외라는 듯 짐짓 놀라는) 운이 좋네. 그런 아버지랑 사느니 없는 게 낫지. 안 삐뚤어질 수가 없어.

하영 그게 이유라고 생각해요?

13 ___ 하영의 차 안(집 앞 주차장) + 집 앞 / 밤

구영춘e 범죄심리분석한다면서 나 같은 어린 시절 보내면 연쇄살인범 된단 얘기도 못 들어봤나 보네.

생각에 빠진 듯 한참을 그대로 차에 앉아 있던 하영. 화가 난 듯 '비겁한 자기 합리화' 혼잣말하며 이내 차에서 내리고. 집으로 향하다가 바닥에 버려진 맥주 캔을 발견한다. 주우려다 말고… 별안간 맥주 캔 걷어차는 하영. 그 바람에 요란한 소릴 내며 저만치 뒹구는 맥주 캔을 가만히 보는.

14 ___ 하영의 집 거실 + 방 / 밤

 # 거실

힘없이 들어오는 하영의 손에 좀 전에 걷어찬 맥주 캔이 들려 있다. 거실 쓰레기통에 버리고 방으로 향하는 하영.

 # 하영의 방

책상 모니터에 「심리분석 보고서」 떠 있고. 하영, '성장 과정 요약' 밑에 '빈곤 가정. 노동일을 하는 알코올 중독 아버지의 무분별한 가정 폭력 노출'을 적어 내려가는데.

똑똑, 노크 소리 들리면서 영신이 들어오면, 책상과 방 안 가득 사건 자료들 깔려 있다. 영신, 잠시 놀라며 강정 담긴 접시를 하영의 책상에 올려주고.

영신 (하영을 물끄러미 보며) 이거 먹으면서 해.

하영 안 주무셨어요?

영신 나이 들었나 봐. 좀 뒤척였더니 잠이 달아나버렸어. 낮에 만든 건데 잘 식어서 맛있어. 먹어봐. (하며 나가고)

하영 (영신이 방을 나가면, 강정 하나 집어 들고 보다가… 입에 넣는)

 # 거실

정리하며 괜히 다시 휴지통에 버려진 맥주 캔을 보는 영신. 걱정하듯 하영의 방을 잠시 바라보는 데서.

구영춘e 교도소 가면 넘쳐요. 나처럼 기댈 사람 하나 없이 세상에 혼자밖에 없는 인간들.

15 ___ 동네 놀이터 / 밤

아무도 없는 캄캄한 놀이터. 어디를 응시하는지 모르게 초점 없는 멍한 시선으로 흔들리는 그네에 앉아 있는 남기태의 모습에서.

타이틀, 악의 마음을 읽는 자들 9화

16 ___ 분석팀 / 아침

최 기자가 배낭, 카메라, 맥심 커피 상자 들고 사무실 들어서며 들뜬 얼굴로 인사하면, 하영, 영수, 우주가 최 기자를 반기고. 어느새 테이블에 둘러앉은 영수, 하영, 최 기자에게 우주가 맥심 커피 한 잔씩 건네고 앉는.

영수 (마시며) 이런 게 힐링이지. 최 기자님 덕분에 사무실에서 커피 마시는 여유를 다 가져보네.

최 기자 (하영 반응을 기다리는데)

하영 (?, 보며 뜸 들이다가) 맛있어요.

최 기자 (그제야 만족한 듯 웃으면)

하영 (최 기자가 들고 온 카메라 보며) 말씀드렸지만, 사진은 안 찍습니다.

최 기자 아, 이건(카메라) 저한테 전장의 무기 같은 거라 촬영 유무 상관없이 항상 들고 다녀요. 사진 없이 분석팀 소개 기사만 실을 거예요. (노트북 펼치고. 인터뷰를 준비하는)

영수 (우주 보며) 괜히 긴장된다 그치?

우주 (웃고)

하영 (커피 마시며 보는)

최 기자 그냥 편하게 답하시면 돼요. 어차피 제가 찰떡같이 정리해서 낼 거니까(웃고, 질문하는) 제가 제일 궁금한 건, 범죄 동기는 대부분 돈, 치정, 원한, 금전, 복수였잖아요.

영수 그쵸.

최 기자 구영춘은 거기에서 완전히 벗어난 형태의 연쇄살인범인데, 이른바 무동기 범죄라고 불리는 이런 끔찍한 범죄가 발생한 이유는 뭐라고 보세요?

영수 최근 몇 년간 개인적, 사회적 소외감에서 나온 맹목적 증오가 끔찍한 범죄 형태로 나타난 거예요.

질문과 대답 오가는 영수, 하영, 우주와 최 기자의 모습 비춰지고. 분석팀 곳곳의 풍경 하나씩 비춰지는 데서.

하영e 프로파일러는 점쟁이가 아니라 범인의 심리나 행동 패턴을 분석해서 빠르게 검거할 수 있도록 수사를 지원하는 사람입니다.

우주e 보통은 축적된 데이터를 기반으로 분석하는 거죠.

영수e 범죄자 면담도 그 일부라고 볼 수 있고요.

cut to

영수 프로파일링 수사 기법은 미국에서 시작했지만, 지형, 범죄, 사회 환경이 우리와는 많은 차이가 있기 때문에 한국형 수사 기법의 토대를 마련하기 위해서 꾸준히 노력하고 있어요.

최 기자 그 와중에 용의자 추론도 해야 하고, 면담도 해야 하고. 정말 너무 바쁘실 거 같아요. (받아 적으며) 근데 제가 시간을 너무 뺏었죠. 마지막으로 하시고 싶은 얘기 있으세요?

영수 음… (하영을 보는)

하영 모든 범죄 현장엔 흔적이 남습니다.

영수 맞아요. 감식팀이 현장에 남은 증거를 찾아내고, 프로파일러는 그 현장을 토대로 정황과 단서들을 분석하죠.

최 기자 행동 분석을 통해서 범인의 도주 경로나 범행 수법, 은신처는 물론이고 성별, 연령, 직업, 취향, 콤플렉스 같은 용의자 성격까지 추론한다. 그거죠?

영수 와- 선수 다 됐네.

하영 서남부 사건 역시 면밀히 분석 중입니다. 범인이 어디선가 듣고 있다면 꼭 얘기하고 싶어요. 곧 검거될 거라고요.

최 기자 빨리 잡혔으면 좋겠어요.

하영 많은 범죄자가 완전범죄를 꿈꾸지만, 이거 하나는 분명하게 말할 수 있어요. 완전범죄는 없습니다.

영수와 하영의 단호한 눈빛에서.

17 ___ 팩트 투데이 사무실 / 저녁

노트북 화면에 「21세기 수사 개혁의 디딤돌이 될 서울지방경찰청 범죄행동분석팀-」 기사 써 내려가고 있는 최 기자. 이어 '프로파일러 송하영 경위'[1] 써 내려가는.

18 ___ 분석팀 / 낮

사무실 전화벨 소리 이어지고, 그때마다 우주가 받으며 "지금 안 계십니다" 하고 끊는데, 옆에 하영과 영수 앉아 있다. 두 사람 핸드폰도 쉼 없이 울리는데 보면, 둘 다 모르는 번호들만 뜨고.

영수 (받지는 않고) 어딘지도 모르는 데서 연락이 계속 와.

하영 이렇게까지 반응 있을진 생각도 못 했어요.

우주 저도요. 윤지 기사를 사람들이 이렇게 많이 볼 줄이야.

영수 언론 파급력이 대단하긴 하다.

우주 (웃으며) 분석팀 파급력일 수도 있죠. (하는 데서 사무실 전화 또 울리고, 받으며) 외근 가시고 안 계십니다. (사이) 개인 연락처는 알려드릴 수가 없고요-

하영 (영수 보며) 당분간 귀찮아지겠어요.

영수 그러게. 사진 안 찍었길 천만다행이네.

---

1 《팩트 투데이》 최윤지 기자 적혀 있고. 제목 아래 부 타이틀로 '발로만 뛰던 시대는 지났다. 과학수사 필요성 대두…' 떠 있는.

19 ___ 서울지방경찰청 기자실 / 낮

최 기자의 분석팀 소개 기사 관심 있게 읽는 기자들과 임무식. 여기저기 "미국엔 있대. 찾아봐" "범죄행동분석관 인터뷰 땁시다!" "프로파일러 관련 기사부터 내고!" 하는 캡들의 통화 내용 들리고. 임무식은 '최윤지가 감은 좋아' 혼잣말하며 벌써 비슷한 제목으로 기사 만드는 중이다. 보면, '영화 「양들의 침묵」 속 바로 그 직업!' 제목이 적혀 있고. '구영춘 연쇄살인 사건 해결에 일조한 프로파일러의 역할에 큰 관심이 쏠리고 있다. 사건 현장에서 찾은 데이터로 범인의 심리분석하는-' 내용 적어 내려가는 중인, 그때 임무식 핸드폰으로 봉식이 보낸 문자 들어오고.

봉식e (못마땅한 투로) 좌천된 놈한테 너무 하는 거 아니냐? 송하영이 얼굴 꼴 보기도 싫은데 사진까지 찾게 만들고. 아무튼 방금 메일로 쐈다. 너도 이제 나 좀 그만 찾아라.

임무식, 메일함 확인하면 봉식이 보낸 사진 파일이 첨부돼 있다. 다운받아 방금 쓴 기사에 하영의 사진부터 얹는 임무식. 이내, 미리보기 기사에 하영의 얼굴 크게 뜨고.

20 ___ 분석팀 / 낮

하영이 적은 구영춘 「심리분석 보고서」[2]를 읽고 있는 영수, 우주, 하영인데.
저만치에 일부러 수화기 내려둔 사무실 전화가 얼핏 보인다.

우주 저는 궁금한 게요. 여기 성장 과정이나 연쇄살인범 특유의 정서적 인지 사고 같은 분석 내용은 범죄자들한테 공통적으로 나타나는 특징이잖아요. 지금까지의 면담 보고서도 그렇고. 그럼 이런 특징

---

2 **심리분석보고서 경찰 면담 자료(서울지방청 범죄분석팀)**
가. 성장 과정 요약
* 빈곤 가정, 어린 시절 노동일을 하는 아버지의 무분별한 가정 폭력 노출. 부모 이혼.
* 미혼, 중졸, 군 복무 면제.

나. 범행 준비
* 사회에 대한 불만으로 인해 불특정 다수를 상대로 분노 발산 살인 계획.
* 언론 매체를 통해 살인 범죄자들의 범행 행동, 검거 경위 등을 입수해 분석하고, 인터넷 등을 통해 다양한 법과학적 지식 습득.
* 수사에 혼선을 주기 위해 서울 전역을 대상으로 범행.
* 범행에 관한 정보는 인터넷 검색 등과 언론 보도를 통해 경찰의 수사 방향과 현장에 남겨진 단서 등을 모두 알 수 있었음.

다. 피해자 선택 과정
* 침입과 범행이 용이한 노인들을 상대로 범행. 교회 옆에 있는 부유층을 대상으로 범행하였다고 합리화.
* 집으로 유인하기 쉬운 윤락 여성만을 선정.

라. 주 심리학적 방어기제(Defense mechanism)
* 합리화: 부유층이나 윤락녀 등에게 메시지를 전달하는 것처럼 자신의 범죄를 합리화.
* 대치(Substitution): 직접 분노의 대상이 아닌 중립적 대상에게 분노 표현.
* 동일시 및 투사(Projection):
- 성장기 경찰을 동경하고 실제 경찰 시험을 보려고 했지만 좌절된 경험. 경찰관 사칭 범죄 실행에 무의식적 영향.
- 범행 준비 중 알게 된 미국의 연쇄 범죄자 체이스(1977년과 1978년에 걸쳐 캘리포니아에서 발생한 연쇄살인 사건의 범인으로, 정신분열을 앓고 있으며, 피해자들의 피를 마시고 장기를 소지하고 있던 중 검거된 사건)와 자신을 동일시하여 피해자들의 장기 중 일부를 먹어보았다고 진술.

마. 종합적인 특성
* 피해자의 신체에 대한 완벽한 제압을 통한 조종과 통제 속에서 쾌감을 느끼는 등 연쇄 범죄자 특유의 정서적 인지 사고.
* 경계선성격장애(Border-line disorder) 성향
- 강한 자존심과 사소한 자극에 대한 민감한 반응과 상처 입음.
- 감정 기복이 심하고, 충동적인 행동, 분노 조절의 어려움.
- 망상적 사고를 동반한 우울 증세, 불안정한 대인 관계 양식.
- 만성적 공허감, 자기 손상적(Self-damaging) 행동, 자살 시도.

들을 종합해서 괴물이 될 징후를 미리 알아낼 수는 없을까요?

영수 그게 가장 고민스러운 지점이긴 해. 예를 들면 일정 연령 후에도 지속해서 나타나는 방화나 동물 학대 같은 행위도 연쇄살인범이 될 징후로 보니까.

하영 구영춘의 성장기도 이론과는 들어맞지만… 성장 과정까지 포함해야 할진 모르겠어요.

우주 그러네요. 어린 시절 환경적 결핍을 겪은 사람들이 전부 범죄자가 되진 않잖아요.

영수 오히려 더 단단해지기도 하지. 나도 엄청 가난해서 어릴 때 고생 많이 했는데 범죄자가 아니라 경찰이 됐잖아?

하영 전 편모 가정에서 자랐고요.

저마다의 생각에 잠긴 세 사람의 표정에서.

21 ___ 서울지방경찰청 옥상 / 저녁

옥상 아래를 내려다보는 하영과 영수. 손에 자판기 커피 하나씩 들고 있고.

하영 괴물은 태어나는 걸까요, 만들어지는 걸까요.

영수 글쎄…

하영 악인으로서의 삶이 태어날 때부터 정해진 거라면, 그건 너무 불공평하고 가혹한 거 같아요.

영수 (잠시) 세상이 원래 불공평하잖아. (하다가) 음, 하고 보니 너무 무책임한 말이네.

하영 그치만 사실이기도 하죠.

영수 내 생각엔 불공평과 부조리로 가득한 세상에서도 포기하지 않고 균형을 꿈꾸는 게 인간이고, 그렇게 한 발씩 천천히 내딛는 게 인간의 본성인 거 같아.

하영 그 본성을 포기하는 순간 괴물이 되는 걸까요.

영수 난 범죄자들 대면하고 있으면 악은 그냥 태어나는 거라고 믿고 싶어져. 저놈은 원래부터 저랬을 거야. 착했을 리 없어. 그렇게 길러졌다는 게 왠지 더 절망적이잖아.

하영 그렇게 되도록 만든 환경에 책임을 나눠야 하니까…

영수 그치. 근데 그건 너무 끔찍해. 도대체 어떤 환경이었기에 그런 괴물이 됐을까 솔직히 면죄부 주는 기분도 싫고.

하영 저는 여전히 결론을 못 내리겠어요.

영수 우리한텐 너무나 어려운 숙제다. 그저 성악설에 더 마음이 기울면서도 성선설을 믿고 싶은 심정만 있는 거지.

하영 언젠가 들은 적이 있어요. 성선설이냐 성악설이냐를 판단하는 기준은 내가 남을 보는 시선을 드러내는 거라고.

영수 듣고 보니 그렇네. 그럼 난 아직 인간에 대한 희망을 놓지 않은 건가? (쓴웃음으로 보며) 넌 어떤데?

하영 (생각하는) 이렇게 얘기하다 보니 선명해지는 거 같아요.

영수 (?)

하영 어떻게 태어났는지는 중요하지 않다.

영수 (끄덕이며) 난 한 번씩 수감자들과 마주 앉아 있으면 그런 생각이 들어.

하영 (보면)

영수 아무도 막을 수는 없었던 걸까. 그들 곁의 누군가에게 한 번쯤은 악행의 시작을 막을 기회가 있지 않았을까.

하영 매 순간 타인에 의해서가 아니라, '스스로' 선택할 수 있었다는 사실이 중요한 거 같아요.

영수　우린 인간이기 때문에 옳은 선택을 향해가는 거고.

하영　인간은 누구나 검은 그림자를 품고 있고- 그건 우리 역시 예외가 아니기 때문에 때때로 절박한 상황에서 속내를 드러내기도 하지만. 그 역시 선택인 거죠.

영수　괴물이 태어나느냐 아니냐를 떠나서 누구든 언제라도 괴물이 될 수 있다는 전제가 더 중요하겠네.

하영　그 선택의 순간에 옳은 결정을 내리는 건, 역시 '나'이고요. (잠시)

영수　(끄덕이면)

하영　전엔 이런 생각을 해본 적이 없어요.

영수　그땐 범죄자들의 심리를 들여다볼 기회가 없었잖아.

하영　한시라도 빨리, 한 명이라도 더, 잡아들이는 게 중요했으니까.

영수　분석팀 만든 게 벌써 4년이나 됐네. (하영 보며) 한편으로는 조심스럽다.

하영　?

영수　너무 깊어지진 마.

하영　(보면)

영수　(잠시) 너무 깊어지면, 니가 그 깊이에 빠질 수도 있으니까.

영수를 보는 하영의 시선에서.

22 ___ 어느 집 대문 앞 / 새벽

어스름한 새벽. 어느 집 대문 앞에 하영의 얼굴이 실린 8월 12일 (목요일)《대한일보》가 툭, 던져진다.

하영na　그들은… 왜 그런 선택을 하게 되었을까.

잠시 후, 뛰고 온 듯 땀에 젖은 남기태가 《대한일보》를 태연하게 집어 들고, 하영의 사진을 관심 있게 보며 걸어가는 데서…

23 ___ 형사과장실 / 낮

하영의 사진 실린 《대한일보》 기사 보고 있는 영수.
준식, 길표, 하영도 모여 있고.

영수 사진까지 실었네. 임무식은 대체 이 사진을 어디서 구했대?
하영 (짐작 가지만 크게 마음 쓰지 않는) 그러게요.
준식 차라리 잘된 겨. 그러잖아두 감식계 확대 개편한다고 과학수사계 얘기 나오는 중인데, 과학수사계장 국 팀장이 했으면 해.
하영 (영수를 보는데)
영수 나?? (얼른) 뭔 소리야. 난 분석팀만으로도 바빠요.
준식 위에다가는 계속 설득 중이니께 무조건 안 한다고만 허지 말고 국 팀장도 더 고민혀봐.
하영 확대 개편이면 분석팀 인원 충원도 있는 겁니까?
길표 과수계 소속으로 국영수가 계장 되면 길이 생기지 않겠어?
하영 (영수를 종용하듯 보는)

그때 길표 핸드폰 울리고 보면, 일영이다.

길표 (받으며) 남 형사 왜. 고청동? 아 윤 팀장이 검찰 갔구나. 그래 다녀와, 하더니 (잠시 영수에게 시선 주고는) 저기, 분석팀도 같이 가. (사이) 지금 그리로 보낼게.
영수/하영 (??)

길표 서남부 관련 사건 같다는데- (하면)

영수/하영 !! (그 말에 얼른 일어서고)

24 ___ 고청동 ○○빌라 앞 / 낮

한 동만 덩그러니 세워진 빌라 앞에 서 있는 하영, 영수, 일영.

일영 4월 말이에요. 범행 도구는 식칼이고, 여기도 새벽 두 시 반경에 현관 앞에서 열쇠가 꽂힌 채로 살해됐어요.

하며 안으로 들어가려는데, 하영, 영수가 멈춰서 빌라 외관부터 살핀다.

일영 (들어가려다 말고) 안 들어가세요?

하영 외관부터 살피려고요.

영수 우린 바깥부터 봐요. 주변 환경은 어떤지, 구조는 어떤지부터 살피고 들어가야 범인이 왜 여길 범행 장소로 택했나 추측해볼 수 있거든. (하며 카메라로 외경 찍고)

일영 (영수, 하영 옆에 다가와 서서 보는)

하영 (CCTV 유무, 입구에서 이어지는 길 등 주변 살피며) 범인의 시선으로 범인의 동선을 추측해 따라가 보는 겁니다.

일영 (따라서 둘러보면)

하영 이 모든 곳을 통과해서 마지막에 살인 현장에 도달하니까요.

일영 아- 범인이 어딜 통과해서 어디에서 피해자를 마주했을지 상상해볼 수 있겠네요.

영수 (사진 찍으며 살피다가) 근데 구로서 관할 사건을 어떻게 보고받았어요?

일영 공조 요청해서 인근 경찰서들이 비슷한 사건들 확인하고 있거든요.

영수 웬일로?

일영 임영동 사건도 구영춘 짓이 아니라고 밝혀진 데다, 푸르매공원 사건으로 다들 주시하고 있어서 꽤 협조적이에요.

하영 (계속 주변 살피고) 동작서랑 금천서 사건 장소들이랑은 좀 다른 분위기예요.

영수 그러네.

일영 (호기심 어린) 뭐가 다른데요?

하영 집들이 빼곡히 즐비해 있질 않고 이 빌라만 동떨어져 있어요. 주변에 숨어서 기다렸을 만한 공간도 없고.

영/하/일 (바깥에서 빌라와 그 주변을 둘러보는 모습에서)

/ins. 하영의 상상. 밤

빌라 입구에서 도망치듯 뛰어나와 달아나는 남자(아직 남기태의 얼굴 모르는 상태) 손에 피 묻은 식칼을 쥐고 있고, 저만치 하영이 그 모습을 지켜보고 서 있다.

25 ___ 고청동 ○○빌라 안 + 현관 앞 / 낮

빌라 계단을 올라 201호 앞에 다다르는 영수, 하영, 일영.

일영 (문 가리키며) 열쇠 여기 꽂혀 있었고, 가방이랑 지갑은 그 옆에 떨어져 있었대요.

영수 금품은 그대로였고?

일영 네.

하영 (문을 유심히 들여다보는) 피해자가 집으로 들어가기 직전까지 기다린 걸까요.

영수 가족이라도 함께 살면 범행이 그대로 노출되는 건데, 그런 위험을 무릅썼을까?

일영 지 얼굴도 일부러 보여주는 놈이니까… 가능하지 않을까요? 이해는 안 되지만.

하영 … 뭔가 다른 이유가 있었을 거 같은데… (하는 데서)

/ins. 하영의 상상. 밤

계단 아래에서 키를 꽂는 피해자의 모습을 지켜보는 하영. 그 순간, 피해자의 뒤로 (얼굴 없는) 남자가 불쑥 나타나 보이는데.

/현관 앞

하영 문이 열리기 직전을 일부러 기다린 거라면, 여기 어딘가에 숨어 있었어야 합니다. (계단 주변 살피면, 영수, 일영도 덩달아 살피고) 피해자는 이 계단을 통해 올라왔을 텐데, 보다시피 여기도 숨어 있었을 만한 공간이 없어요.

일영 그럼 뭐예요?

/ins. 하영의 상상. 밤

다시, 계단 앞에서 키를 꽂는 피해자의 모습을 지켜보는 하영.
그 순간 조용히 미행하던 남자, 계단 아래에서 망설이더니 후다닥 뛰어 올라오고…! 키를 꽂았던 피해자가 뒤를 돌아보는 데서!!

하영 !!, 범인은 대범한 게 아니라 소심한 성격 같아요.

영수/일영 ??

하영　피해자가 집 안으로 들어가기 직전까지 망설인 겁니다.

영수　!!, 마지막 순간에 지 나름의 용기를 낸 거구나.

일영　(갸웃) 그럼 불빛 아래에서 자기 얼굴을 일부러 드러낸 건 왜 그런 거예요?

하영　그건… 어쩌면… 자신의 얼굴을 보여준 게 아니라…

영수　!!, 그 반대인 거야.

하영　(끄떡이며) 피해자의 얼굴을 확인한 거 같아요.

일영　모르는 사람 얼굴을 굳이 확인하고 죽인다? (하다가 깨달은 듯 놀라는) !!!

하영　표정을 본 거예요.

충격적인 얼굴로 서로를 마주 보는 하영, 영수, 일영.

26 ___ 분석팀 / 저녁

일사분란하게 움직이는 분석팀. 하영, 프로파일링 지도에 고청동(구로구)을 추가 표시하고, 영수, 칠판에 고청동 사건 정보[3]를 적고, 우주, 인터넷으로 고청동 교통 노선 확인하며 지도에 채워 넣는 중이다. 일영은 셋의 프로페셔널함에 짐짓 놀란 얼굴.

27 ___ 검사실 / 저녁

3 흉기 종류, 범행 시각 외 피해자 가방 현관문 앞에 떨어져 있었음. 출입문에 열쇠 꽂혀 있었음. 흉기 발견되지 않았으나 식칼 추정. 금품 및 현금 그대로. 지문, 족적 등 특이 단서 불발견 등의 공통점 표기.

피곤한 기색 만연한 얼굴로 테이블에 잔뜩 쌓아둔 구영춘의 사건 서류 확인하는 태구와 부장검사를 포함 7인의 검사들. (→ 검사실이라는 정보 위해, 책상에 '서울중앙지검 형사3부 윤종환 부장검사' 한자로 적힌 명패 놓여 있고) 태구, 잠시 일영에게 문자 보내는데 보면. '난 오늘 늦게까지 있어야 할 거 같다. 이슈 있으면 중간중간 보고해줘' 적힌.

28 ___ 분석팀 / 저녁 (씬26에 이어)

앉아 회의 중인 하영, 영수, 우주, 일영.

하영 신흥2동과 고청동. 이 두 곳은 현관문 앞에서 사망했어요. 둘 다 현관에 열쇠가 꽂혀 있었고, 피해자가 집에 들어가기 직전까지 망설였단 의미로 해석됩니다.

영수 소심한 성격이라면 피해자 대부분이 집 앞에서 공격당한 이유가 설명이 되네.

우주 고청동 사건은 4월이니까 푸르매공원보다 전이네요?

일영 동작서에서 보고된 사건이 많아서 같은 관할인 푸르매공원 사건을 먼저 인지한 거예요.

우주 그럼 여기 보면, 범인은 이미 4월 고청동 때부터 식칼을 사용한 거네요.

영수 (칠판에 범행 순서대로 적어둔 정보 보며) 범행 도구를 바꾼 이유는… 역시 추측대로 살인이란 목적 달성을 위함이겠지?

일영/우주 (얼굴 찌푸려지고)

하영 그게 가장 가능성이 높아요. 이전 사건들은 임영동을 제외하고 전부 중상에 그쳤으니까. 범인의 입장에선 조급했을 겁니다. 어쩌면 구영춘처럼 연구했을지도 모르죠.

일영　연구요?

영수　살인을 위해서 공부를 엄청 했어요. 쇠망칠 직접 만든 이유도 그 중 하나고.

/ins. 동네 놀이터

자연스럽게 타이어 사이에 둔 쇠망치 꺼내 가는 남기태의 모습 위로.

일영e　상상을 초월하는 미친놈들이네…

/다시 분석팀

일영　근데 고청동도 구로구고. 이렇게 다 서남부에 집중돼 있는데, 임영동 사건이 정말 저놈 짓일까요?

영수　우리도 그걸 고민했었는데 지하철 라인을 잘 봐봐요.

일영　(집중하는)

우주　범행이 일어난 동네 대부분 1호선이 몰려 있거든요. 2호선이 간혹 지나다니고요.

일영　아, 임영동도 1호선이네.

/ins. 지하철 역사 앞

계단을 오르는 남기태의 모습 위로.

하영e　범인이 익숙하게 움직일 수 있는 반경이라고 본 겁니다. 어쩌면 1호선 라인 일대에 거주하는 자일 수도 있어요. 구영춘은 수사에 혼선을 주기 위해 강남과 강북을 오갔고, 지하철을 이용했다고 진술했지만, 이자는 그 정도의 계획성이 있어 보이진 않습니다.

영수e 그건 왜?

/다시 분석팀

일영 (지도로 다가가 확인하며) 서남부 지역에서 일어난 사건들은 관할 서가 다르긴 해도 도보로 충분히 이동 가능한 지역들이네요.

하영 바로 그거예요.

/ins. 거리 일각

주변 할끗거리며 거리를 배회하는 남기태의 모습 위로

하영e 범행 대상도 미리 물색한 게 아니라, 유동 인구가 거의 없는 새벽이나 늦은 시간에 혼자 다니는 여성들을 쫓아가서 공격했어요.

일영e … 지금 우리가 서남부 일대에서 칼 들고 배회하는 미친놈을 찾는 거네요.

/다시 분석팀

우주 만약에 범행 대상 물색에 실패하면요? 분명 허탕 치는 날도 많을 텐데.

하영 그런 날들이 반복된다면…. 범행 도구를 변경한 것처럼, 방식도 변경될 거야. 구영춘이 그랬던 것처럼.

하는 데서, 우르르 쾅쾅 천둥 번개 소리 요란하게 선행되고.

29 ___ 어느 집 앞 / 밤

열린 베란다 문으로 조심스럽게 침입하는 남기태. 운동화에서 물이 뚝뚝.

30 ___ 분석팀 / 밤

세찬 빗소리 들리는 사무실에 혼자 남아 프로파일링 보고서[4]를 작성하는 하영.

하영na 레저용 칼에서 식칼로 범행 도구 변경. 그다음은 뭘까… 구영춘처럼 쇠망치?

31 ___ 기수대 사무실 / 밤

지친 기색으로 사무실로 복귀하는 태구. 어깨가 비에 젖어 있고, 창밖으로 거세게 쏟아지는 빗소리 들린다. 앉자마자 일영이 책상에 올려둔 '고청동 회의 분석 자료'부터 확인하는 태구. 빨갛게 밑줄 그어둔 '범죄의 학습으로 인한 범행 방식의 진화 우려' 가장 먼저 눈에 들어오고. 그 위로

---

4 **범인 유형 추정 내용(프로파일링)**

* 성격적 특성
  - 종합적 사고와 판단 능력 부족으로 인한 사회적 활동 제약, 대인 관계 형성 능력 부족으로 인하여 내성적 성격.
  - 범죄 성향의 발현 시기를 현장에 나타난 범죄 행동과 정신병리학을 바탕으로 추정하였을 때 20대보다 30대 중반의 남성으로 추정.
* 프로파일링 종합 결과
  - 범행 동기는 자신에게 제약된 사회적 욕구를 충족시키기 위함으로 추정.
  - 치밀한 계획성에 의해 신속한 범죄를 저지르고 있으나, 종합적 사고와 판단 능력은 부족.

하영na 범죄를 학습함으로써 범행 방식도 진화했다.

32 ___ 골목 일각 / 밤

빗물 고인 웅덩이에서 우산을 들고 첨벙거리며 피 묻은 신발과 손, 쇠망치까지 헹궈내는 남기태. 어린애처럼 신이 나 보이고…

하영na 인적이 드문 시간, 골목길에서 범행 대상을 물색하는 소심한 성격. 하지만 피해자의 고통스러운 표정을 지켜봐야 할 만큼의 공격성을 가진 자.

33 ___ 고청동 빌라 앞 / 밤

하영na 다음은 뭘까. 어디일까. 어디까지 갈 수 있을까.

빗줄기 잦아들었고. 프로파일링 보고서를 들고 다시 현장을 찾아온 하영인데.
뒤에서 "송 경위님" 하며 하영을 부르는 태구 목소리.

태구 (씬31. 고청동 회의 분석 자료 들고 있고) 역시나 여기 계시네요.
하영 검찰에서 밤새우실 거라고 들었는데.
태구 생각보다 일찍 마무리돼서 와봤어요. 고청동 회의 자료도 봤습니다. (이거요. 하듯 들고 있던 분석 자료 보이는)
하영 (프로파일링 보고서 건네며) 이건 프로파일링 보고섭니다.
태구 (받으며) 내일 기수대에 공유할게요. (잠시 보며) 대인 관계 형성 능력 부족으로 인한 내성적 성격? 몇 년 전 조현길도 이렇게 분석하셨던 기억이 있는데.

하영 (빌라 안으로 향하며) 맞습니다.

태구 (따라 걸으며) 그땐 자신에게 거부감을 갖지 않을 어린아이를 범행 대상으로 삼은 성범죄자라는 게 분석의 근거였던 거 같은데. 이자는 왜죠?

하영 비슷한 맥락이에요. 범행 대상을 유인할 만큼의 사회성이나 대범함은 없다고 판단했습니다.

태구 (알아듣고) 아. 그럴 수 있겠네요. 대부분 현장에서 미행했으니까. (하며 계속 보는데)

하영 제가 가장 우려하는 건 범행 방식의 진화예요. 유사 사건 조사 범윌 더 넓혀야 합니다.

태구 진화… 늘 그렇지만 이번에도 역시 막연한 구석이 있어요. 어떤 기준으로 어디까지 범위를 넓히자는 건지 납득시키기 어려울 거예요.

하영 망설이느라 지체할수록 피해자가 늘어납니다.

태구 한시라도 빨리 범인을 잡고 싶은 건 기수대도 마찬가지에요.

하영 무고한 피해자가 죽어 나가는 상황에도 기수대, 분석팀 선을 긋는 건가요.

태구 그런 의미가 아닌데- (하면)

하영 (OL) 무단침입 내지는 방화로 진화할 소지가 높습니다.

태구 방화요?

하영 연쇄살인범 대부분이 방화를 즐깁니다. (하다가) 그들만의 손쉬운 욕구 분출 방식이라고 해두죠.

태구 (다시 보고서 보는데)

하영 하나 더 있어요. 소심한 공격성이 그자의 시그니처[5]입니다.

하영, 둘러보다가 빌라 안으로 들어가면,
태구도 안으로 향하는 데서.

34 ___ 기수대 회의실 / 낮

화이트보드에 '범죄행동분석팀 프로파일링 보고서' 적혀 있고.
길표, 준식, 일영 외 기수대 팀원들 앉아 태구가 전달하는 내용을 듣는 중이다. 각자 앞에 '고청동 회의분석 자료'와 하영의 프로파일링 보고서 놓여 있고.

35 ___ 감식반 / 낮

인탁, 하영에게 레저용 칼, 식칼, 쇠망치, 파이프렌치, 톱 등 각종 흉기를 꺼내 보여주면 하나씩 손에 쥐어보는 하영.

태구e 송 경위는 범행의 진화에 주목하고 있어요.

36 ___ 기수대 회의실 / 낮 (씬34에 이어)

---

5 Signature. 특정되지 않은 범죄인이 범죄 현장에 남기는 고유한 패턴.

태구　　침입 범죄와 방화를 예측했습니다.

길표　　침입은 뭐, 추측할 수 있다 치고. 방화까지 간다고?

준식　　구영춘도 불은 지 흔적 남을까 봐 지른 거 아녀? 연쇄살인범을 방화범이랑 같이 놓고 봐야 혀?

태구　　연쇄살인범들이 방화에 익숙하다네요.

일영　　아무리 그래도 조사 범위가 너무 넓은데. 이러면 온 강력 사건을 다 조사해야 하는 거 아니에요?

예상한 반응에 고민하며 프로파일링 보고서를 보는 태구.

37 __ 기수대 사무실 / 낮

혼자 남아 있는 사무실. 책상에 놓인 고청동 분석 자료와 프로파일링 보고서를 보며 잠시 생각하고. 이내 수화기를 드는 태구.

태구　　(통화하는) 침입 범죄나 방화 살해 사건 있으면 공유 부탁드립니다. (사이) 대신 금품이나 현금 도난이 없는 껀으로요. (하다가) 아 잠시만요. 액수가 적은 사건도 공유해주세요. 네네. 수고하세요. (끊는)

38 __ 분석팀 / 낮

흉기들(씬35) 가득 담긴 박스 들고 사무실 들어서는 하영.

테이블에 하나씩 꺼내 차례로 두는데. 레저용 칼, 식칼, 쇠망치, 파이프렌치, 톱 등이 계속 나오는 걸 보며 놀라는 영수와 우주.

영수　이건 다 뭐하게?

하영　범행 도구가 바뀌고 있어요. 레저용 칼 다음은 식칼이었고, 분명 다음도 있을 거예요.

우주　(보며) 이거 다, 그저 공군데 여기서 보니까 왜 이렇게 섬뜩하죠?

영수와 우주, 하나씩 손에 쥐어보고. 하영도 하나씩 손에 쥐어보며 내려놓는데.
순간 쇠망치를 들고 테이블 쾅! 내리치는 하영!!

영수/우주 (!!, 놀라며 하영을 보는)

우주　(당황) 왜요?! 뭐 하세요?!

하영　(아무렇지 않은 듯 무표정하게) 그 화 되기.

영수/우주 (말문이 막힌 듯 잠시 보다가)

영수　(불안한 듯 보며) 그… 화 되기?

하영　제가 범인이 되어보는 거예요. (다시 아무렇지 않게 다른 흉기들 쥐어보는데)

영수　… 그걸 몰라서 묻는 게 아니고…

우주　(당황한 채 영수와 눈 마주치며 움푹 파인 테이블만 만지작거리고)

우려의 시선 모른 채, 아무렇지 않게 다시 파이프렌치 쥐고 휘둘러도 보는 하영과 그런 하영을 불안한 듯 지켜보는 영수, 우주의 모습에서… 암전.

앵커e　(암전된 화면 위로) 경찰은 각종 범죄와 무동기 범죄에 효율적인 대응을 위해 내일부터 각 지방청 산하 기동수사대를 '광역수사대'로 개편해 운영한다고 밝혔습니다.

39 __ 분석팀 앞 / 아침

문 앞에 붙어 있던 팻말을 '과학수사계 범죄행동분석팀'으로 바꾸는 우주.

40 __ 광수대 사무실 앞 / 낮

/서울지방경찰청 광역수사대 팻말이 붙은 사무실

앵커e　2개 이상의 경찰서에서 동일한 유형의 강력 미제 사건이 발생할 경우 광역수사대를 즉시 투입하고, 대형 사건 발생 시엔 초동부터 직접 수사를 맡게 된다고 전했습니다.

41 __ 곱창집 / 저녁

불판에 올린 고기 뒤집으며 술잔 기울이는 기수대와 분석팀.

영수　(건배하듯) 경기지방경찰청 허길표 형사과장님, 이제 나 못 봐서 어떡해요?

길표　어떡하긴 뭘 어떻게 해. 인제 화장실도 맘 편히 갈 수 있고 속이 다 후련하구만.

우주　서울에서 경기청까지 차로 50분 거리에요. 마음만 먹으면 언제든지 볼 수 있는데.

영수　근무지 바뀌면 그게 잘 안 돼. 지내보면 알아.

일영　(길표에게) 경기청 가도 저희 잊으시면 안 돼요.

일동 (그 말에 웃고)

준식 (하영을 보며) 근데 송 경윈 왜 이렇게 살이 빠진 겨?

일동 (하영을 보는데)

하영 (시선이 부담스러운 듯) 요즘 입맛이 별로 없어서요.

길표 (하영 앞에 고기 놔주며) 많이 먹어둬. 이제 영수나 너나 몸이 두 개라도 모자랄 거니까.

태구 (농담하듯) 남 걱정하실 때가 아닐 거 같은데요?

준식 (웃으며) 그려. 허 과장도 국 팀장도 다들 잘할 겨.

태구 국 계장님이죠 이제.

영수 에이- 익숙한 게 편해요. 계속 국 팀장이라고 불러요.

우주 어떻게 그래요. 국 계장님- (하는데)

하영 (잠시 시계 보며) 저는 먼저 일어날게요.

길표 그래그래, 일 있는 사람들은 눈치 보지 말고 먼저 일어나.

영수 (하영에게 작게) 현장 가게?

하영 (끄덕여 보이고)

영수 (작게) 같이 가. (하며 일어서려는데)

하영 아녜요. 오늘은 저 혼자 갈게요.

태구 (그 말에 하영을 보는)

영수 (난감한데)

하영 저는 그럼 먼저 일어나겠습니다. (하며 나가고)

길표가 다시 술잔 채우면, 하영에게 쏠렸던 시선이 다시 술자리 분위기로 집중되는데, 영수는 여전히 먼저 간 하영이 신경 쓰이는 듯하고.

42 ___ 곱창집 앞 / 밤

가게를 빠져 나오는 하영의 모습에서.

43 ___ 고청동 ○○빌라 현관 앞 / 밤

/ins. 하영의 상상. 밤

계단 앞에서 피해자가 키를 꽂는 모습을 지켜보는 하영. 그 순간, 피해자의 뒤로 남자가 후다닥 뛰어 올라오고…! 키를 꽂았던 피해자가 뒤를 돌아보는 데서.
남자에게 성큼 다가가는 하영! 남자의 손을 잡아채 손에 쥔 흉기를 본다. 그렇게 서로를 매섭게 마주 보는 하영과 남자인데… "누구세요!" 하는 202호(옆집) 남자 목소리.

/다시 현관 앞

현관문을 열고 나와 하영을 의심스럽게 보는 202호 남. 하영이 경찰공무원증을 내보이면, 그제야 안심하고. "밤마다 누가 어슬렁대는 거 같다고 반상회에서 얘기가 나와서요. 여기 사는 사람들도 배려 좀 부탁드려요" 한다.
죄송하다는 인사 후 계단을 내려가는 하영. 아직 미련이 남은 듯 다시 뒤돌아보는데.

여전히 상상 속 남자가 하영을 비웃듯 보며 서 있고, 201호 앞에서 있는 피해자는 공포 어린 눈빛으로 하영에게 도움을 구하듯 바라보는 모습이 보인다.

아직 들어가지 않은 202호 남, 하영이 빌라를 빠져나갈 때까지 문 앞에서 하영을 의심스럽게 지켜보며 서 있고, 주춤주춤 뒤를 돌아

보며 이내 빌라를 빠져나오는 하영의 모습에서.

44 ___ 곱창집 앞 / 밤

준식, 길표 각자 택시 태워 보내는 영수. 피곤한 얼굴로 핸드폰 보는데, 밤 12시 언저리고. 하영에게 전화해보는데 신호만 갈 뿐 받지 않는. "벌써 잘 리가 없는데" 하며 고민하더니 "휘인동!" 외치고 택시 잡는 영수.

45 ___ 하영의 집 앞 / 밤

벨을 누를까 말까 망설이는 영수. 에잇- 용기 내 누르면 "누구세요" 하는 영신의 목소리 들리고. 영수가 조심스레 "국영숩니다" 하는 그때

하영e 팀장님.

46 ___ 하영의 집 거실 + 방 + 현관 앞 / 밤

 # 거실

어색하게 앉아 있는 영수에게 차 내오는 영신.

영수 아 이거 너무 민폔데.

영신 동료 걱정돼서 온 건데 왜 민폐예요, 저야 고맙죠.

하영　어머니 들어가 주무세요.

영수　네, 저 이거 주신 거만 마시고 갈 거니까 신경 쓰지 마시고 주무세요. (하다가 영신 들어갈 기미 안 보이자) 안 되겠다. 니 방으로 가자. 우리 여기 있으면 어머니 못 주무신다. (하며 차 들고 일어서는 데서)

 # 하영의 방

하영의 방문을 먼저 연 영수.

발 디딜 틈 없이 사건 자료와 시신 사진들로 가득 찬 방을 보며 놀라고.

하영　앉을 데가 없어서 거실이 편할 거예요.

영수　(진지한 얼굴로 바뀌고) 아냐. 집에 가야지. 근데, 어머니 주무셔야 하니까 나 잠깐 들어가서 잔소리 하나만 할게. (방으로 들어가는)

하영　(따라 들어가며 문 닫고)

영수　(망설이다가 바닥에 널린 자료들 보며) 일에 몰두하는 건 좋은데, 그래도 사적 공간이랑 분리할 필요는 있더라.

하영　… 그게 어떻게 돼요?

영수　안 됐지 나도. 그래서 억지로라도 의식해야 돼. 안 그럼 못 버텨.

하영　…

영수　나야 혼자 살았으니 그랬다고 쳐도, 넌 어머니도 계시잖아. 집에 이렇게 사건 자료들을 잔뜩 벌려놓으면 걱정하실걸?

하영　제 일에 대한 이해도가 꽤 높으신 분이에요.

영수　일을 이해하는 거랑, 자식을 바라보는 마음은 또 달라.

하영　…

영수　(부러 웃으며) 옆에서 지켜보는 사람들 마음에도 가끔씩은 눈길 주는 버릇해. 전에 말했지. 너 혼자 아니라고.

하영 걱정도 잔소리도 다 좋은데 밤 열두 시에 찾아와서 그런 말은… 닭살 돋는 거 아시죠.

영수 그러니까, 내 말이. 너 닭 돼서 알 낳기 전에 난 가야겠다 (하며, 일어서고)

 # 현관 앞

하영 (마중하며) 노력은 해볼게요.

영수 (나가려다 다시 보며) 당연히 그래야지. 오래 가야 돼 우리. (하고 나가면)

하영 (잠시 웃기만)

47 ___ 택시 안 (도로) / 밤

뒷좌석에 기대 지그시 눈을 감으며 '오래 가야 돼 우리' 혼잣말하는 영수.

48 ___ 영수의 집 거실 / 밤

거실로 들어서는 영수. 테이블에 나란히 놓인 『마음의 사냥꾼』과 하영의 사진 실린 《대한일보》에 시선이 향하고. 이내 마음 복잡한 듯 책을 만지작거리며 하영의 사진을 보는 데서.

49 ___ 1호선 신흥역 / 밤

자막_2005년 5월.

역에서 나와 주변을 두리번거리며 걷는 남기태.

하영e 범인은 1호선을 주로 이용하는 것으로 보인다.

50 __ 모구동 주택가 골목 + 신흥4동 주택가 골목 교차 / 밤

 # 모구동 골목 어딘가

인적 없는 다세대 주택 밀집한 주택가 골목으로 향하는 남기태의 모습에서.

 # 신흥4동 골목 어딘가

저만치 손에 레저용 칼을 쥐고, 주위를 살피며 걷는 또 다른 남자1. 검은 모자에 운동화를 신은 운동복 차림이다.

하영na 서남부 지역의 범행 시간은 대부분 늦은 밤에서 새벽.

 # 모구동 골목 어딘가

저만치 곁으로 다가오는 20대 여성을 발견한 남기태. 걸음을 멈추고 기다리는.

 # 신흥4동 골목 어딘가

여전히 주위를 살피며 걷는 남자1. 저만치 남자1의 곁으로 30대 여가 다가오는데.

남자1, 손에 쥔 칼을 품 안으로 감춘다. 두 사람의 거리가 가까워질수록 남자1을 의식하기 시작하고, 남자1은 오해하지 말라는 듯 여자를 보며 묵례하는데. 그 순간 먼저 "꺄악!" 소리치며 뛰는 30대 여.

하영na 만일 범행 대상을 끝내 찾지 못한다면… (하는 데서)

저만치 가는 30대 여를 보며 무안한 듯 모자를 벗어 보이는 남자 1. 하영이다.

 # 모구동 골목 다세대 주택 앞

20대 여, 현관 앞에 멈춰 초인종을 누르면 아래층에서 망설이며 머뭇대던 남기태가 후다닥 뛰어 올라가는 데서!! 동시에 현관문이 열리는! "왜 이렇게 늦었어" 하며 집 안에서 나온 남편의 모습에 순간! 주춤한 남기태가 다시 도망치듯 돌아서 나가고.

하영na 범인은 문이 열리기 직전의 위험을 무릅쓸 만큼 살인에 대한 집착이 강한 자다.

 # 모구동 골목 어딘가

어슴푸레 동이 트기 시작하는 새벽. 가로등 앞 오토바이 앞에서 지루한 표정으로 쭈그리고 앉아 있는 남기태가 식칼의 날 상태나 확인하듯 손으로 스윽 만져보는데, 한참을 기다리다 지친 듯 오토바이에 관심을 갖는다.

 # 1호선 신흥역

지하철역 계단을 내려가는 하영의 모습에서.

하영na 따라서 그자의 하루가 끝날 때까진 절대 포기하지 않을 것이다.

51 ___ 군포역 / 새벽

오토바이를 타고 군포역을 지나는 남기태.

52 ___ 군포 미분동 주택가 골목 / 새벽

다세대 주택 밀집한 주택가. 집집마다 녹즙 손수레 끌며 배달하는 40대 여(이하, 배달원)의 모습 비춰지고. 오토바이 타고 골목을 지나던 남기태가 배달원을 보며 멈춘다.

53 ___ 군포 미분동 ○○빌라 앞 / 새벽

배달원이 빌라 계단을 올라가면, 아래층 입구에서 내려오길 기다리며 서 있는 남기태. 잠시 후, 배달원이 내려오는 소리 들리면, 남기태가 안주머니에서 레저용 칼을 꺼내 쥔다. 남기태를 보며 아무렇지 않게 "녹즙 하나 드려요?" 말 건네는 배달원에게 칼을 움켜쥐며 다가가는 모습에서…

54 ___ 군포 미분동 주택가 골목 / 새벽

피 묻은 채로 다급히 오토바이에 오르는 남기태.

55 ___ 군포 미분동 ○○빌라 앞 / 새벽

바닥에 피 흥건하고 배에 피 흘리며 쓰러진 배달원의 주변으로 손전등과 녹즙들 나뒹굴고, 입구 저만치엔 개인 가방 실린 손수레 보이는데. 배달원에게 달려오는 남자가 "여기요!! 사람이 쓰러졌어요!! 누가 신고 좀 해주세요!!" 소리치는 데서. 선행되는 전화벨 소리.

56 __ 분석팀 / 낮

사무실 전화 받는 우주.

우주 서울지방경찰청 과학수사계 범죄행동분석팀입니다. (사이) 송하영 경위님이요?

하영 (잠시 우주와 눈 마주치고)

우주 무슨 일 때문에 그러시죠? (사이) 군포경찰서요. (사이) 네. 팩스로 자료 보내주시면 전달드리겠습니다. (전화 끊으면)

영수 군포? 사건이야?

우주 네. 군포경찰서에서 연쇄 의심되는 사건이 있다고 봐달래요. (그때 팩스 들어오는 소리 들리면) 확실히 전보다 분석팀에 대한 인식이 달라진 거 같긴 해요. 검토해달라는 요청이 먼저 오는 걸 보면.

하영이 팩스 확인하는데. 사건 보고서에 '2004년 2월 2일/새벽 6시/30대 여성/하복부 자상/주택가 노상' 적혀 있다. 심각한 얼굴로 바뀌는 하영. 자료를 뒤로 넘기면 '2005년 5월 16일/새벽 5시 40분/40대 여성/하복부 자상/주택가 노상'이 보이고.
프로파일링 지도 들여다보며 칠판에 붙여둔 지하철 노선도를 훑다가 '1호선 금양역'에서 손가락 멈추는 하영인데, 팩스 들어오는 소리 또 들린다. 보면, 용의자 몽타주라 적힌 팩스 천천히 들어오며 완성되어가는 얼굴이 남기태를 닮아 있고!!

57 ___ 광수대 회의실 / 낮

회의실에 모여 군포 사건 자료 보고 있는 하영, 영수, 태구, 일영.

하영 여기도 두 건 다 같은 흉기에 복부를 찔렸어요. 장소는 1호선 금양역과 군포역 인근입니다.

일영 흉기는 뭐예요?

하영 부검의는 과도로 추정하고 있어요.

태구 과도면 10cm 이내의 칼이니까… 레저용 칼일 확률이 높네요. 금품, 현금 도난도 없었다는 거죠?

하영 네. 가장 중요한 건 이겁니다. (하며 화이트보드에 씬56에 받은 몽타주 붙이는데)

일영/태구 (놀라고) 어?! /서남부 용의자랑 닮았네요.

일영, 얼른 서남부 연쇄피습 사건 용의자 몽타주를 그 옆에 붙여 보면 한 번 더 놀라는 모두의 표정에서 닮아 있는 두 장의 몽타주가 비춰지고!

하영e 군포는 두 사건 모두 오전 6시와 오전 5시 40분경으로 아침에 범행이 이루어졌습니다. 범인의 입장에선 훨씬 범행이 노출될 확률이 높아지는 시간임에도 위험을 감수했어요.

58 ___ 형사과장실 / 낮

준식에게 보고 중인 영수와 하영.

준식 그게 소심한 공격성이랑 무슨 상관이여?

영수 인적 드문 시간을 선호하는 소심한 성격이지만, 오전에도 범행을 저지르는 위험을 감수할 살인 의지와 공격성을 가졌다. 이거죠.

하영 범행 대상 물색에 실패한 범인은 이 근방 어딘가에 거주하는 집으로 귀가하다가 오전에 녹즙을 배달하는 여성을 발견했을 겁니다.

준식 기어코 '누구라도 죽여야겠다' 이런 마음이란 거네.

하영 네. '기어코'요.

영수 길표 형님한테 연락해서 경기권 사건 자료 공유해달라고 하는 건 어때요?

하영 그럼 유사 사건을 더 찾아볼 수 있을 거 같습니다.

준식 공유는 문제가 아니라 양이 어마무시헐 텐데.

하영 최근 1년 치 자료부터 확인하죠.

59 ___ 몽타주 / 밤

- 광수대 회의실. 테이블에 경기권 자료들 산처럼 쌓여 있고. 밤새 경기권 사건 자료 확인하며 분류하는 하영, 영수, 태구, 일영, 외 광수대 팀원들.
- 분석팀. '레저용 칼' '복부' '방화' '침입' 등 키워드 넣으며 데이터화한 1년 치 사건 자료들 검색해 분류하는 우주. 점점 인쇄되는 자료들 쌓이기 시작하는.

- 분석팀. 온종일 사건 보고서 훑고 있는 하영. 영수가 "점심 먹자" 하며 우주와 나갈 채비하고 부르는 데도 집중하느라 못 듣고. 영수가 다가가 책상 톡톡 치며 "밥 먹고 해" 하면 그제야 놀라며 "다녀오세요" 고개 젓는 하영인데. 영수, 하영의 책상 서류들 밑에 반쯤 가려진 식칼을 발견한다.

영수 (심각한 얼굴로) 너 이거 뭐야?
하영 (당황하며 서랍에 넣는) 아, 감식반에서 가져왔던 거요.
영수 근데, 그걸 왜 또 서랍에 넣어? (하면)
하영 지금 정신이 없어서. 이따 넣어놓을게요. (하면)
영수 (가지 않고 기다리며) 줘, 이리.
하영 (그제야 보는) 네?
영수 이리 달라고. 내가 넣어놓게.
하영 제가 이따 둘게요.
영수 야!!!
하영 (빤히 보는데)
영수 (직접 꺼내 저만치 구석에 둔 흉기 박스(씬38)에 도로 가져다 넣고)
우주 (놀라 당황하고)

영수와 하영, 말없이 서로를 빤히 보면. 당황한 우주가 영수를 데리고 나가며 "식사 다녀올게요" 한다.
하영, 두 사람이 나가고 난 후, 식칼 넣어둔 박스 쪽으로 시선 두는 데서.

60 ___ 푸르매공원 / 새벽

마치 누군가를 급히 찾는 듯 혼자서 주변을 계속 살피며 걷는 영수. 이미 한참을 다닌 듯 숨이 찬데. 마침내 저만치 어두운 달빛에 손에 무언가 들고 걷는 남자를 발견한다. 하영인지, 혹은 또 다른 누군가인지 놀라며 쫓아가는데…!
가로등 아래에서 멈추는 남자. 불빛에 비친 뒷모습이 손에 식칼을 쥐었고!
영수, 마치 범인을 발견한 듯 표정이 점점 심각하게 바뀌는 데서… 남자가 돌아보면, 손에 칼을 쥔 무표정한 하영이다!!
(→ 하영은 영수를 못 본) 영수, 충격에 빠진 얼굴에서…
저만치 경찰차 사이렌 소리 들리고!

61 ___ 파출소 / 새벽

말없이 앉아 있는 하영을 미치겠는 얼굴로 보는 영수인데, 두 사람에게 가로등 아래에서 칼 들고 서 있는 하영의 모습이 찍힌 CCTV를 확인시켜주는 순경1.

순경1 자 보세요. 수상한 사람이 돌아다닌다는 신고가 한두 번 들어온 게 아니에요. (그때 옆에서 순경2가 검색한 인터넷 기사들 보라는 듯 가리키면 좀 보다가) 하시는 일이 그렇다니까 이해는 하겠는데-
영수 죄송합니다. 앞으로 조심할게요.
순경1 (하영의 대답 기다리듯 보면)
하영 (그제야) 조심하겠습니다.

62 ___ 편의점 앞 / 새벽

연거푸 혼자 한숨을 쉬는 영수. 이미 담배를 여러 개피 피운 듯 발 밑에 놓인 작은 깡통에 꽁초 가득하다. 그 위로 구겨진 담뱃갑 던져 넣는 영수.

영수 처음으로 내가 잘한 건지 모르겠단 생각이 드네.

하영 전 단지 그놈의 입장이 되어보려고 한 거예요.

영수 똑같이 흉기를 휘둘러봐야 알 수 있는 마음인 거면 그냥 모르는 게 나아.

하영 누굴 해치려던 게 아니에요.

영수 (답답한 듯) 위협이 됐지!!

하영 …

영수 (복잡한 심경으로 보며) 니 말 대로 그 '화' 되는 건 중요하지만, 지금 방식은 너무 위험해. (하다가) 널 좀 봐. 니가 어떤지 좀 보라고.

하영 … (고개 들어 편의점 유리에 비친 모습을 보는)

영수 그 새끼들 마음을 들여다보는 거, (답답한) 그래 다 좋은데, 그전에 너를 먼저 돌보란 말이야, 제발.

하영 … 그런 놈들이 거리를 활보하면서 무고한 사람들을 해치고 다니는 걸 생각하면, 견딜 수가 없어요. 밤마다… 피해자들의 얼굴이 하나하나 떠올라요.

영수 그래서. 기껏 선택한 방식이 이거야?! 너도 사람 죽여봐야 그 새끼 잡을 거냐고!

하영 ……

영수 ……

잠시, 말이 없는 두 사람인데.
이내 영수가 다시 먼저 말을 꺼낸다.

영수　지난번에 사적 공간 분리해야 한다고 했던 거 기억하지?

하영　네.

영수　잘되고 있어?

하영　아직은…

영수　(예상한 듯 보며) 지금 너무 불안해 보여.

하영　빨리 잡고 싶다는 생각밖에 없어요.

영수　막중한 책임감이 널 짓누르고 있는 것 같다. 구영춘 면담 이후로 더 조급해진 거 같아.

하영　…

영수　… 너, 지금까지 너무 잘 버텼어. 놀라울 정도로. (하영 보며) 근데 우리 앞으로 계속 또 나아가야 하잖아. (잠시) 며칠 쉬어보는 건 어때.

하영　(단호한) 사건을 빨리 해결하는 게 저를 쉬게 하는 거예요.

영수　(더 할 말이 없는 듯 안타깝게 보며) 하영아…

하영　저 때문에 괜히 잠도 못 자고… (하다가) 얼른 들어가죠. (하며 일어서는데)

영수　(… 여전히 앉아 그런 하영을 보기만 하는 데서)

63 ＿ 거리 일각 / 밤

무슨 생각인지 알 수 없는 얼굴로 터덜터덜 걷는 하영인데. 드문드문 지나는 행인들, 하영을 경계하며 피해 간다. 하영, 어느 가게 앞 유리문에 비친 자신의 모습을 멈춰 맥없이 바라보는데… "그래서. 기껏 선택한 방식이 이거야?! 너도 사람 죽여봐야 그 새끼 잡을 거냐고!" 하는 영수 목소리 다시 귓가에 들리고.
이내 슬픔으로 바뀌는 하영의 표정에서.

64 ___ 분석팀 앞 / 아침

문 앞에서 들어가길 망설이는 영수.

65 ___ 분석팀 / 아침

영수가 사무실 문을 열면, 하영과 우주 이미 출근해 있고, 순간 하영과 먼저 눈이 마주친 영수 잠시 멈칫하는.

우주 오셨어요. (하면)

영수 (그제야 어색한 듯 아무렇지 않게) 좋은 아침! (하며 자리에 앉는데)

하영 어젠 잘 들어가셨어요?

우주 ?, 어제 왜요?

하영/영수 (둘 다 말이 없고)

우주, 무슨 영문인지 눈치만 살피고 어색한 분위기 흐르는 데서.

66 ___ 학교 운동장 / 밤

자막_2006년 3월.

나무 뒤에 숨겨둔 쇠파이프를 찾아 들고 운동장을 나서는 남기태.

67 ___ 모구동 주택 안 / 새벽

 # 거실

쇠파이프 들고 거실과 화장실, 큰방과 작은방, 부엌까지 집 안 구조 둘러보는 남기태.

 # 작은방

어두운 방, 잠결에 기척을 느꼈는지 잠에서 깨 눈을 뜨는 20대 여. 잠 덜 깬 듯, 눈을 껌뻑이며 누운 채 잠시 멍하게 어두운 천장을 응시하는 데서… 별안간! 20대 여의 눈앞에 자신을 내려다보는 남기태의 얼굴!!

 # 거실

어두운 거실. 빨래 건조대에 널어둔 빨래를 가져와 가스레인지를 켜고 불을 붙이는 남기태. 불이 붙으며 얼굴과 몸에 피범벅인 남기태의 모습이 드러나고. 옷더미 쌓아둔 거실 한가운데 불붙은 옷가지를 훅 던지면, 옷더미에 불이 크게 옮겨붙는다.
이어, 거실을 가득 메운 커다란 불길이 점점 잦아들고.

cut to

어느새 불이 꺼진 공간 한가운데 심각한 얼굴로 서 있는 하영!!!

68 ___ 모구동 주택 앞 / 아침

소방차와 경찰차 도착해 있는 주택 앞. 안으로 들어가는 태구와 일영 보인다.

69 ___ 모구동 주택 안 / 아침

족적을 표시한 깔판이 놓인 방향을 보는 하영과 영수.

영수 베란다에서 들어온 발자국이 작은방 쪽으로 먼저 향했네.

하영 금품을 노린 게 아니란 뜻이에요.

영수 그치. 비싼 패물이나 현금 같은 건 보통 안방에 보관하니까.

그때, 태구와 일영이 현장에 들어오고.

하영 (태구, 일영을 보며, 베란다 앞 발자국이 망설인 듯 제자리에서 여러 방향으로 찍혀 있는 족적 가리키고) 여기 멈춰서 망설였어요.

일영 왜 망설였을까요?

하영 나라면…

영수 나라니? 그게 무슨 말이야.

하영 (멈칫) 제가 범인이라면, 작은방부터 향했을 거예요.

태구 소심한 공격성.

하영 (끄덕이는) 서남부 사건 범인의 시그니처 같습니다. (하는데)

영수 (하영에게만 시선을 주고)

일영 그럼 서남부 사건이랑 동일범이라고 보시는 거네요?

하영 네.

태구 (거실에 타다 만 40대 부부와 20대 딸의 가족사진 보는) 작은방엔 보통 아이들이 있는 경우가 많죠.

일동, 각자 현장을 둘러보기 시작하는데, 영수만 하영을 지켜보며 서 있고.

하영, 작은방으로 가 흉기 든 시늉 하며 맨손으로 아래를 향해 힘껏 내리쳐보는데. 뒤에 서 있던 영수가 그 모습을 본다.
그때 다가오는 태구와 일영의 인기척에 놀라 얼른 하영을 부르는 영수.

영수 하영아!
하영 (행동을 멈추고 뒤돌아보면)
태구 (주변 둘러본 듯 다가와) 송 경위님 추측대로 침입에 방화까지 이어졌네요.

일동, 각자의 복잡한 마음이 담긴 심각한 얼굴에서.

70 ___ 관악경찰서 외경 / 낮

준식e 관악서에서 연락이 왔어. 송 경위랑 가서 프로파일링 분석 내용 브리핑 좀 해봐. 거기도 답답하니까 궁금한 눈친데, 그래도 아마 첨부터 호의적이진 않을 겨. 알겠지만 이해하고.

71 ___ 관악경찰서 강력계 사무실 / 낮

태구, 일영, 하영, 영수와 함께 관악서 형사들 모여 있고. 다들 손에 프로파일링 보고서 하나씩 들고 있다. 관악서 형사들, 발표하는 하영에게 주목하는데 저마다 반신반의하는 얼굴.

하영 모구동 사건 피의자는 서남부 사건 용의자와 동일범으로 추론되며 다양한 흉기를 수차례 반복 사용한 것으로 보입니다. 게다가 잘 뛰고 걷는 놈입니다. 현장을 도보로 이동하기 때문에 운동화를 신었을 거고, 범행 도구는 어딘가에 숨겨뒀을 겁니다.

형사1 그걸 어떻게 알아?

하영 매번 들고 다니긴 어려울 테니까요. 다만 작은 레저용 칼은 항시 소지할 가능성이 높아요. 놈의 살인 시도가 모두 성공하진 않았으니 밤에 벌어진 작은 폭력 사건도 잘 살펴야 합니다.

형사2 신문에도 나왔으니까 일단 들어보자고.

하영 피의자의 연령은 35세 전후로 추정합니다.

형사1 (멀리서 삐딱하게) 무당이야 뭐야.

하영 (그 말에 애써 감정 누르는 듯, 들고 있던 보고서 세게 쥐고)

영수 (하영의 표정 캐치하고 긴장하는데)

태구 (하영의 표정을 읽은 듯 대신 질문하는) 왜 30대 중반 남성이죠?

하영 범죄행동분석팀은 약 1,000건의 강력범죄 사건과 폭력 사건을 데이터화하고,

형사2 천 건? (하며 웅성대는)

하영 지금껏 200여 명이 넘는 범죄자를 면담했습니다.

형사2 200명이래. (하는데)

하영 이를 토대로 국내외 무차별 범죄 사례를 보면 가해자의 연령은 33~37세가 가장 많습니다.

형사1 선무당은 아닌가 보네.

일동 (웃으면)

하영 소심한 타입의 범인에게 이런 분노가 발산되려면 최소한 30대 초반을 넘는 사회적 자극이 쌓여야 합니다.

형사1 분노는 20대가 더 발산하지 않나?

형사2 젊은 혈기가 더 무섭죠.

하영 네. 그래서 20대엔 즉흥적인 감정 표출이 많습니다. 그래서 이런 계획 수립과 수법의 발전을 보이기보단 마구잡이식 범죄가 훨씬

많죠.

동의하듯 여기저기서 "아…" "그치" "그러네" 하는 말들 들리고.

하영 혹시 용의자를 발견하면, 계속 말을 걸어보세요. 사회적 관계 능력이 떨어지는 자로 상대의 시선을 피할 확률이 큽니다.

어느새 하영의 말에 집중하는 형사들의 모습에서.

72 ___ 관악경찰서 복도 / 낮

하영, 영수, 태구, 일영 경찰서를 나서는 그 위로.

형사1e 저기요! 송하영 프로파일러님.

네 사람, 하영을 부르는 소리에 고개 돌려보면,
조금 전 "선무당은 아닌가 보네" 하던 형사(40대/남)가 하영을 보며 서 있고.

73 ___ 관악경찰서 야외 휴게실 / 낮

형사1 (담배 꺼내 하영에게도 건네면)

하영 전 안 핍니다.

형사1 (의외의 시선으로 보다가 영수에게 건네는데)

영수 괜찮아요.

형사1 다들 모범 경찰이시네. 이 짓 하면서 담배를 어떻게 안 피워요?

하영 (그러거나 말거나) 무슨 일 때문이시죠?

형사1 (무안한 듯 담배 넣으며) 아까 용의자가 30대 중반이랬죠?

하영 (살짝 기분이 나쁜 듯) 다시 무당이니 뭐니 하실 거라면-

형사1 (OL, 달래듯) 에이. 우리 직업이 원래 의심부터 하고 보잖아요. 그건 괜히 해본 말이고- 신문에서도 보고, 소문도 많이 들었어요. 프로파일러가 뭐 하는 직업인가 다들 궁금해했는데 안에서 다들 은근 놀란 눈치예요.

/ins. 관악경찰서 강력계 사무실

웅성대며 바쁘게 움직이는 형사들 "바로 탐문 돌죠" 하며 2인 1조로 나가는 모습이 보이고. 몇몇은 전화로 "폭력 사건까지 찾아봐, 30대래" "니네 똘마니들 중에 30대 어리버리한 새끼 없어?" 하는 목소리 들린다.

/다시 야외 휴게실

영수 하시려는 말이 뭔지-

형사1 아아, 이 의심스러운 놈이 하나 있는데, 그놈이 올해 서른넷이거든요? 3년 전에 동대문경찰서에 있을 때 잡아넣은 놈인데 강도 전과가 있어요.

영수 동대문이요?!

형사1 그쵸? 딱 냄새가 나죠? 임영동 사건도 서남부 사건이랑 관련 있다면서요.

하영 동대문서 30대 강도 전과만으로 의심할 순 없어요.

형사1 더 들어봐요. 그때 그놈이 이 눈도 제대로 못 맞추고 슬슬 피하던 게 아까 얘기 듣는데 순간 딱 떠오르더라고. (하며 둘의 반응 살피는데)

하영 금품엔 관심이 없는 자입니다.

형사1 돈에 관심 없는 인간이 어디 있어. 일단 확인이라도 해봐요. 내 촉이 맞나 틀리나 나도 궁금하니까. (하는 데서)

하영/영수 (별로 내키지 않는)

74 ___ 몽타주 / 낮

- 분석팀. 통화 중인 하영의 모습 위로, "아 이거 멋쩍게- 1년 전에 부산으로 이사 가서 몇 달 전 새우잡이배 탔다네요" 관악서 형사1의 목소리 들리고
- 모구동 골목 어느 주택 앞. 30대 중반 운동복 차림의 남자를 탐문 하는 관악서 형사1과 형사들. 용의자를 마주할 때마다 일부러 더 눈을 부릅뜨고 쳐다보는.

75 ___ 신흥동 골목 / 밤

커다란 파이프렌치 들고 있는 남기태. 집집마다 문고리를 돌려도 보고, 창문이나 베란다 문을 열어도 보는데 전부 잠겨 있다. 이어, 어느 빌라의 1층 베란다 문을 열어보는 남기태. 문이 스르륵 열리면 안으로 들어서는.

76 ___ 신흥6동 빌라 거실 / 밤

잠시 작은방을 가늠하고 작은방으로 다가가 조심스레 문을 여는

남기태. 건장한 20대 남이 자고 있는 모습에 망설이고 문을 닫는다. 이어, 다시 안방 문을 열어보는 남기태. 이번에도 50대 남이 자고 있는 모습에 실망한 얼굴인데.

77 ___ 신흥6동 빌라 안 작은방 / 밤

자고 있는 20대 남을 피해 옷걸이에 걸린 옷들 주머니마다 뒤지는 남기태. 마침내 지갑을 꺼내 열어보면 만 원짜리 한 장 들어 있다. 불만스럽게 주머니에 구겨 넣는 데서, 잠에서 깬 20대 남이 놀라 "누구야!" 소리치고!! 덩달아 놀란 남기태가 들고 있던 파이프렌치로 남자를 향해 힘껏 내리치는 데서!

78 ___ 신흥6동 빌라 안 / 밤

20대 남e 악!!!

작은방으로 들이닥친 건장한 체격의 50대 남!! 안방에서 자고 있던 20대 남의 부친이다. 머리에 피를 흘리며 가까스로 남기태의 발길질을 막고 있는 20대 남, 남기태의 파이프렌치를 손으로 잡은 채 버티는 중인데! 그 모습에 "너 뭐야!" 하며 50대 남이 남기태에게 달려들고 세 사람의 몸싸움이 시작되는 데서.

79 ___ 신흥6동 빌라 외경 / 밤

경찰차 사이렌 골목에 울려 퍼지면서 저만치 골목으로 진입하는 경찰차가 보인다.

80 ___ 신흥6동 빌라 작은방 / 밤

경찰1, 2 테이저건 들고 경계하며 방문을 열면, 머리에 피를 흘리며 수건으로 지혈 중인 20대 남과 남기태를 몸으로 눌러 제압하고 있는 건장한 체격의 50대 남.

경찰1 (테이저건 내리며) 신흥파출소에서 나왔습니다. 신고하신 분 누구십니까.

20대 남 (손들어 보이며) 제가 했습니다.

50대 남 이놈 이거 강도예요. 제 아들이 죽을 뻔했어요! (하는데, 이불 위에 던져진 피 묻은 파이프렌치 보이고)

81 ___ 신흥6동 빌라 외경 / 밤

손에 수갑 채워진 채 양팔 포박한 경찰1, 2와 함께 빌라에서 나오는 남기태.

82 ___ 경찰차 안 / 밤

뒷좌석에 앉아 있는 남기태를 백미러로 보며 대화하는 경찰 둘. 한 명은 운전 중이고. 보조석에 앉은 경찰1, 증거물 봉투에 담은 커다란 파이프렌치 보며 "강도짓 하는 데 이 크고 무거운 걸 들고 다니는 또라이가 다 있네" 한다.
그 말에 백미러에 남기태의 표정이 비치는데 시선이 산만하고.

83 __ 분석팀 / 아침

토요일. 다급히 사무실 들어서는 일영. 손에 든 검거 보고서를 하영에게 다급히 건넨다. 하영이 받아서 보면 '강도 검거, 파이프렌치, 작은방에서 자는 중인 20대 아들을 공격했으나 옆방에서 자고 있던 아버지에게 제압당해 현장에서 검거-' 적힌.

하영 !! (놀라는 표정에서)
일영 영등포경찰서에요.

84 __ 영등포경찰서 / 아침

하영, 일영 외 영등포, 관악, 구로, 금천 형사과장들 모여 있는 어수선한 분위기. 하영과 일영은 형사과장들 사이에서 쉽사리 나서지 못하는 그때 준식과 태구가 뒤늦게 도착해서 들어서고. 준식, 이목 집중시키듯 "여기들 좀 봅시다!" 외치는.

준식 지금부턴 여기 프로파일러 송하영 경위가 피의자를 먼저 만날 거니까 우린 그 이후에 송 경위의 지시에 따라 조사 시작하는 걸로 합니다.
형사들 (웅성거리는)

85 ___ 취조실 / 아침

앉아 있는 남기태를 보며 의자를 빼고 천천히 앉는 하영인데. 남기태, 불안한 듯 손가락을 꼼지락거리며 하영의 시선을 피하기만 한다. 하영, 남기태의 반응을 놓치지 않으려 지켜보는데, 순간 고개를 들어 하영을 보는 남기태.

남기태 (알아본 듯) 어?

/ins. 남기태의 방

이부자리 그대로 펼쳐진 정리되지 않은 어수선한 방. 남기태가 신문을 들고 방문을 열고 들어서며 신문들을 바닥에 툭 던져놓고, 옷도 벗지 않은 채 이불 위에 그대로 드러눕는다. 그런 남기태의 모습 비춰지는 데서, 머리맡 벽에 따로 오려낸 듯, 하영의 《대한일보》 신문 기사가 사진과 함께 붙어 있다!

/다시 취조실

하영 날 압니까?

남기태 구영춘 그 새끼 잡은 사람이죠?

그 말에 남기태를 빤히 응시하는 하영.

하영na 우리가 찾던 그놈이다.

작가 Comment (1)

형사로서 태구의 신념이 확고해진 동시에 그로 인해 머리를 기르게 된 계기를 보여주고자 했으나, 현재 시점의 이야기에 보다 집중하고자 과거 사연을 최소화했다.

7-1 _ 과거. ○○경찰서 화장실 / 낮

거울 보며 셀프 이발하는 태구(20대). 그때 동료 경찰(여) 들어와 보며 "미용실 갈 시간도 없지, 우리 팔자" 하면, 태구 웃으며 "귀찮아 죽겠는데 그냥 빡빡 밀까?" 하는.

7-2 _ 과거. 판자촌 어느 집 앞 / 낮

폴리스라인 둘러져 있고, 사람들 구경난 듯 모여 있는 사건 현장. 대충 자른 짧은 머리의 태구(20대) 앞으로 흰 천 머리까지 덮여 들것에 실려 나가는 사망한 피해자가 보인다. 들것 밖으로 툭 떨어지는 팔. 그 모습에 노인(여)이 태구에게 다가와 원망하듯 옷자락 잡고 늘어지며 쓰러질 기세로 통곡하면, 형사(남) 하나가 얼른 뛰어와 노인을 말리는데, 오히려 형사의 손길 거두고 노인에게 자신을 내맡기는 태구.

태구e　하루아침에 이유도 없이 가족을 잃은 이들은…

7-3 __ 과거. ○○경찰서 사무실 / 낮

태구 책상에 박카스 상자 놓여 있고, 앉으며 의아하게 보는데. ○○파출부 인쇄된 메모지에 맞춤법 틀린 채로 삐뚤빼뚤 '선생님 범인 꼭 자바주세요. 접때는 미안했읍미다.' 적혀 있다.

태구e　감히 상상조차 할 수 없을 다른 고통 속에 있다.

> **작가 Comment (2)**
>
> 사건의 이해 및 정리를 위한 브리핑 대사 요청으로 추가했다.

34 __ 기수대 회의실 / 낮

태구　고청동 빌라에서 지난 4월에 일어난 살인 사건입니다. 피해자는 현관 앞에 피를 흘리며 쓰러져 있었고, 옆집에서 소리를 듣고 발견하여 신고했습니다. 현관 앞에서 키까지 꽂은 채로 공격당한 형태는 지난 2월에 신흥2동 빌라에서 발생한 사건과 동일합니다. 대신 범행 도구는 레저용 칼이 아니라, 푸르매공원과 동일하게 식칼을 사용한 것으로 보입니다. 역시 금품 피해도 없구요. 이로써 서남부 연쇄피습 사건 동일범의 소행이라고 의심할 만한 여지가 충분합니다. 범인은 벌써 5명의 여성에게 상해를 입혔고, 2명을 살인했어요. 만약 임영동 사건까지 동일범 짓이라면 목숨을 잃은 피해자는 이제 3명이 됩니다.

10화

1 ____ 호수공원 / 이른 저녁

따뜻한 햇살 비치는 평화로운 해 질 녘 호수공원 풍경이 하영의 시선에 차례로, 느리게 걸린다. 저만치 보이는 호수 위로 윤슬이 찬란하게 부서지고, 풀밭에서 뛰노는 강아지, 강아지를 어설픈 걸음으로 아장아장 쫓는 아이, 벤치에 앉아 무릎베개를 한 연인, 돗자리에서 간식을 즐기는 가족들의 모습 등… 저마다의 시간을 즐기는 행복한 소음들과 큰 숨을 반복해 내쉬는 하영의 느린 호흡 소리가 하영의 귀에 박히듯 번갈아 크게 들리고. 그 사이를 천천히 걷는 하영의 느린 발걸음이 슬로로 걸리는 데서.

하영e 날 압니까?

2 ____ 영등포경찰서 취조실 / 아침 (9화, 씬84에 이어)

창문 없는 취조실. 높이 CCTV가 설치돼 있고, 테이블에는 남기태 전과 기록들 놓여 있다. 불안한 듯 손가락을 꼼지락거리며 하영의 시선을 피하기만 하던 어리바리한 느낌의 남기태. 순간 하영을 알아본 듯 쳐다보고. 하영은 그런 남기태를 빤히 응시하는.

남기태 (어리바리한 투로) 구영춘… 그 새끼 잡은 사람이죠?

하영 (침착한) 잘 아네요. 그 사건에 관심이 많았나 봐.

남기태 (습관적으로 입을 실룩거리는) 내가 죽인 거를 지가 했다고… (다시 시선 피하며) 말도 안 되는 소릴 떠드니까…

하영 (!, 조심스럽게) 그게 무슨 얘기에요?

남기태 (눈치 보듯 시선이 흔들리고)

하영 (알아챈 듯 달래는) 나도 당신을 잘 알아요. 내가 여기 들어온 건 남기태 당신을 돕기 위해서예요.

남기태 (의외인) 날… 돕는다고요?

하영 (끄덕이는)

남기태 (의아하게 보며) 나를… 왜요?

하영 난 여기 취조 하러 온 게 아니니까.

남기태 (무슨 영문인지 싶고, 혼잣말 반복하는) 날 왜 돕지…? 왜… 날 도와…?

하영 난 이 일들이 왜 벌어졌는지 분석을 하는 사람이고, 그래서 당신이 어떤 사람인지 얘길 나누고 싶은 겁니다.

남기태 무슨 얘기요?

하영 (말을 고르다가) 혼자 삽니까?

남기태 (강하게 고개 젓는)

하영 그럼 누구랑 살아요?

남기태 (보다가) 엄마랑 남동생.

하영 아버지는요?

남기태 (다시 시선 딴 데로 돌리며 흘리듯) 죽었어요. 옛날에.

남기태의 산만한 행동을 잠시 지켜보는 하영. 더 질문하려다가 전과 기록을 들춘다.

하영　(기록들 보며) 절도 전과, 성폭력 전과. 수감 생활을 꽤 했네요.

남기태　(관심 없는 듯 여전히 산만하고) 다 운 나빠서 잡혔어요. 제대로 한 것도 없이.

하영　(보며) 운이 나빴다?

남기태　운이 좋았으면 안 잡혔겠죠. (다시 입을 실룩)

하영　(떠보듯) 신흥동 빌라엔 돈 훔치러 들어간 거죠?

남기태　(망설이다가) 예.

하영　겨우 만 원밖에 못 훔쳤던데, 또 운이 나빴네.

남기태　(입을 실룩) 그러니까. 돈이 그렇게 없을 줄 몰랐죠.

하영　금품은 왜 안 건드렸어요?

남기태　그런 거 잘못 훔쳤다가 괜히 덜미만 잡히지. (고개 저으며) 난 돈 아니면 손 안 대요.

하영　조심성 있는 스타일이네.

남기태　(그 말에 산만했던 시선 잠시 멈추고, 우쭐한 표정 보이는) 예. 내가 범행엔 철저한 편이에요.

남기태의 반응들을 주시하다가 이내 성향을 파악한 듯 도발해보는 하영.

하영　구영춘처럼? (하는데)

남기태　!, 그건 순 허풍쟁이지. (안다는 듯 도리질하고)

하영　허풍쟁인 걸 어떻게 알았지?

남기태　(피식) 딱 보면 알지.

하영　맞아요. 내가 만나보니까 순 허풍만 떠는 찌질이더라고.

남기태 구영춘 그 자식이 몇 명이나 죽였다고 떠들어요?

하영 (보며) 그건 왜요.

남기태 아니 그냥… (딴청 하며 손가락 꼼지락) 별로 죽이지도 않아놓고 거짓말이나 하는 거 같아서… 다 지가 했다고 하고.

하영 내 생각도 그래요. 임영동 살인 지가 한 것도 아니면서. (남기태의 반응 지켜보는데)

남기태 (순간 당황하고 대답하지 않는데)

하영 (모르는 척 슬쩍) 남기태 씨 사람 잘 보네요. 만나본 적도 없으면서.

남기태 (쓰윽 웃으며 또 시선 딴 데로 돌리는) 내가 좀 알아요.

하영 (잠시 보다가) 근데 난 파이프렌치 든 강도는 처음 봐요. (궁금한 척) 왜 하필 그 무거운 걸 골랐지?

남기태 (당연한 듯) 여차하면 죽여야 되니까.

하영 왜 죽여야 되는데?

남기태 (왜 모르냐는 듯) 어우, 날 봤잖아요. (씩 웃으며) 형사 맞아요?

하영 (모르는 척) 음… 강도는 보통은 칼을 들지 않나?

남기태 (으레, 아니라는 듯) 칼은 재수 없으면 안 죽어요.

하영 !, 어떻게 알아요.

남기태 (당황하고, 이내 딴청 하는) 뭐…

하영 모르는 게 없네.

남기태 (그 말에 기분이 좋아 보이고) 내가… 이런 건 좀 잘 알아요.

하영 돈이 필요했으면 더 잘사는 동네도 있었을 텐데, 왜 하필 그 집(신흥6동)을 선택했어요?

남기태 옛날엔 강남에 부자들 많이 사니까 거기 돌아다니면서 할라고 했는데 (억울한 듯, 입을 실룩) 경비가 하도 심해서 제대로 하지도 못했어요.

하영 (떠보듯) 그래서 범행 지역을 바꿨구나. 서민 주택가 위주로.

남기태 (모르는) 돈 없이 사는 사람들이 허술하게 사니까 당한 거지 뭐.

하영 … 그 사람들한테 미안하다는 생각은 안 듭니까.

남기태 내가 왜 미안해요. 다 없이 사는 게 잘못이죠.

아무렇지도 않게 답하는 남기태의 시선이 다시 산만해지고. 하영은 뻔하고도 당당한 반응을 예상이라도 한 듯, 그럴 줄 알았다는 차가운 표정으로 바뀐다.

하영 (대뜸) 근데 불은 왜 질렀어요.

남기태, 순간 당황한 기색을 비치고.

남기태 난 불 지르는 사람 아니에요.

잠시 남기태의 반응을 빤히 지켜보는 하영인데. 남기태, 불안한 듯 눈을 똑바로 쳐다보지 못하고 손가락 꼼지락거리며 다리를 떨기 시작한다.

하영 (남기태의 표정을 캐치하고 확신한) 그 부분은 나중에 다시 이야기하기로 하고.

남기태 (계속 불안한 듯 다리를 떠는)

하영 교도소에서 모르는 사람들이랑 생활하느라 고통스러웠겠어요.

남기태 (불안한 행동들 잠시 멈추고 하영을 보는)

하영 난 그 마음 잘 알 것 같아서.

남기태 (집중하는) 어떻게 알아요?

하영 (괜히) 내 성격도 내성적이에요. (보며) 남기태 당신처럼.

남기태 ……

하영 말을 하지 않으면, 몰라서 그러는 줄 알고 다들 만만해하지. (남기태의 반응을 보다가 잠시) 모르는 게 아닌데.

남기태 맞아요! (순간 화가 난 듯 테이블 쾅 치고) 내가 바본 줄 알아.

하영 (감정 격해진 남기태 보며) 여기 형사들은 당신을 때리지도 않을 거고, 아무도 바보로 보지도 않아요. 오히려 당신을 충분히 이해하는 사람들이니까 걱정은 하지 말고- (하는데)

눈물을 글썽이기 시작하는 남기태. 하영이 그런 모습을 한참 바라보는 데서… 애처로운 얼굴로 눈물 글썽이는 남기태와 /가로등 불빛 아래에서 피해자를 돌려세우고 상대의 표정을 보는 희열에 찬 남기태의 얼굴이 하영의 시선에 겹쳐 오버랩된다.

남기태 다들… 나를 싫어했어요.

하영 (보면)

남기태 (억울한 듯) 어딜 가나 항상 손해만 보고, 두들겨 맞고, 그 짓까지 당하고…

하영 ! (조심스럽게)… 언젭니까 그게.

남기태 (질문에 다른 데 쳐다보며 또 입을 실룩) 어릴 때.

하영 어릴 때면…

남기태 (딴청 하며 흘리듯 뱉는) 국민학교 때.

하영 누가 그랬습니까.

남기태 동네 영감탱이요.

하영 … 어린 마음에 상처가 컸겠네.

남기태 ……

하영 (한참을 보다가) 나랑 계속 대화하고 싶어요?

남기태 (끄덕이는데 눈물이 뚝 떨어지고)

하영 그럼 일단 여기 형사들이 묻는 것들에 관해서 다 얘기해요. 그러면 날 다시 만날 수 있으니까.

남기태 나 교도소 가기 싫어요. 그때 생각하면… 죽을 만큼 막 짜증 나고 화나요.

하영 … 그렇게 고통스러웠으면 교도관한테 얘기해보지 그랬어요.

남기태 내가 아무리 하소연을 해도 아무도 안 들어줬어요.

하영 … 여기선 당신 얘기 잘 들어줄 겁니다. 걱정 말고 다 얘기해요.

남기태 (고민하듯) 다 말하면요? 다 말하면 어떻게 되는데?

하영 (잠시 보다가 의미심장하게 되묻는) 말을 안 하면 어떻게 될 거 같아?

남기태 …

하영 다시 예전 그 고통을 겪고 싶진 않을 텐데.

남기태 (공감하듯 끄덕이며) 내가 저지른 거 다 말할 테니까… 독방만, 독방만 쓰게 해줘요.

하영 (보며) 임영동 살인 사건도, 모구동 방화 살인 사건도 어차피 여기 형사들 다 알고 있으니까 먼저 자백하는 게 좋아요.

남기태 … 예.

하영 (주머니에서 손수건 꺼내서 건네는데, 표정은 여전히 차갑다) 필요한 거 있으면 얘기해요. 도와줄 테니까.

남기태 (재차 끄덕이면)

하영 남기태 당신이 말하는 만큼 여기 형사들도 최선을 다해 들어줄 겁니다. 당신 얘길 듣고 싶어 하는 사람들이니까. (보며) 나처럼.

남기태 근데… 전부 다 기억은 못 해요.

하영 (!)

남기태 아무렇게나 돌아다니면서 한 거라… 어디서 그랬는지 다 찾아가진 못할 거 같아요.

하영 괜찮으니까 기억나는 것들 최대한 다 얘기하세요.

남기태 (손수건 만지작거리기만) 어차피… 나 사형당하는 거죠?

하영 … 그런 생각은 하지 말고. 나랑은 나중에 또 이야기하죠.

남기태, 하영의 손수건 만지작거리기만 하고.
그런 남기태를 보는 하영의 표정에서.

3 ___ 취조실 문 앞 / 아침

문을 닫고 나온 하영. 바로 돌아서지 못하고… 복잡한 심경으로 손잡이 놓지도 못한 채 잠시 서 있다. 뒤에서 영수가 그 모습 지켜보는데, 하영, 이내 인기척 느끼고 돌아보면 두 사람 눈이 마주치는 데서.

타이틀, 악의 마음을 읽는 자들 10화

4 ___ 영등포경찰서 강력반 사무실 / 아침

하영이 나오길 기다리는 준식, 태구, 일영 외 형사들(9화, 씬84).
하영과 영수가 함께 사무실 들어서면, 다들 하영이 무슨 말을 할지 집중하고.

하영 서남부 사건 용의자, 남기태가 맞습니다.
일동 (말이 떨어지기 무섭게 일제히) 야야! 빨리빨리 취조 준비하고! (부산하게 움직이는데)
하영 임영동 사건도 남기태입니다.
일동 (그 말에 놀라는)?!
영수 지가 했대?!
하영 (끄덕이면)

일영 와- 그 사건 때문에 그렇게 애를 먹었는데…

하영 (준식에게) 남기태도 전략적인 심문이 필요할 것 같습니다.

cut to

하영의 주변에 모여들어 아무렇게나 자리 잡고 앉은 형사들. 하영의 말을 진지하게 듣느라 몇몇은 메모하는 모습도 보인다.

하영 감정 기복이 심하고, 사회화가 덜 된 듯 보입니다. 소통이 원만하지 못해요.

형사과장1 어쩐지 어리바리해 보이드만.

하영 자신의 말과 행동을 지지해주는 관계 형성이 없었던 거 같습니다.

준식 그럼 어떡해야 혀?

하영 큰소릴 치거나 화를 내면 진술을 거부할 가능성이 높아요.

형사과장1 비위까지 맞춰야 돼?

하영 범죄 행동을 치켜세워주란 얘긴 아닙니다.

태구 어차피 피의자들은 수사관의 목적을 알기 때문에 온정적으로 대해도 믿지 않죠.

하영 맞습니다. 과하게 인정하는 태도를 보이면 오히려 의심만 커질 거예요.

일영 그럼 어떻게 해요?

하영 부정적이든 긍정적이든 평가하는 태도는 피하고, 최대한 답변을 듣는 형식으로 진행하세요. 게다가 남기태는 대인기피 성향도 강해서- (하는데)

형사과장2 눈을 제대로 못 쳐다보더라.

형사과장1 하여간에 어리숙해 보이는 놈들이 속은 더 살벌하다니까. (하는데)

준식 자, 중요한 얘기니까 송 경위가 하는 말 끊지 말고 들어봅시다.

형사과장1, 2 (잠시 무안한 표정 스치고)

하영 (다시) 대인기피 성향이 강해서 수사관들이 주변에 많이 몰려 있으면 불안해할 겁니다.

준식 (끄덕이며) 최소 인원만 들어가야 쓰겠네.

형사과장1 (작게 혼잣말) 취조 한 번 하는데 뭐가 이렇게 지킬 게 많아…

하영 많을 수밖에 없습니다. 남기태는 일반적인 강력범들과 달라요.

준식 우린 구영춘 같은 연쇄살인범을 처음 겪었고, 그래서 인정하긴 싫지만, 실수도 꽤 했죠? 덕분에 이런 놈들을 대할 때 준비가 필요하다는 걸 알았고. (하는데)

하영 같은 시행착오를 또다시 반복하고 싶진 않으시겠죠.

태구 (보태듯 모두에게) 지금까지 파악한 서남부 사건 관련 피해자만 14명입니다. 그중 사망한 피해자는 여섯이고요.

영수 (모두에게) 더 있을 확률도 아주 높아요.

준식 그러니까 무고하게 피해당한 사람들을 단 한 명도 놓쳐선 안 되겠죠? 그게 우리가 현시점에 책임을 다할 수 있는 방법이고.

일동 (엄숙해지고)

준식 (하영에게 다시) 더 할 얘기 있어?

하영 (모두를 보며) 두서없이 질문을 쏟아내도 안 됩니다. 소통이 미숙한 자라 자신도 헷갈려서 아무렇게나 대답해버릴 수 있어요.

형사과장2 물어볼 걸 미리 적어야겠네.

하영 그게 좋습니다. 그렇지 않으면 틀린 부분도 마냥 수긍만 하다가 결국 진술을 포기할 거예요.

형사과장1 그럼 큰일 나지.

하영 마지막으로- (하면, 일동 다시 집중하고) 조사가 완료될 때까지는 피의자와 대화를 가장 잘하는 수사관 한 명만 지정해서 진행하세요. 원하는 답을 듣는 데 훨씬 효과적일 겁니다.

모두 진지하게 경청하는 분위기에 하영을 새삼 다시 보는 영수, 준식, 태구, 일영.

5____ 서울지방경찰청 앞 / 낮

건물로 향하는 영수, 하영, 태구, 일영.

하영 어린 시절에 성폭행을 당한 경험이 있어요.

일영 (놀라고) 누구한테요?

하영 동네 노인이라고 했어요.

태구 어린 시절이면 언제인 거죠?

하영 초등학교 때라고만 했습니다. 말하고 싶어 하지 않는 눈치라 자세히는 못 물었어요.

영수 음… 남기태 강간 전과가 꽤 있지?

태구 네. 소아 강간부터 성인까지 다 있어요.

일영 안 해본 나쁜 짓이 없구나.

영수 임영동 사건은 어떻게 자백받은 거야?

하영 구영춘을 계속 의식했어요. 본인이 한 건데, 구영춘이 허풍 떤다는 식으로 말하길래 도발 삼아 돌려서 물어봤죠.

일영 (도리질) 대단하다 진짜. 경쟁 의식이라도 느낀 건가?

할 말을 잃은 듯 다들 한숨만 쉬며 가는.

6____ 영등포경찰서 취조실 / 밤

남기태를 잘 달래며 취조하는 영등포서 형사1, 2. 형사1은 대화를 끌어가는 중이고, 형사2는 계속 기록하며 듣고 있다. 형사1, 2에게 늘어놓는 남기태. 어딘가 잔뜩 신이 나 보이는 얼굴에서.

앵커e 속봅니다. 2004년, 서울 서남부 지역 주민들을 공포에 떨게 했던 유력한 용의자가-

7 ____ 경기지방경찰청 형사과장실 / 아침

앵커e 어젯밤 신흥6동 임 모 씨 집에 침입해 금품을 훔치려다 임 씨 아버지와 격투 끝에 붙잡혀 경찰에 넘겨졌습니다.

실시간 검색어 1위에 '서남부 연쇄살인범 검거' 떠 있고, 그 아래로 '모구동 살인 사건' '푸르매공원 살인범 검거' '연쇄살인범' '구영춘 사형' 등 연관 검색어들이 계속해서 순위를 다투며 바뀌는 포털 화면이 보인다. 남기태 검거 관련 기사 제목 옆에 [속보] [1보] [2보] 등을 달고 실시간으로 올라오는 뉴스 기사들을 일일이 클릭해 확인하며 통화 중인 길표. 책상에 '경기지방경찰청 허길표 형사과장' 팻말 놓여 있다.

길표 박 계장팀 자리에 아무도 없어? 그럼 사무실에 막내 아무나 시켜서 대기 태워. 남기태 사건으로 서울에서 분명 연락 올 거야. (사이) 서울청이든 영등포서든 연락 오면, 신속하게 경기 지역 사건 관련 자료 찾아서 넘겨줘. (사이) 아 그럼 진짜지. 내가 분석팀이랑 일 안 해봤어? 걔네가 주로 하는 일이 남기태 같은 놈들 만나서 얘기하는 건데. 자백하게끔 분위기 조성하는 거 선수다. 선수.

(하며 끊고 혼잣말) 사건 추론하는 데도 선수고. (흐뭇한) 분석팀 여전히 잘하고 있구나.

8 ____ 서울지방경찰청 기자실 / 아침

준식에게 질문을 쏟아내는 기자들, 준식이 대답할 때마다 노트북에 바쁘게 입력하는 모습이 보인다.

임무식 수사는 어떻게 진행되고 있습니까.

준식 일부 범행을 자백했고, 자백의 신빙성을 높이기 위해 현장 검증 및 증거 확보에 최선을 다하고 있습니다. (하는 데서)

9 ____ 남기태의 집 앞 / 낮

다세대 주택 즐비한 골목에 기자들과 동네 주민들이 잔뜩 모여 있다. 어수선하고 떠들썩한 분위기에서 주변을 통제하는 경찰들과 집 앞에 주차된 과학수사대 차량이 보이는 그 위로,

/ins. 서울지방경찰청 기자실 (씬8에 이어지는)

임무식 범행 동기가 뭡니까.

준식 아직은 밝혀진 게 없고 추측만 할 뿐입니다. 다만, 현재까지는 폭력과 구타에 의한 불안감 및 대인기피 증세의 심화 등이 복합적으로 작용한 것으로 추정하고 있습니다.

10 ___ 남기태의 집 안 + 방 / 낮

서둘러 압수수색을 시작하는 인탁과 감식팀원들. 영수는 이불도 개지 않은 어수선한 방문을 열고 들어서는데. 영수의 시선이 벽에 따로 오려 붙여둔 신문 기사들로 향하는 데서 표정 일그러진다.
영수, 핸드폰 들어 단축번호 '5' 길게 누르면 '송하영 경위' 뜨고.
다시 카메라가 영수의 시선이 머문 곳을 가까이 비춘다.
벽에 붙여둔 신문 기사들을 훑다가… 하영의 《대한일보》 기사에 실린 사진에서 멈추고! 그때 핸드폰 너머로 "네, 팀장님" 하는 하영의 목소리 들리는.

11 ___ 푸르매공원 / 낮

현장 검증을 위해 모인 태구, 일영 외 동작서 형사들과 남기태. 주위에 최 기자와 임무식을 비롯해 각종 언론사 기자들과 잔뜩 몰려나온 주민들도 보인다.

/ins. 서울지방경찰청 기자실 (씬8에 이어지는)

임무식 서남부 연쇄살인 전부 한 사람 짓입니까?

준식 아직 확정하기는 어렵습니다만, 그동안 발생한 서남부 연쇄살인 사건을 11건으로 보고 동작, 구로, 금천, 관악, 영등포 5개 관할서가 공조해 조사하고 있습니다.

/다시 푸르매공원

동작서1과 일영이 남기태를 포박하고 있고, 일영이 남기태에게 '종이칼' 건네면, 수갑 찬 손으로 받으며 아쉬운 얼굴을 하는 남기태.

남기태 이거 실제 칼이어야 하는데… 어차피 수갑도 차고 있는데 실제 칼로 주면 안 돼요? 그래야 잘 떠오르는데…

일영 (열 받은 듯, 머리 후려갈기려다가 주변에 모여든 기자들을 보고 참는) 시끄러.

남기태 (하는 수 없이 받고)

이내, 남기태의 재연이 시작되고 모두가 숨죽여 지켜보는 가운데, 남기태가 여장한 마네킹을 돌려세우는 데서, 당시의 감정을 떠올린 듯 입가에 미소가 번진다.
그 순간을 포착하는 최 기자. 카메라 셔터를 누르려다가… 잠시 프레임에 담긴 남기태의 표정을 확인하고 망설이는데… 최 기자를 본 임무식이 선수 치듯 플래시 먼저 팡! 터뜨린다. 순식간에 따라 찍는 기자들의 모습이 보이면서 여기저기 연달아 팡팡팡! 플래시 터지기 시작하고! 앞다퉈 이어지는 플래시 소리에 넋이 나간 얼굴로 그들을 보고만 서 있는 최 기자의 시선이 웃고 있는 남기태를 매섭게 바라보는 하영의 모습에서 멈춘다.
종이칼을 쥐고 태연스럽게 마네킹을 연거푸 찌르는 시늉하는 남기태와 그 모습을 놓치지 않으려고 조금이라도 더 가까이 다가가 바쁘게 사진을 찍어대는 임무식 외 기자들의 모습이 하영의 시선에 느리게 잡히고…
남기태가 재연에 심취한 듯 포악하게 찔러대는 시늉 멈추지 않자, 급기야 동작서1과 일영이 "그만해! 그만!" 하며 남기태의 행동을 저지한다. 하영, 분노 어린 표정으로 먼저 발길을 돌리는 데서.

12 ___ 신문가판대 / 저녁

가판대를 가득 채운 각종 신문 1면에 「또다시 탄생한 연쇄살인범!」「임영동 살인 사건도 내가 했다!」「악마를 보았다! 그는 어떻게 연쇄살인범이 되었나」「남기태의 살인 중독. 몇 명이나 더 죽였나」「서남부 연쇄피습 사건 범인, 기분 울적할 때 지하철 탄 뒤 무작정 범행…」 등 저마다 자극적인 제목으로 헤드라인 걸었고, 남기태의 웃는 얼굴이 커다랗게 실려 있다. 퇴근길에 신문을 집어 드는 사람들로, 가득 찼던 가판대가 빠르게 비워지는.

앵커e　오늘 낮 서울 서남부 연쇄살인 사건의 용의자 남기태가 푸르매공원 살인 사건의 현장 검증을 진행한 가운데, 경찰은 신속하게 고청동 살인 사건과 모구동 방화 살인 사건의 현장 검증도 진행할 예정이라고 밝혔습니다.

13 ___ 팩트 투데이 사무실 / 저녁

카메라와 배낭을 책상에 툭 내려놓는 최 기자. 지친 듯 의자에 털썩 앉고. 이내 천천히 노트북 열어 인터넷 기사들을 살핀다.「살인 유희에 빠진 연쇄살인범」「구영춘 VS 남기태, 누가 더 많이 죽였나」「또 다른 연쇄살인범의 출연!」 등 자극적이고 흥미로운 사건처럼 소비하는 각종 기사 헤드라인을 보는.

최 기자　끔찍한 건지 신들이 난 건지… 아주 그냥 물 만난 고기가 따로 없네. (하는데)

국장　(뒤에서) 뭘 고민해?! 제목에 남기태! 느낌표 빡! 달고 시작해. 조회수 올리기 제일 쉬운 때가 지금이야.

최 기자　다른데서 다 하는 걸 우리도 똑같이 해야 해요?

국장　너 아직 배가 덜 고팠구나? 밖에서 무시당하기 싫다며. 니 코가 석잔데 무슨 고민을 하고 있는 거야. (답답한) 정신 차려.

최 기자　……

노트북 펼쳐놓은 채 타 매체 인터넷 뉴스에 실린 남기태의 웃는 얼굴을 멍하게 들여다보는 최 기자. 푸르매 공원에서 셔터 누르길 망설이던 자신(씬11)을 떠올린다.

최 기자　(한숨 푹) 우리까지 이래야 되는 거예요?

국장　우리'까지'가 아니라 우리'만' 빠지면 거기서 또 처지는 거야. 낭만적인 생각 그만하고 얼른 써. (일어나 나가려다 당부하듯) 남기태! 느낌표 빡! 알았지?! (하며 나가면)

다시 남기태의 웃는 얼굴 멍하게 보며… 혼잣말.

최 기자　내가 제대로 가고 있는 게 맞을까… (하는데서)

14 ___ 남기태의 집 안 + 방 / 저녁

집 안을 천천히 살피며 방으로 들어서는 하영. 벽에 붙어 있는 자신의 사진을 보며 놀라고… 이내 사진을 떼 손에 들고 무표정하게 보는데. 뒤이어 들어오는 영수와 인탁.

영수　(어깨 툭 치는) 놀랬지?

하영 어쩐지 처음 봤을 때 저를 알아봤어요.

영수 남기태가?

하영 (멍하니 사진 보며 끄덕이는) 네.

인탁 앞으로 신상 공개하면 안 되겠어요. 이게 무슨 영화도 아니고…

하영 제가 원해서 한 게 아닙니다.

인탁 ?

영수 임무식이라고, 맘에 안 드는 기자 하나 있어. 지 맘대로 사진까지 실은 거야.

인탁 그 기자도 이럴 줄은 몰랐겠죠? 누가 상상이나 했겠어…

영수 (방 한쪽에 낱장으로 쌓여 있는 신문들 가리키며 하영에게) 저것도 전부 서남부 사건 관련 기사들인데 아무래도 지가 저지른 사건 기사들만 찾아서 모아둔 거 같아.

하영 (다가가 집어 들고 무표정하게 하나씩 넘겨보는) 이 사건들 말고도 더 있을 거예요.

15 ___ 기동대 차 안 (도로) / 저녁

다음 현장 검증 장소로 이동하는 남기태를 관악서 형사1, 2가 양쪽에서 포박하며 가는 중이고. 남기태 고개 돌려 창밖을 보는데 왠지 소풍 가는 아이마냥 밝아 보인다.

16 ___ 일영의 차 안 (도로) / 저녁

남기태 따라 이동 중인 태구와 일영. 신호에서 차를 멈추면, 기동대 차량(씬17)과 나란히 멈춰 선다. 조수석에 앉은 태구, 고개 돌려 기동대 차창 밖을 보고 있는 남기태의 밝은 모습을 보는 데서.

/ins. 영등포경찰서 강력반 사무실 (씬4에 이어지는)

하영 (대뜸 일영을 보며) 불은 왜 질렀습니까.

일영 (당황하고) 저요? 무슨 불이요?

영수 갑자기 무슨 질문이야?

하영 (다시 태구를 보며) 불은 왜 질렀습니까.

태구 (무슨 영문인지 모르겠다는 듯 보는데)

영수 남기태 방화 얘기하는 거야?

하영 네.

태구 근데 그걸 왜 우리한테 물으시죠?

하영 (모두에게) 자신이 불을 지른 게 아니라면, 일반적으로 여기 두 분처럼 무슨 영문인지 모르겠다는 반응이 나와야 합니다.

준식 왜, 남기태는 딴 소리 혀?

하영 당황한 기색을 보였고, 질문엔 이렇게 답했습니다.

일동 (궁금한 듯 보면)

하영 '나는 불을 지르는 사람이 아니에요.'

형사과장1 그게 뭔 개떡 같은 소리야.

하영 (확신하며 모두에게) 모구동 방화 살인 사건도 남기태의 범행입니다. 그것부터 집중적으로 추궁하세요.

17 ___ 남기태의 집 안 + 방 / 저녁

인탁e 계장님!

방에 있는 영수를 부르는 인탁의 목소리에 하영과 영수가 현관으로 나가면, 인탁이 신발장 안에서 꺼낸 남기태의 운동화 3켤레를 건네 보이는데. 전부 밑창을 도려냈다. (→ 내부 인원 모두 덧신에 장갑을 끼고 있는)

영수 이놈도 보통이 아니네.
인탁 이래서 족적이 안 나왔나 봐요.
하영 … 남기태 역시 범행에 최선을 다했네요.

그때, 노트 한 권을 들고 오는 감식팀원1.

감식팀원1 (노트 건네며) 이것도 좀 보세요.

영수, 장갑 낀 손으로 조심스럽게 노트를 펼쳐보면, 몸에 좋은 각종 음식과 달리기 비법 등 건강 관련 정보들이 빼곡히 적혀 있다.

영수 기가 막힐 노릇이네…
인탁 남은 해치고, 지는 무병장수하겠다 이거네. (하는데)
하영 (보며) 빠르게 뛰어서 도망갔다던 목격자의 얘기… 틀리지 않았어요.
영수 (노트 넘겨보며) 이놈은 도주 방법까지 학습했구나… (하고 하영에게 노트 넘기는)
하영 (노트 보다가 뭔가 생각난 듯, 주변 둘러보며) 집 안 어딘가에 흉기도 보관하고 있을 거예요.
인탁 ?, 그걸 집에 뒀을까, 설마?
하영 현장 검증 뉴스 보셨죠.
영수 봤어. 표정이 어쩜 그럴 수 있지?
인탁 으… 소름 돋더라.

하영 떠올리는 것만으로도 흥분하는 거예요.

영수 완전한 쾌락형…

하영 (끄덕이며) 그러니 있을 겁니다. 쉽게 버렸을 리가 없어요.

영수 (그 말에) 뭐든 흉기가 될 만한 건 다 찾자!

감식팀원들, 일제히 서랍, 장롱 등 집 안 곳곳을 샅샅이 찾기 시작하고.
노트에 적힌 각종 정보를 확인하는 하영.

18 ___ 모구동 주택 안 / 밤

화재로 소훼된 집 안 곳곳 보이고. 베란다로 들어서는 남기태. 거실에서 멈춰 작은방으로 먼저 향하는데, 그 모습을 보던 태구. "(9화, 씬33) 소심한 공격성이 그자의 시그니처입니다" 하던 하영의 말을 또다시 떠올린다. 남기태, 작은방 앞에서 문을 열고 들어가는 시늉하고. 방바닥에 누워 있는 여장한 마네킹을 향해 다시 신이 난 표정으로 종이 파이프 힘껏 치켜드는!

19 ___ 모구동 주택 밖 / 밤

남기태를 기다리느라 잔뜩 모여든 주민들, 임무식, 최 기자 외 각종 방송사 및 신문사 기자들 앞에 태구와 일영에게 포박돼 화재 현장 밖으로 나오는 남기태가 보인다. 남기태, 여전히 혼자 표정이 밝고. 그 모습에 화가 난 주민들이 하나둘 돌멩이와 계란을 던지기 시작하면, 포박되어 닿지도 않는 손을 겨우 들고 가까스로 얼굴을 감싸는 남기태. 태구와 일영이 막으려다가 일영의 얼굴로 작은 돌멩이 날아오고. 태구가 괜찮냐는 듯 보면, 괜찮다고 손짓하는 일영. 결국 남기태에게 날아와 터진 계란들 연거푸 옷에 흐르고, 이어 작은 돌에 얼굴을 맞은 듯 동시에 "아!!" 크게 고함치는데. 그 바람에 날아오던 돌과 계란들 일순간 멈춘다. 짜증스러운 표정으로 바뀌며, 모여든 사람들을 노려보는 남기태. 신경질적으로 군중에게 덤벼들 듯 "아이, 씨!!" 내뱉고 얼굴 붉히면, 한 번 더 일제히 기다렸다는 듯 플래시 터트리는 임무식과 기자들인데. 최 기자와 태구의 시선만 저만치 그 모습을 망연자실 울며 지켜보고 있는 유가족에게 향한다.

20 ___ 태구의 집 / 밤

TV 켜둔 태구. 뉴스에서 "서남부 연쇄살인 사건의 용의자 남 씨는 오늘 두 차례나 진행된 현장 검증에서 시민들의 따가운 시선에도 불구하고 범행 당시의 상황을 태연하게 재연하며 웃어 보이는 등의 행동을 보여 이를 지켜보던 시민들이 분노했습니다" 하는 앵커 목소리 들리면서 남기태 얼굴이 화면에 뜨면, 이내 보기 싫은 듯 꺼버린다. 복잡한 심경으로 거실 한쪽에 반듯하게 걸어둔 경찰 제복을 보는 데서.

21 ___ 서울지방경찰청 강당 / 낮

태구와 얼굴에 작은 반창고를 붙인 일영 외 광수대 팀원들. 영수, 뒤에서 혼자 준식의 브리핑을 지켜보는 중이고, 강당을 가득 채운 기자들 사이 임무식도 보인다.

임무식 대인기피증은 어떻게 파악한 겁니까.

준식 평소 말수가 거의 없으며 굉장히 내성적이었다는 점을 표현한 것일 뿐, 의사에게 정확한 진단을 받은 건 아닙니다.

기자1 피해 금액 얼마나 되죠!

준식 절도 사건에 대해서는 따로 추가 확인하고 있으며, 검거 당시의 도난 피해액은 현금 일만 원으로 파악했습니다.

기자들 (1만 원이라는 말에 웅성대는)

임무식 그렇다면 구영춘 때와 마찬가지로 금품절취의 목적이 아니라고 해석해도 되나요?

준식 그렇습니다. 사회의 불만에 대한 표출이라고 판단하고 있습니다. (하는 데서)

답답한 얼굴로 강당을 빠져나가는 태구.

22 ___ 분석팀 / 낮

우주 혼자 있는 사무실. 임시 출입증 목걸이하고 있는 최 기자가 들어오고.

우주 (놀라며) 왜 여기로 왔어?

최 기자 (아무 데나 앉으며) 남기태 따위한테 관심 없어.

우주 ?, 웬일이냐 니가?

최 기자 (진지한) 나라도 다른 기사를 써야 될 거 같아서.

우주 온 국민이 남기태한테 관심 갖는 이 와중에? 봐- 지금 실검 1위도

'남기태' 딱 세 글자야.

최 기자 그러니까. 이 와중에 누군가는 남기태 말고, 남겨진 사람들 얘길 써야 될 거 같다.

우주 (그제야) 아…

노트북 열고, 기사 쓰기 시작하는 최 기자. 「반성 없는 범인, 반성 없는 사회, 반성 없는 언론에 눈물 흘리는 유가족들」 적어 내려가는 데서.
최 기자 옆에 말없이 커피 내려두고 자리에 앉는 우주인데,

최 기자 (기사 쓰면서) 너 아직도 그림 그려?

우주 무슨 그림?

최 기자 전에 그랬잖아. 짬 날 때마다 피해자들 스케치해둔다고.

우주 아… 그건 왜?

/ins. 씬1 + 씬19

밝은 표정의 남기태, 앞다퉈 포착하기 바쁜 기자들, 저만치에서 그 모습을 망연자실 울며 지켜보는 유가족의 모습이 대조적으로 비춰지고.

최 기자 갑자기 생각나서. (하다가) 꼭 계속 그려줘.

우주 응…

23 ___ 서울지방경찰청 옥상 / 낮

하영, 난간으로 다가가 옥상 아래를 내려다보고 있다. 그때 강당

에서 나온 태구도 옥상 문을 열고 들어서며 하영을 보는데. 넋이 나간 것처럼 태구가 다가갈 때까지 모르는 하영.

태구 뭘 그렇게 보고 계세요.

하영 (그때서야 태구를 보며) 답답해서요.

태구 (덩달아 아래를 내려다보면)

하영 저 아래, 저 사람들은 지금 무슨 생각을 하며 걷고 있을까, 그런 생각했어요.

태구 (아래 지나가는 사람들 보며)… 오늘은 뭘 먹을까, 집엔 뭘 사갈까, 약속이 늦었네, 아- 상사가 너무 짜증 난다… 뭐 이런 일반적인 생각들이겠죠?

하영 그런 사소하고 평범한 생각들을 마지막으로 한 게 언젠지 기억이 안 나요.

태구 …

하영 …

태구 한 번씩 밑 빠진 독에 물을 붓는 기분이 들긴 해요. 아무리 때려잡아도 끝없이 기어 나오는 놈들 보면.

하영 어딘가에서 누군가는 처참하게 죽어가는데 (아래 보며) 저기 저 사람들은 너무 평온하고 평화롭고… 세상은 하나도 바뀌는 게 없어요. 오히려 더 지능적이고 극악한 놈들만 나타날 뿐이에요.

태구 … 세상이 바뀐다… 전 그런 기대는 하지 않아요.

하영 (보면)

태구 살면서 좋은 사람보다 나쁜 놈들을 더 많이 만나잖아요 우린.

하영 인간에게 더 이상 희망을 가질 수 없다는 게 가끔 슬퍼요. 희망을 가져보려고 해도 또다시 악인을 마주해야 하니까.

태구 비워낼 겨를도 없이 또 채워야 하는 게 우리의 숙명이죠.

하영 (씁쓸하게 웃어 보이면)

태구 … 남기태 면담이 더 남았죠?

하영 네. 송치 전에 만나야죠.

태구 괴물과 싸우는 사람은 그 싸움 속에서 스스로 괴물이 되지 않도록 조심해야 한대요.

하영 니체… (하다가) '괴물의 심연을 오랫동안 들여다보고 있으면, 심연 또한 우릴 들여다보게 될 것이다.'

태구 (끄덕이며 하영을 보는)

하영 (아래 내려다보며) 이 싸움은 왜 끝나지 않는 걸까요.

태구 끝이 있긴 할까요?

옥상 아래로 건물을 빠져나가는 사람들의 모습이 보이고,
경찰청 깃발이 잠시 바람에 펄럭이는 데서.

24 __ 광수대 사무실 / 저녁

자리에 앉아 휴대용 구급상자 꺼내는 일영. 서랍 구석에 넣어뒀던 작은 탁상거울 꺼내서 보며, 얼굴에 붙어 있던 반창고를 떼는데 살갗이 붉고.

태구 (들어오며) 괜찮아?

일영 에이- 이 정도야 뭐. (하는 데서)

태구 우린 참 이런 게 아무렇지 않다. 그치?

일영 네? (하면)

태구 칼도 맞고, 돌도 맞고… 그런데도…

잠시 생각에 잠긴 듯 일영의 상처 들여다보는 태구.

태구 그냥 두지 말고. 이리 와봐. (하며 일영의 이마에 연고를 바르려는 시늉 하면)

일영 아 괜찮은데…

태구 (이내 다정히 그 위에 연고를 발라주는 데서)

25 ___ 국립과학수사연구소 / 밤

운동화 3켤레, 레저용 칼, 장갑, 복면 마스크 등 남기태의 증거물들 하나씩 살피며 DNA 채취하는 안진덕, 함영규. 그때 파이프렌치 들여다보던 함영규가 "이거 보셨어요? 뭐지?" 하고. 두 사람 파이프렌치 자세히 들여다보며 틈새에 낀 이물질을 채취하는 데서, 굳어진 혈흔과 짧은 머리카락을 보며 놀라는!!

26 ___ 감식반 / 이른 아침

남기태 집에서 입수한 증거 물품(씬27 동) 사진들이 컷컷컷! 보여지고. 사진들 보며 인탁과 얘기 중인 태구와 일영.

인탁 (작은 칼 사진을 건네고) 그 칼이 나오긴 했는데, 혈흔 반응이 없대요.

일영 아 미치겠네…

인탁 운동화 밑창도 다 잘라놓고… 이놈이 범인인 건 틀림없는데.

태구 피해자 DNA가 나와야 하는데.

인탁 자백까지 다 받아놓고, 눈앞에서 풀어줘야 할 상황 오는 거 아니겠죠, 설마.

태구　보강 증거 없으면 그냥 주거침입에 특수강도 건으로만 처리되는 거죠.

인탁　말짱 도루묵인데 그럼…

일영　(답답한) 게다가 이놈이 말이라도 바꾸면 끝이에요. 꼭 찾아야 돼요.

인탁　국 계장님이랑 송 경위가 남기태 집에 다시 찾으러 갔어. 근데 난 아무래도 흉기는 어디 버렸지 싶어. 꼬투리 잡힐 게 빤한 증거를 모셔두고 있을 리가 없지 않아?

태구　(운동화 사진을 들여다보다가, 문득 하영의 말 떠오르고)

하영e　게다가 잘 뛰고 걷는 놈입니다. 현장을 도보로 이동하기 때문에 운동화를 신었을 거고, 범행 도구는 어딘가에 숨겨뒀을 겁니다.

어느새 하영의 말을 신뢰하고 있는 태구.

태구　송 경위님은 분명 보관하고 있을 거랬어요.

27 ＿ 남기태의 집 앞 / 낮

감식팀원 2명이 안으로 들어가고. 영수와 하영은 집 앞에서 주변을 둘러본다.

하영　여기 분위기가 사건 현장들과 거의 비슷해요.

영수　(둘러보는) 그치?

하영　지역은 달랐어도 자연스럽게 익숙한 환경을 고른 거 같아요.

영수　(카메라로 외부 풍경 찍는) 비슷한 환경 사건들 더 찾아서 케이스링

크[1] 해봐야겠다.

하영　우주한테 부탁해둘게요. (우주에게 문자 보내고)

영수　그래. 형사들도 (자백 기다리느라) 남기태 입만 쳐다보고 있을 순 없을 테니까.

두 사람, 안으로 들어가고.

28 ___ 남기태의 집 안 + 방 / 저녁

집 안을 다시 살피는 하영과 영수. 감식팀원 2명도 보인다.

영수　진짜 여기 있을 거라고 생각해?

하영　(서랍 다시 하나씩 열어보는데 마음 급해 보이고) 살인에 애착이 강해요.

계속해서 방바닥에 엎드려 시커먼 장롱 아래를 플래시로 비춰보는 하영.

영수　거기도 다 봤어.

하영　(한참을 보더니, 갑자기 틈새로 힘겹게 손 넣어보는데)

영수　(같이 플래시 비춰주고) 뭐 보여?

하영　(이내 손을 빼고 일어서는) 장 좀 앞으로 조금만 빼보죠. (컷 튀고)

1　각 사건의 연결점을 찾아 연쇄성을 판단하는 일.

양쪽에서 잡고 장롱을 빼내는 영수와 하영. 이내 바깥으로 빼낸 장롱의 위쪽을 밀어 벽에 비스듬히 기대 눕힌다. 다시 몸을 숙여 장롱 바닥을 보는 하영인데. 장롱 바닥에 테이프로 붙여둔 식칼이 보인다!

하영　(조심히 꺼내보며) 심지어 피도 제대로 안 닦았어요.

영수, 대기하고 있던 증거물 봉투 벌려주면 하영, 봉투에 넣는데. 둘의 표정이 씁쓸하고.

29 ___ 분석팀 / 저녁

사건 보고서 데이터 자료 열어 지역별 분류를 시작하는 우주. 분류된 사건들을 다시 주택가, 노상, 시장으로 검색해 2차 분류 시작하고. 그렇게 분류한 사건마다 범행 지역을 지도에 표시해 일일이 위치를 확인한다.

30 ___ 광수대 사무실 / 저녁

「반성 없는 범인, 반성 없는 사회, 반성 없는 언론에 눈물 흘리는 유가족들」 최 기자의 인터넷 기사 클릭해 읽는 태구. 전화 울리고 받으며 "네. 네 알겠습니다" 하는 그때 일영이 사무실 들어오는.

일영　남기태 식칼 찾았대요!

태구　있었구나. 진짜.

일영 (도리질하며) 아주 그냥 미친놈이에요.

태구 국과수도 연락 왔어. 파이프렌치에서도 머리카락이랑 오래된 혈흔 나왔다고.

일영 와- 빼도 박도 못하겠네 이제.

태구 (안도의 한숨을 내쉬는) 남기태 송치 언제지?

일영 다음 주 월요일이요. (하다가) 그전에 분석팀에서 면담하는 거죠?

태구 아마도.

일영 송 경위님 진짜 힘들겠어요. 그 인간 같지도 않은 놈이랑 또 대화를 해야 한다니.

태구 … 그러게.

31 ___ 서울지방경찰청 기자실 / 낮

앵커e 남기태가 소지한 흉기에서 피해자들의 DNA가 잇따라 검출되면서 연쇄 강도 살인 사건의 용의자 남기태의 추가 범행이 2건 더 확인된 가운데- /남기태의 추가 범행이 또다시 확인돼-

"서울판 살인의 추억으로 타이틀 걸어!" 하며 전화 넣는 임무식. 다른 캡들도 연이어 "피 냄새 맡았단다" "체력이 선수급이래" 하며 바쁘게 전화를 돌리는 모습 보인다.

32 ___ 몽타주

- TV 뉴스에 '끝없이 이어지는 남기태의 추가 범행' '구영춘과 같이 한 건 하고 싶었다' '남기태, 구영춘과는 다른 폭발성 사이코

패스 가능성' '피 냄새에서 향기 느껴…' 헤드라인 띠들 계속해서 컷컷컷! 비춰지고.

- 방송국 스튜디오. 진행자를 사이에 두고, 패널들 양쪽에 앉아 있는 생방송 스튜디오의 시사 토론 장면이 비춰진다. 그 위로, "서남부 연쇄살인 사건의 피의자 남기태가 2004년 1월부터 2006년 4월까지 서울과 경기 지역에서 13명을 살해하고 20명에게 중상을 입힌 것으로 밝혀져 충격을 주고 있습니다" 하는 진행자의 목소리에서.

33 __ 영등포경찰서 관찰실 / 낮

관찰실에 설치된 녹화 장비 보이고, 모니터에는 아무도 없는 취조실 공간이 비춰진다.
이어, 모니터에 형사1, 2에게 포박돼 들어오는 남기태와 남기태가 자리에 앉으면 취조실에서 나가는 형사1, 2의 모습이 보이고, 하영이 그 화면을 지켜보고 있다.

영수 (종이컵 2개에 물 따라주며) 혼자 괜찮겠어?

하영 (받는) 네. 남기태 성향상 일대일로 대화해야 더 많은 말을 끌어낼 수 있어요.

영수, 녹화 장비 플레이 버튼을 누르는 데서 빨간 불이 켜지고. 하영이 관찰실을 나가면. 잠시 후, 모니터에 하영이 취조실에 들어와 남기태와 마주 앉으며 물을 건네는 모습이 보인다.

34 ___ 영등포경찰서 취조실 / 낮

하영, 고개 푹 떨구고 앉아 있는 앞에 종이컵을 밀어 건네면, 남기태가 그제야 고개를 들고 하영을 보며 반기는.

남기태 또 만났네요.

하영 그때 다시 얘기하자고 했잖아요.

35 ___ 영등포경찰서 관찰실 + 취조실 교차 / 낮

 # 관찰실

남기태와 하영이 대화하는 모습을 녹화 중인 화면을 보는 영수와 형사1, 2.

 # 취조실

하영 어땠어요. 형사들이 얘기 잘 들어줬어요?

남기태 지금까지 본 사람들 중엔 제일 잘 들어주던데요. 그래서 내가 전부 말했잖아요. 현장도 가고.

하영 (보다가) 나랑은 좀 더 편하게 얘기합시다.

남기태 (좋다는 듯 끄덕이면)

하영 (부드럽지만 강하게 우위 선점하듯) 내가 나이가 더 많으니까 편하게 말할게.

남기태 (인심 쓰듯) 어차피 다른 형사들도 다 반말했는데요 뭐.

하영 (잠시 보다가) 지난번 만났을 때, 나한테 교도소 생활 힘들었다고 말한 거 기억해?

남기태 (재차 끄덕이고) 기억나죠. 아휴, 같은 방 쓰던 조폭 새끼한테 엄청 두들겨 맞았어요.

하영　왜?

남기태　그냥 막 이유도 없이 때려. 내가 아무 말 못 하니까- (하다가 하영의 말을 기억했는지) 아니 '안' 하니까. 툭하면 두들겨 팼어요. 아마나 뉴스에 나온 거 보고 엄청 놀랬을 거야 그 조폭 새끼.

하영　속이 후련해?

남기태　음… 후련한 건가 이게? 그거까진 모르겠고… (하다가) 내가 칼 들고 사람 죽이러 다닐 줄은 몰랐을걸요. (훗, 또 반복해 말하는) 얼마나 식겁했을까? 그쵸? (하는데)

하영　(받아주지 않고) 어릴 때 성폭행당했다고 얘기한 것도 기억하지?

남기태　(순간 머뭇거리며 앞에 놓인 물을 벌컥 마시고)

 # 관찰실

성폭행이라는 말에 관찰 유리 너머로 두 사람의 대화 집중해서 보는 영수와 형사들.

스피커 밖으로는 대화 내용이 흘러나온다.

하영e　동네 노인이랬나?

남기태e　(끄덕이기만)

 # 취조실

하영　그게 몇 살 때였어?

남기태　(언짢아진) 열 살이요. 야산으로 끌고 가서 운동화 끈으로 손가락 묶어놓고. (하다 말을 멈추는)

하영　!!, 손가락을 묶었어?

남기태　예.

하영　(순간, 뭔가 떠오른 듯 CCTV에 시선을 주고)

관찰실

영수, 카메라로 자신에게 시선 주는 하영을 보며 갸웃.

하영e (강조하듯) 야산에서, 운동화 끈으로, 손가락을 묶었다고?

형사2 왜 저러시는 거예요?

영수 (눈치챈) 남기태 성폭행 사건도 자백한 거 있어요?

형사2 아뇨.

영수 그럼 야산에서 운동화 끈으로 손가락 묶인 비슷한 사건 있는지 확인 좀 해주세요.

형사2 찾아볼게요. (하며 다시 나가고)

우주에게 '야산, 운동화 끈, 성폭행 내지는 살인으로 사건 좀 검색해줘' 문자 보내는 영수.

취조실

남기태 (대수롭지 않게 끄덕이는데) 남자가 남자애를, 끔찍했지 그때.

하영 힘들었겠네.

남기태 어려서 별생각 없었던 것 같기도 한데. 그 뒤로 그 영감탱이 보면 무섭긴 했어요. (혀를 차며) 그게 시작이었어요.

하영 그게 시작이라니?

남기태 고등학교 때 옆방 아저씨한테도 두 번 당했고, (한숨 쉬며) 군대 가서도 또 당하고. 내가 동네북이야 아주.

하영 … 왜 신고를 안 했어?

남기태 그럴 의지도 없었어요. 부끄럼도 많고, 화도 잘 못 냈고… 뭐.

하영 친구들이 있었을 거 아니야. 학교든 군대든. 같이 생활하는 누구라도.

남기태 없었는데? 다 날 이용해 먹을라고나 들고 괴롭히기나 했지. 아무도 나랑 친구 안 했어요.

하영　선생님은. 학교엔 선생님이 있잖아.

남기태　(귀찮은 듯) 아, 선생님도 뭐. 그거 생활 태도 써주는 거 뭐죠?

하영　생활기록부?

남기태　(끄덕이며) 학교 다니는 내내 (손가락으로 꼽으며) '의존적, 소극적, 자주성 결여' 이 세 개가 꼭 써 있었어요. 그래서 내가 이 어려운 말을 까먹지도 않아. (되풀이하는) '의존적, 소극적, 자주성 결여.'

하영　화라도 내보지 그랬어.

남기태　화는 엄청 나는데, 겉으로는 티를 안 내요.

하영　(알 것도 같은)…

남기태　(지루한 듯 먼저 화제 바꾸는) 내 얘기나 들어볼래요?

하영　더할 얘기가 있어?

남기태　형사님은 못 들었잖아요.

하영　… (해보라는 듯 보면)

남기태　내가 완전범죄를 꿈꿨거든요? 나도 잘하는 게 있다는 걸 알고 나니까 더 잘하고 싶더라고요. (스스로 기분이 좋은 듯 씨-익 웃고)

하영　그래서 공부했어?

남기태　공부 진짜 열심히 했죠. 책도 사서 보고, 텔레비전에 중요한 정보 나오면 받아 적고.

하영　필기해둔 노트 봤어.

남기태　도움 되는 내용은 거기에 하나도 안 빼고 다 적었어요.

하영　건강 관련 내용도 많던데, 건강엔 왜 그렇게 관심이 많지?

남기태　오래 살아야 되니까.

하영　… 왜 오래 살고 싶은데.

남기태　그래야 더 많이 죽이지. (다시 씨-익 웃고)

 # 관찰실

남기태의 성폭행 전과를 간간이 들춰보며 두 사람의 대화를 계속 지켜보는 영수인데. '더 많이 죽이지' 하는 남기태의 말과 표정에 형사1과 영수, 함께 경악하고.

 # 취조실

하영 (남기태를 빤히 응시하다가) 첫 범행이 뭐였는지 기억해?

남기태 음… 국민학교 때 빈집 들어가서 돈이랑 금품이랑 훔쳤어요.

하영 성폭행은.

남기태 그건 정확히 기억이 안 나고. 젊었을 땐 주로 애들만 건드렸어요. 개네들이 말을 잘 들으니까.

하영 ……

 # 관찰실

형사1 (영수 보며) 본인도 당해봤으니 알 텐데, 그 나쁜 짓을 고스란히 따라 하네.

그때, 조용히 관찰실 들어오는 태구, 일영. 형사1과 영수에게 짧게 인사하고.

영수 (놀라는) 어떻게 왔어요?

일영 면담하는 거 항상 궁금해서 한번 보고 싶었어요.

태구 저희도 취조에 참고하면 좋을 거 같아서요.

일영 노하우가 뭔가 염탐 좀 할라고요. (하며 화면 보는데)

화면 속에 하영과 남기태 보이고, 스피커 밖으로는 대화가 들린다. 일동, 다시 집중해 보는 데서.

하영e … 얼마나 어린애들?

남기태e 국민학생 정도?

하영e (심각해지고)

형사1 (보며) 도대체 저런 건 무슨 심리에요?

영수 애들 경험이 그래서 중요해요. 자기도 모르게 쌓이거든. 물론 나쁜 경험이 모든 사람을 범죄자로 만들진 않지만… 기본적으로 애들은 스스로 대처가 안 되잖아요.

형사1 그죠.

영수 남기태는 어릴 때부터 반복된 큰 충격이 그대로 축적돼서 인격 형성에 영향을 많이 준 거 같아요.

태구 부정적인 기분에서 벗어나려고 스스로 가해자가 되길 자처한 거겠죠.

영수 그렇지.

 # 취조실

하영 (말을 잇지 못하고 차갑게 보는데)

남기태 (수다 떨듯 말하는) 한 3년 전부터는 사람도 죽여보고 싶다는 생각이 들대요?

하영 (듣다가 겨우) 3년 전이면 출소 후네.

남기태 네.

하영 교도소에서 막 나왔는데, 바르게 살아야겠다는 생각 안 들었어?

남기태 (대수롭지 않게) 별로요. 어차피 틀려먹었는데 뭘 새삼스레. 밖에 나오니까 오히려 더 흥분되던데? 막 사람을 칼로 찔러보고 싶고. 목도 막 졸라보고 싶고.

하영 맞은 게 억울해서?

남기태 그건 당연히 억울하죠. 두들겨 맞을 때마다 그 새끼 얼마나 죽이고 싶었는데.

하영 그래서 똑같이 모르는 사람한테 화풀이한 거고.

남기태 화풀인지 뭔지는 모르겠고. 난 그냥 좋아서 했어요.

하영 … 살인이 좋아서 했다.

남기태 (회상하듯) 그거 알아요? 눈앞에서 죽어가는 사람이 팔다리 파닥거리는 걸 보면… 내 심장이 막- 뛰어요. 그때서야 내가 좀 살아 있는 거 같아.

하영 누군가 죽어가는 걸 지켜보면서, 너는 살아 있다는 걸 느낀다고?

남기태 (웃으며 끄덕이는) 사람 죽이고 나면 엄청 황홀해요. (하다가) 그러니까 못 끊지.

하영 (예상한 듯 차갑게) 뭘.

남기태 (답답한) 아, 살인. 담배는 끊어도 살인은 못 끊겠더라고요.

하영 … 멈춰야겠다는 생각은 해봤어?

남기태 그냥 며칠 못하면 이미 미쳐버리겠으니까. 시도도 안 했어요.

하영 (남기태를 보는 눈빛이 매섭게 바뀌는 데서)

 # 관찰실

일영 저 미친놈… 밝은 데서 피해자 얼굴을 돌려본 이유가 저거였네…

태구 (기가 막힌 듯 보다가, 남기태를 바라보는 하영의 표정이 눈에 들어오고)

영수, 수신 문자 확인하는데 보면 우주다.

36 ___ 분석팀 / 낮

모니터에 사건 보고서 떠 있고, 관련 인터넷 기사들도 검색해 확인하는 우주. 그 위로,

우주e 2004년 1월, 부천 봉우동에서 열 살 남아 납치강간살해사건이 있어요. 자료는 따로 뽑아둘게요.

37 ___ 영등포경찰서 관찰실 / 낮 (씬35에 이어)

영수 (모두에게) 2년 전 사건인데 혹시 부천 봉우동에서 일어난 열 살 남아 납치강간살해사건 아는 사람 있어요?

태구 경기 사건들 추릴 때 본 기억 있어요.

일영 봉우동이면 2년 전에 대대적으로 기사 나고 했던 미제 사건 아니에요?

영수 (형사1 보며) 여기 팩스번호 좀 알려줘요. (하는 데서)

38 ___ 분석팀 / 낮

봉우동 관련 자료 팩스로 보내는 우주.

39 ___ 영등포경찰서 취조실 + 관찰실 교차 / 낮

 # 취조실

어느새 표정이 차갑게 바뀐 하영.

남기태 계속 지켜보고 있으면 점점 더 잔인한 걸 시도해보고 싶어진다고 해야 하나?

하영 그래서 범행 도구를 계속 바꿨어?

남기태 처음에 목을 조르는 느낌이 좋아서- (하다가) 그 왜 숨넘어갈 때, (상상하듯) 그 파닥거리는 느낌… 직접 해보니까 상상했던 것보다 훨씬 황홀하더라고요.

하영 계속 황홀이라는 표현을 쓰네.

남기태 (좋은) 이 표현이 제일 최고의 기분을 말하는 거 같아서.

하영 …

남기태 아무튼 그날 집에 와서 두 다리 쭉 뻗고 잤어요.

하영 황홀해서.

남기태 (신이 나서 끄덕이는) 그러다가 칼을 써봤는데, 피가 솟구치는 걸 보니까 미치겠대? 너무 기쁘고 흥분되고… 가끔 죽인 동네 찾아가서 추억도 해보고 그랬어요.

하영 … (작게) 추억… (하다가) 점점 표현이 다양해지네.

남기태 (으쓱하고)

하영 칼이 그렇게 좋은데, 왜 파이프렌치로 바꿨어.

남기태 칼 말고 다른 손맛도 궁금해서.

하영 그게 푸르매공원 이후였나?

남기태 그랬나? 하도 많아서 헷갈려요. (하다가 두서없이) 아! 작은 칼 쓰니까 잘 안 죽어서 답답해서 식칼로 바꿨는데, 식칼도 쉽게 안 죽더라고요. 안 죽으면 괜히 찜찜하고, 짜증도 나고.

하영 짜증은 왜.

남기태 그건 완전범죄에서 있을 수 없는 일이잖아요. 내가 완전범죄 하느라고 여자들 죽일 때 강간도 안 했는데.

하영 증거가 남을까 봐?

남기태 (끄덕) 아무리 더워도 장갑 안 벗었어. 장갑 때문에 손맛이 좀 떨어지긴 했지만, 쇠몽둥인 나름의 손맛이 있어서 괜찮았어요. 오래오래 많이 죽이려면 그 정돈 참아야지.

하영 나름의 손맛은 뭘 의미하는 거지?

남기태 사람이 (머리 가리키며) 이- 머리가 제일 약하거든요? (시늉하며) 빡! 내려쳤을 때 둔탁하게 손에 느껴지는 느낌이 있어요. (아쉬운) 아이, 이건 말로 잘 설명이 안 되고, 직접 해봐야 아는데… 피도 더 크게 뿜어지고… (하는데)

 # 관찰실

태구와 일영만 모니터 지켜보고 있다.

일영 (역겨운) 아 난 더 이상 못 들어주겠다. 저런 개소릴 어떻게 계속 듣지?

태구 (하영의 감정 아는 듯 보는) 보통 정신으로는 안 되는 일이겠지.

일영 그니까요. 저는 너무나 평균 멘탈이라… 그만 보고 나갈래요. (하며 나가고)

태구 좀 더 지켜보는데, 시선이 남기태가 아닌 하영에게 향해 있다.

 # 취조실

남기태 (말하다 말고) 나 오줌 마려운데.

하영 (한숨 내쉬고)

남기태 (대화가 재미있는지) 빨리 갔다 올게요.

잠시 후, 형사1, 2가 들어와 남기태를 데리고 나가면, 그 자리에 그대로 앉아 있는 하영인데. 무표정한 듯, 미세하게 붉으락푸르락 하는 데서 주먹을 꽉 쥐고.

 # 관찰실

태구, 그런 하영을 여전히 지켜보는 데서.

40 ___ 영등포경찰서 강력계 사무실 / 낮

봉우동 사건 자료 확인하고 있는 영수, 일영인데. 하영과 태구도 들어서고.

영수 아까 나한테 사인 준 거 맞지? (하며 건네고)

하영 !!, 맞아요. 이 사건을 언젠가 본 기억이 났어요.

태구 이것도 남기태의 짓이라고 생각하는 거예요?

일영 이 새끼의 범죄 영역은 도대체 어디까지지.

하영 열 살 남자아이, 운동화 끈으로 손가락을 결박한 게 남기태가 어릴 때 당한 방법이랑 똑같아요.

영수 (한숨 푹)

태구 추궁해봐야겠네요.

하영 (사건 보고서 들고 다시 취조실로 향하는데)

영수 하영아. 잠깐 얘기 좀.

/ins. 사무실 한 켠

한쪽에서 대화하는 영수와 하영.

영수 여기 담당 형사들한테 맡겨도 돼. 니가 모든 걸 할 필요 없으니까- (하는데)

하영　남기태는 이미 저와 강하게 라포[2]가 형성된 상태에요. 제가 직접 자백을 받는 게 빨라요.

영수　(보며) 그래. 그렇긴 한데. 저놈이 쏟아내는 끔찍한 얘기들을 니가 다 감당할 필요는 없단 얘기야.

하영　그걸 피할 생각이었으면 처음부터 시작도 안 했을 거예요.

영수　… 맞네. 내가 괜한 걱정을 했다. 잘할 수 있지?

하영　해야죠. (다시 취조실로 향하는 데서)

영수　(하영을 보는)

41 ___ 영등포경찰서 취조실 / 낮

하영　너 겁 많지?

남기태　?, 나요?

하영　생각해보니까 한국이 참 넓은데 서울, 경기 위주로 가까운 동네에서만 범행한 게 그래 보여서.

남기태　모르는데 다니다가 잡히면 어떡해요.

하영　아, 완전범죄. 그래서 열심히 달렸구나.

남기태　어? 나 매일 뛴 거는 어떻게 알아요?

하영　매일 뛰었어?

남기태　(웃으며) 몰랐구나. 어떻게 그런 거까지 아나 하고 깜짝 놀랐네.

하영　노트에 달리기 비법 적어놓은 건 봤어.

남기태　매일 하루도 안 빼먹고 학교 운동장 열 바퀴씩 돌았어요. (신이 난 듯) 그래서 내가 뛰는 거 하난 진짜 자신 있어. 아니다, 사람 죽이

2　라포(Rapport): 상담 중 발생하는 정서적 신뢰와 친밀감.

는 것도 잘하지.

하영 (기가 막힌 듯 보는데)

남기태 (그러거나 말거나 다시 신이 난 듯) 동네 여기저기 다니다 보니까 부산도 가보고 싶었는데, 잡히는 바람에 못 갔죠 뭐. (아쉬운) 안 잡혔으면 부산도 갔을 텐데.

하영 집중적으로 뉴스 나가기 시작했을 때 겁 안 났어?

남기태 왜 겁이 나요?

하영 잡힐 수도 있잖아.

남기태 (피식) 구영춘 그 새낀 무서웠대죠?

하영 갑자기 구영춘은 왜.

남기태 그 새낀 찌질이잖아요. 난 경찰 피해 다니면서 하니까 더 스릴 있고 좋던데.

하영 (되뇌이듯) 스릴… (하다가) 아직도 그 사람들한테 미안하다는 생각이 안 들어?

남기태 왜 미안해요. 난 하나도 안 미안하고, 죄책감도 안 들어요.

하영 …

남기태 오히려 더 많이 죽이고 싶단 생각밖에 안 했어요. 내가 저지른 게 여기저기 막 TV에 나오면 영웅 된 거 같고. 저거 '내가 죽였다!' 막 자랑스럽고.

하영, 더는 못 참겠다는 얼굴로 봉우동 사건 자료 테이블에 세게 탁! 올려 보인다.

남기태 ? 뭐예요?

하영 영웅 된 거 같고 자랑스럽댔지.

남기태 ?

하영 10살 남자아이를 봉우동 야산에 끌고 가서, 운동화 끈으로 손가락을 묶고, 니가 예전에 당했던 그 참담한 경험을! 이 죄 없는 어린애한테 똑같이! 실행했잖아.

남기태 (잠시 말을 멈추고)

하영 아니야?!

남기태 아니 왜 갑자기 화를 내고 그래요. 그거 말하면 달라지는 거 있어요?

하영 니가 자백 안 하면, 구영춘 같은 놈이 또 허세 떠느라 가로챌 수도 있겠지.

남기태 (생각만 해도 싫은지, 쉽게) 아이 씨… 내가 했어요.

하영 (기가 막힌 듯 보기만)

남기태 된 거죠? 자세한 건 여기 형사들한테 말하면 되는 거죠?

하영 …

남기태 나 그럼 하던 얘기 다시 해도 돼요?

하영 이런 얘기 나누는 게 그렇게 좋아, 남기태?

남기태 (재차 끄덕이며) 좋죠. 누가 내 얘기 이렇게 들어주는 거 처음이니까.

하영 사람들이 너랑 왜 대화를 안 한다고 생각해?

남기태 다들 정상인데 나만 돌아이 같으니까.

하영 돌아이.

남기태 이유 없이 불안하고, 복잡하고, 막 머릿속이 혼란스러워서 나도 미치겠을 때가 많으니까 남들 보기에도 이상하겠죠.

하영 살인을 할 땐 그런 기분에서 벗어났고.

남기태 아까 얘기했잖아요. 그래서 못 끊는다니까요. (다시 신이 난) 이게 찌를 때도 피가 너-무 많이 튈 것 같은 곳은 웬만하면 피하고, 배나 옆구릴 찔러요. (하는데)

하영 (참다못해) 난 니가 인간 이하의 짐승보다 못하다고 생각하는데. 어때?

남기태 ?

하영 너는 영웅이 아니라 그냥 화만 가득해서 무식하게 칼이나 휘두르는 놈 같다고.

남기태 (웃고) 맞죠. 누가 아니랬나. (그러다가 다시) 더 들어봐요.

하영 더 들으라고?

남기태 이런 얘긴 아무한테도 할 수가 없으니까 진짜 너무 답답했어요. 지금 아니면 또 못할 거잖아. 그러니까 더 들어줘요.

하영 … (보기만 하는데)

남기태 (아랑곳 않고 다시 떠들어대는…) 나는 죽이는 방법 중에 목 조르는 걸 제일 좋아하거든요? 아까도 말했지만- (하는 데서)

웃는 얼굴로 수많은 말을 쏟아내는 남기태를 보는 하영. 더 이상 남기태의 말이 귀에 들리지 않는 듯… 말소리 점점 멀어지면서 그저 신이 난 남기태의 표정만 느리게 보인다.

남기태e (먹먹하게 멀리 들리는) 그 파닥거림을 지켜보는 게 기분이 너무 좋아. 한번 그렇게 죽이고 나면 일주일에서 보름 정도는 그 기분이 유지되는데, 지나면 다시 충동이 일어나요. 자주 하면 아무래도 추적이 심해지니까-

하영의 멍한 시선 위로. "형사님. 형사님" 재차 부르는 남기태의 목소리.

하영 (그제야) 응.

남기태 듣고 있죠?

하영 (보며) 남기태.

남기태 예?

하영 잡힌 게 억울하지?

남기태 안 잡혔으면 일평생 전국을 누비면서 최고의 연쇄살인마가 될 수 있었을 텐데… 그거 생각하면 많이 아쉽죠. (잠시) 이제 다시는 못 하니까….

하영 맞아. 이제 다시는 못 할 거야. (하는 데서)

하영, 다 끝났다는 안도 끝에 좌절감이 몰려오는 듯…
솟구치는 괴로움에 두 눈을 질끈 감아버리는 데서.

42 ___ 영등포경찰서 강력계 사무실 / 낮

힘없이 들어오는 하영을 안타깝게 바라보는 영수, 태구, 일영.

하영 봉우동 사건 자백했습니다.

형사과장1 (만족스러운 듯 어깨 툭툭 쳐주고) 이야- 소문이 그냥 난 게 아니네. 오늘까지 자백이 이어질 줄은 몰랐는데. 수고했어!

하영 (영수 보며) 가죠.

하영, 영수, 태구, 일영 사무실 나가는데.

형사과장1 아 참! 송 경위.

일동 (나가려다 말고 돌아보면)

형사과장1 (하영에게 다가가 손수건(씬 동) 건네는) 송 경위 꺼라길래 잘 챙겨두라고 했는데 깜빡할 뻔했네.

하영 (받길 망설이다가 이내 받고) 감사합니다.

43 ___ 영등포경찰서 복도 / 낮

하영, 쓰레기통에 기분 나쁜 얼굴로 손수건을 툭 던져버린다.
그 모습에 놀란 영수, 태구, 일영.

영수　그걸 왜 버려? (하며 다시 꺼내려는데)
하영　남기태가 쓴 거예요.
영수　(그 말에 멈칫)

영수, 태구. 일영. 하영의 기분을 아는 듯 차마 말도 못 건 채 눈치만 보며 걷는다. 하영은 남기태와의 면담 여파가 가시지 않는 듯 멍하니 가는 모습에서.

44 ___ 광수대 사무실 / 낮

앵커e　지난 2004년 발생해 미제로 남을 뻔했던 경기도 봉우동 초등생 납치 살인 사건 역시 남기태의 범행으로 밝혀져 충격을- /지난 2년간 저지른 범행 일체를 자백한 남기태가 오늘 낮 검찰로 송치됐습니다.

/ins. 영등포경찰서 밖
남기태를 양쪽에서 포박해 나오는 영등포서 형사1, 2.
최 기자, 임무식 외 몰려든 기자들은 사진 찍느라 정신이 없는.

사무실 TV로 송치되는 장면을 지켜보는 태구, 일영, 준식 외 광수대 팀원들.

45 ___ 서울지방경찰청 화장실 / 낮

하영na 자그마치 14명의 무고한 생명이 남기태의 손에 희생됐다.

세면대에서 손을 씻는 하영. 그때 통화하며 화장실로 들어오는 임무식이 하영을 못 보고 개인 칸으로 바로 들어가는데.

임무식e 최윤지 개는 감은 있는데 포커스를 못 잡아. 송하영이 재료 던져주면 남기태가 다 만들어서 떠먹여주는 판국에 남겨진 사람들 타령이나 하고 있어. (사이) 그래. 그 새끼가 얼굴도 보면서 죽였대잖아. 도대체 무슨 생각을 했을까? 인터뷰 하나 따면 딱 좋겠는데.

하영, 통화 내용이 거슬리는 듯 손을 씻다 멈추는데. 표정이 매섭게 바뀌어 있고.
그런 줄도 모르고 개인 칸에서 나오는 임무식. 세면대로 다가가 하영의 옆에 선다.
임무식, 전화 끊고 손을 씻으면, 그제야 자신의 세면대 물을 잠그는 하영. 임무식을 빤히 지켜보는데. 시선을 느낀 임무식, 힐끔 하영을 보다가.

임무식 (의식한 듯) 아이구. 송하영 경위님 안녕하세요. 요즘 능력 좋다고 소문이-(하는데!!)

임무식의 멱살을 잡아 벽에 밀어 세우는 하영!

임무식 (당황하며 소리치고) 뭐야! 뭐 하는 거야!!

아랑곳 않고 임무식의 얼굴에 주먹을 날리는 하영!! 임무식이 맥없이 나동그라지고.

하영 (그런 임무식 내려다보며) 니가 남기태랑 다른 게 뭘까?

임무식 뭐 이 새끼야?!

임무식, 씩씩대고 일어서며 때릴 기세로 주먹 휘두르는데, 한 손으로 임무식의 팔을 잡아 꺾는 하영. 임무식, "아아!" 하면서도 다시 남은 손을 휘두르고. 하영이 그 팔마저 잡아채 임무식의 양팔을 만세 자세로 결박한다. 힘에 부쳐 꼼짝없이 버둥대기만 하는 임무식.

임무식 너 내가 가만 안 있을 거야! 어디서 기자 무서운 줄을 모르고! 지금 이 행동 후회할 거야!! 고소장부터 날라갈 줄 알아!! (하는데)

하영 고소장, 내가 먼저 안 날린 걸 다행으로 여겨. (하며 내동댕이치면)

임무식 (나가떨어지며) 뭐?!

하영 허락도 없이 무단으로 사진 실은 대가야.

하영, 나가려다가 임무식을 다시 돌아보는데, 씩씩대는 임무식 코에서 코피가 흐른다. 휴지 둘둘 말아 바닥에 내팽개쳐진 임무식에게 던져주고 나가는 하영인데.

46 __ 화장실 앞 / 낮

안에서 나온 하영이 밖에 서 있던 영수를 보지도 못하고 그대로 가버리는 데서. 영수 역시 하영을 부르지도 못한 채 문을 여는데.

임무식이 씩씩대며 코피를 닦아보고 얼굴을 잔뜩 찡그리다가 문을 연 영수와 눈이 마주친다. 민망하고 쪽팔린 듯 얼른 옷과 얼굴을 추스르고 나가버리는 임무식과 임무식이 나간 자리 그저 멍하게 보는 영수.

47 __ 분석팀 / 낮

하영, 옷매무새 흐트러진 채 들어와 자리에 앉으면, 의아한 듯 하영을 보는 우주.
하영의 손과 소매에 임무식의 코피가 묻어 있고.

우주 (놀란) ?, 경위님 그거 피예요?

그때 영수도 들어와 앉아 하영을 본다.

하영 (시선 잠시 줄 뿐, 태연하게 휴지 가져다가 슥슥 닦고)
우주 어디 다치셨어요? 손 왜 그러세요.
하영 아무 일도 아니야.
영수 (그런 하영을 보기만)
우주 (일어나 다가가며) 이거 피 맞는데요? 코피 흘리셨어요?
하영 (귀찮은 듯) 응. 다음 주 면담 갈 수감자 목록 나왔지?
우주 네. 금방 정리해서 드릴게요. (하는데)

아무 일도 없다는 듯 자리에 앉는 하영을 보다 못해 자리를 박차고 나가는 영수.
우주는 하영과 영수의 행동이 모두 의아한 듯 갸웃.

48 ___ 형사과장실 / 낮

준식 앞에 따지듯 서 있는 영수.

영수 분석팀 휴가 보내주세요.

준식 잉? 갑자기 뭔 소리여.

영수 아니 난 됐고, 하영이랑 우주- (하는데)

준식 갑자기 휴가는 왜. 이제 막 주가도 오르고 판이 커질 참인데. 여기저기서 송 경위 찾느라 난리여.

영수 그러니까 더 쉬어야 해요.

준식 송 경위가 지릴 비우면 사람이 없잖여.

영수 쉬어야 된다고요!

준식 (놀라는)

영수 이러다 사람 하나 잡을 거 같아서 그래요! (쏟아내듯) 제가 그래서 과수 계장 못한다고 했죠! 분석팀에 우리 애들 달랑 둘 있는 거, 저라도 애들 챙겨야 한다고! 걔가 혼자서 너무 힘드니까… (말 못 잇는데)

준식 뭔 일인지는 모르겠지만 이제 겨우 국 계장 원하는 대로 분석팀 인정받았잖어. 근데 하필 지금 쉬어버리면- (하는데)

영수 !, 안 하겠다는 걸 내가 집까지 쫓아가서 설득했어요. 하영이 저거 범인 잡겠다고! 범인의 시선으로 보겠다고! 칼까지 쥐고 현장을 돌아다녔다고요!

준식 뭐?! 뭔 소리여 그게. 송 경위가 칼을 왜 들어?!

영수 (답답한) 나 하나 죄책감 드는 건 괜찮은데, 하영이 저렇게 무너지는 꼴은 더 못 봐요.

준식 송 경위가 왜 무너져. 그게 뭔 소리냐고!

영수 (더 듣지 않고) 우리 애들 무조건 쉬게 할 거예요. 허락받으러 온

거 아니니까 그렇게 아세요. (하고 나가면)

준식　국 계장!! 국영수!! (하는 데서)

49 __ 분석팀 / 이른 저녁

사무실 들어서는 영수.

영수　오늘은 우리 일찍 퇴근하자.

우주　?, 벌써요? (하며 시계 보는데 5시 언저리)

하영　전 더 하다 할게요. 바쁘시면 먼저 들어가세요. (잠시 눈길 주고 바로 다시 면담할 수감자 목록 보는)

영수　아니 다 같이 퇴근하는 거야. 그리고 이번 주는 출근 안 해도 돼.

우주　네? 그건 또 무슨 말씀이세요.

하영　?

영수　분석팀 휴가야. 두 사람 다 잘 쉬고 다음 주 월요일에 출근해.

우주　와! 이런 휴가 6년 만에 처음인 거 같은데요.

영수　그동안 못 챙겨줘서 미안하다. 잘 쉬고, 충전하고 돌아와.

하영　다음 주 면담할 수감자 준비해야 해요.

영수　면담은 미루면 돼.

하영　그걸 왜 미뤄요-

영수　(OL) 팀장이자, 과수 계장으로서 하는 명령이야. 분석팀은 일주일간 휴가야. 우주는 얼른 들어가고.

우주가 두 사람 눈치 잠시 살피고, 조용히 "네" 인사하며 퇴근하고. 하영, 영수만 남은 사무실. 두 사람 사이에 잠시 정적이 흐른다.

영수 하영아.

하영 네.

영수 (뭐라도 건네보는) 밥 먹고 갈래?

하영 (그럴 기분 아닌) 아니요. 저도 오늘은 먼저 들어 가보겠습니다.

영수 (뭔가 말하려다 말고)… 그래. 다음 주에 보자.

하영 (짐 몇 가지 챙겨 들고 나가려는데)

영수 하영아.

하영 네.

영수 연락해. 아무 때나. 시간도 상관없으니까 (잠시) 답답한 마음 올라오면 꼭 연락해.

하영 … 네. 가볼게요. (하고 나가면)

영수 (하영의 뒷모습 보는 데서)

50 ___ 호수공원 / 이른 저녁

벤치에 앉아 사람들의 모습을 멍하게 바라보는 하영. 저만치 호수 위로 찬란하게 부서지는 윤슬, 풀밭에서 뛰노는 강아지, 강아지를 어설픈 걸음으로 아장아장 쫓는 아이, 벤치에 앉아 무릎베개를 한 연인, 돗자리에서 간식을 즐기는 가족들의 모습 등… 저마다의 시간을 즐기는 행복한 소음들 들리는데. 그 풍경 속에 하영은 계속 강아지 쫓는 어린아이를 보는 조현길의 모습을 발견하고.

조현길e (5화) 개도 재수가 없었죠. /거기서 내 눈에 띈 게 잘못이란 거죠.

연인을 탐하는 양용철을 발견하고.

양용철e (2화) 내가 꽁짜로 물라다가 이래 된 거 아입니까.

가족을 노리는 구영춘을 발견한다.

구영춘e (8화) 살인은 그냥 내 직업 같은 거지.

행복한 모습을 볼 때마다 곳곳에 도사리고 있는 범죄자들의 모습을 끝없이 발견하는 하영. 고통스러운 표정으로 핸드폰 들고. '국영수 팀장님' 통화 버튼 누르려다… 다시 핸드폰 닫는다.

51 ___ 하영의 차 안 (도로 어딘가) / 밤

칠흑 같은 어둠 속. 한 치 앞도 보이지 않는 시커먼 도로를 질주하는 하영.

조강무e (2화) 씨(발-) 멍청하게 당하고만 있는 거 볼 때마다 짜증 났어요.
장득호e (3화) 팔다리 쓱쓱 썰어서 둘 둘로 나누면 총 몇 조각이지?
구영춘e (8화) 욕실 들어가는 문턱 있죠? 거기가 바로 이승과 저승을 가르는 선이랄까. 내가 지배하고 결정하는 삶과 죽음의 선.
남기태e (10화) 돈 없이 사는 사람들이 허술하게 사니까 당한 거지 뭐. /내가 왜 미안해요. 다 없이 사는 게 잘못이죠. /(10화, 씬37) 담배는 끊어도 살인은 못 끊겠더라고요.

이제껏 만난 범죄자들의 말들이 연달아 떠오르고. 고요함 속에 과속으로 달리는 엔진 소리만 유난히 크게 들리는 데서, 제한 속도 이미 한참 넘은 계기판 숫자 바늘은 점점 더 올라가고… 뭐라도 금세 튀어나와 충돌할 것만 같은 밤의 도로와 그 도로를 질주하는 하영의 표정이 모두 위태롭기만 한데. 2차선 도로에서 마주 오던 운전자가 속도를 내 쌩하고 달리는 하영을 “어어?!” 돌아보며 가는 그때! 저만치에서 끼익-!!! 격렬한 급브레이크 소리 들리더니, 커다랗게 쿵!! 하는 충돌음이 이어진다!!!

하영을 지나쳤던 운전자가 그 소리에 도로 갓길에 차를 세우고, 전화하는 모습에서. 하영이 지나간 방향을 비추면… 좁은 2차선 도로 한가운데 전복된 하영의 차!!!
그 위로, 구급차 소리 오버랩되고!

/ins. 씬1 동
저마다의 시간을 즐기는 평화로운 호수공원 풍경 속에 행복한 소음들과 큰 숨을 반복해 내쉬는 하영의 느린 호흡 소리가 하영의 귀에 박히듯 번갈아 크게 들리고. 그 사이를 천천히 걷는 하영의 느린 발걸음이 슬로로 걸리는 데서.

의사e (둔탁한) 송하영 님!

52 ___ 병원 밖 + 안 / 밤

호흡기 달고 힘겹게 숨을 이어가는 하영. 겨우 눈을 떠보려 애쓰는데, 간이침대에 덜컹 옮겨지면서 병원 안으로 다급히 이동하는 하영의 시선에 검은 하늘과 백색의 병원 천장이 차례로 들어온다. 띠띠띠- 하는 이름 모를 기계음 소리와 “차량 전복 환자예요” “도로에 공사 중 표지판이 없었나 봐요” “응급 수술 준비하고!”

"보호자 빨리 연락해!" 하는 다급한 목소리들 두서없이 오가다가 "어? 눈뜬 거 같은데, 송하영 씨 정신이 드세요?! 송하영 씨!" 재차 부르는 응급 의사의 목소리에서…
다시 의식이 멀어지는 하영의 모습에서.

싸구려 노래 반주 위로 에코 빵빵하게 섞인 중년 남녀의 노랫소리 선행되고.

53 ___ 노래방 / 밤

정신없이 반짝이는 조명 아래에서 마이크 들고 신나게 노래하는 중년 남녀가 보인다.

54 ___ 버스정류장 / 밤

외진 곳에 위치한 버스정류장. 조금 전, 신나게 노래하던 중년 여성이 아무도 없는 정류장에서 혼자 버스를 기다리며 서 있다. 잠시 후, 그 앞으로 다가와 천천히 멈추는 고급 세단.

차량 남 (창문을 반쯤 열고) 여기 대종호수 가려면 어느 쪽으로 가야 돼요? (묻는)

중년 여 (경계하듯) 네?

차량 남 (미소로) 아, 저 이상한 사람 아니고요.

차량 남, 안심시키려는 듯 보조석 차 창문을 다 내리면, 강아지 두 마리를 껴안고 찍은 깔끔한 외모의 남자 사진이 보인다. 중년 여성의 시선이 자연스럽게 차량 남에게 향하는데, 깔끔한 말투와 외모가 사진 속의 남자와 같고.

차량 남 (시선 느끼고) 제가 여기가 초행길이라서요.

중년 여 (조금 다가서고) 요 앞에서 우회전해서 쭉 가다가 다시 작은 사거리가 나오면 좌회전- (하는데)

차량 남 어디까지 가세요?

중년 여 네?

차량 남 괜찮으시면 가는 길에 내려드릴게요.

중년 여 (당황) 아녜요. 전 버스 타면 돼요.

차량 남 (미소 보이며) 저 이상한 사람 아니에요. (하며 사진 쪽으로 일부러 시선 주면)

중년 여 (차량 남의 시선에 강아지와 함께 찍은 사진을 보는)

차량 남 어차피 가는 길이니까 방향 비슷하면 내려드릴게요. 가는 길에 대종호수 가는 길도 알려주시면 저도 더 편하고요.

중년 여 (저만치 도로를 보며 망설이는데)

차량 남 버스 한참 기다려야 하는 거 맞죠?

중년 여 (여전히 망설이면)

차량 남 (괜히 포기하는 척) 부담스러우신가 보다. 그럼 설명만 다시 해주세요. 여기서 우회전 한 다음에 다시 뭐랬죠?

중년 여 다시 작은 사거리 나오면… 거기서 좌회전했다가…

차량 남 잠깐요. 적을게요.

중년 여 (보는)

차량 남 (종이와 펜 찾는 척 뒤적이더니) 종이도 없네. (하며) 에이, 서로 편하게 그냥 타시지.

중년 여 (주춤하다가) 그럼… 잠깐 실례할게요.

차량 남 (그제야) 실례는요. 무슨 (하며 팔을 뻗어 보조석 문을 열어주는)

여자가 차에 오르면, 문이 닫히고…
저만치 어둠 속으로 멀어지는 고급 세단이 비춰지는 데서.

55 ___ 병원 / 밤

뚜- 뚜- 뚜- 호흡기에 의지해 힘겹게 숨을 이어가는 하영.

56 ___ 하영의 꿈 (1화. 1씬 동)

물에 빠져 물속 시신과 마주하고 있는 어린 하영. 작은 팔을 뻗어 보지만 닿지 않고… 애써 더 가까이 손을 내밀던 어린 하영이 /어느새 현재의 하영의 모습으로 바뀌어 있다. 손을 잡아주려는 듯 더 커진 팔을 힘껏 뻗어보지만 여전히 닿지 않고. 그럴수록 점점 멀어지기만 할 뿐… 무기력하게 물밑으로 가라앉으며 이내 슬픈 표정으로 시신을 바라만 보는 하영. 천천히 더 깊게 가라앉는 모습에서…

작가 Comment (1)

영등포경찰서에 뒤늦게 도착한 영수의 동선을 보여주기 위해 추가했다.

1-1 _ 강의실 / 아침

칠판 위에, 'kcsi 과학수사 실습교육 서울지방경찰청 과학수사계 국영수 계장님 특강' 현수막 붙어 있고. 슬라이드 자료와 함께 강의 중인 영수의 모습이 보인다.
잠시 후, 영수가 "일요일 아침부터 수업 듣느라 고생들 했어요" 하면, "수고하셨습니다" 하며 자리에서 일어나기 시작하는 학생들. 영수, 짐을 챙기며 잠시 핸드폰 확인하는데, 일영의 부재중 전화 3통 떠 있다.

영수 남 형사 전화했네? 아침부터 경찰대 특강이 있어서 이제 봤어.

일영e 계장님, 영등포경찰서로 빨리 오세요. 송 경위님이 자백받으러 들어가셨어요.

영수 자백?! 갑자기 무슨 자백?!

일영e 강도 사건인데 이상하다고 연락이 와서 윤 팀장님랑 살펴봤거든요.

다급히 짐을 챙겨 강의실 나가는 영수.

1-2 _ 영등포경찰서 앞 / 아침

택시에서 내려 다급히 경찰서로 향하는 영수의 모습에서.

일영e　그랬더니 소심한 공격성 생각이 나면서 감이 딱 오더라고요. 송경위님한테 바로 말씀드리고 같이 뛰어왔어요.

작가 Comment (2)

영등포서 담당 형사와 남기태의 취조 대사를 추가했다.

68 ___ 영등포경찰서 취조실 / 밤

남기태를 잘 달래며 취조하는 영등포서 형사1, 2. 형사1은 대화를 끌어가는 중이고, 형사2는 계속 기록하며 듣고 있다. 형사1, 2에게 말을 늘어놓는 남기태. 어딘가 잔뜩 신이 나 보이는 얼굴.

형사1　지하철에서 내려서 많이 걸어간 거 같은데… 신홍6동 빌라까지. 안 힘들었어?

남기태　내가 체력에는 자신 있거든요. 매일 운동장에서 한 시간씩 달리기 했어요.

형사1　달리기는 왜 했는데?

남기태　그거야 당연히, 찌르고 빨리 도망가야 안 잡히잖아요.

형사2　(기록하다 잠시 어이없게 쳐다보고)

형사1　(시선 느끼고 얼른 받아 적으라는 손짓) 그러네. 빨리 뛰면 우리도 잡기 힘들지.

남기태 (인정받았다는 뿌듯한 표정)

형사1 그럼 범행 장소는 어떻게 골랐어? 그 빌라를 고른 이유가 있어?

남기태 그냥 문 열어보면 돼요.

형사1 문? 현관문?

남기태 그게 아니라 밖에 베란다 쪽 창문을 열어봐야죠. 새벽엔 다들 자느라 길에 사람들 없으니까 조용하게 그냥 한 집씩 열어보고 다녀요. 그러면 꼭 하난 열려 있거든요.

형사1 그럼 오늘 새벽에는 이중 빌라 1층이 열려 있어서 들어간 거야?

남기태 네, 길거리에 사람들이 좀 있어서 멀리까지 걸어갔는데… 열린 집이 없어서 오래 헤맸어요. 나중엔 배도 고팠다고요. 근데 다른 사건은 안 물어봐요? 나 다 얘기한다고 했는데.

11화

1 ___ 해안 도로 / 밤

어두운 해안 도로를 달리는 고급 세단(10화, 씬54 동). 한참을 달리다가 어느새 해안 절벽을 끼고 이어진 굽은 도로를 오른다. 시커먼 밤의 바다가 드넓게 펼쳐진 절벽 앞. 차가 멈추고. 남자(10화, 차량 남)가 내린다. 우호성이다. 잠시, 절벽 아래로 고요하게 펼쳐진 검은 바다를 내려다보는 우호성. 이내 차로 다가가 트렁크를 열면, 시체가 들어 있을 법한 커다란 검은색 가방이 놓여 있다.
잠시 후. 멀리 우호성이 서 있던 높은 절벽이 비춰지고 그 아래로 던져지는 검은 물체가 보인다. 수면에 닿았음을 알리듯 고요함 속에 풍덩! 잠시 잠깐의 짧은 마찰음 들리다가 다시 아무 일 없는 듯 고요해지는 풍경에서…

2 ___ 하영의 꿈 (10화, 씬56 동) / 밤

적막한 수면 아래, 검은 머리카락 흔들거리며 가라앉는 시신을 향해 힘껏 손을 뻗는 하영. 그럴수록 눈앞의 시신과는 점점 더 멀어지기만 할 뿐이고. 이내 슬픈 표정으로 시신을 바라만 보는 데서. 뚜- 뚜- 뚜- 수술실의 기계음 소리 선행되는.

3 ____ 수술실 / 밤

응급 수술을 진행하는 기계음과 기구 소리들만 예민하게 오가는 수술실. 산소호흡기 달고 수술대 위에 누워 있는 하영의 주위로, 수술에 온전히 집중하고 있는 집도의와 의료진들이 보인다.

4 ____ 수술실 앞 / 밤

묵주를 손에 쥐고 침착한 얼굴로 기도하는 영신과 어두운 얼굴로 차마 그 옆에 앉지도 못한 채 벽에 기대선 영수.

/ins. 수술실 + 수술실 앞 + 병원 외경
수술 중인 하영의 모습에서, 계속 초조한 얼굴로 자리를 지키고 있는 영수와 영신. 이내 어두운 밤이 지나고 동이 터오는 병원 외경 보이고.

수술실 문이 열리면, 영신과 영수가 기다렸다는 듯 얼른 일어선다. 안에서 수술모를 벗으며 나오는 지친 모습의 집도의가 두 사람에게 다가가 "다행히 고비는 넘겼고요. 마무리되면 중환자실로 옮겨서 환자 회복 상태 지켜보겠습니다" 하며 하영의 상태를 전하고. 그 말에 집도의에게 감사하다는 말 연거푸 뱉는 영신과 안

도의 한숨 깊게 내쉬는 영수. 집도의가 다시 안으로 들어가고 수술실 문이 닫히면, 영신이 끝내 참았던 눈물을 터뜨린다. 그런 영신을 다독이는 영수.

5 ___ 중환자실 / 아침

호흡기에 의존해 누워 있는 하영을 지켜보는 영신과 영수.
영신은 하영의 손을 꼭 잡고 앉아 있다.

영수 (어렵게 말을 꺼내는) 제가 잘 챙겼어야 하는데.
영신 (하영을 보며 한시름 놓은) 이제 됐어요. 하영인 꼭 일어날 거예요.
영수 …

눈을 감고 있는 하영을 안타깝게 지켜보기만 하는 영수.

6 ___ 병원 앞 택시 정류장 / 아침

택시가 한 대도 없는 정류장 의자에 지친 얼굴로 앉아 있는 영수.
손에 쥔 핸드폰만 계속해서 울린다. 보면, '백준식 과장님' 떠 있다. 그 위로, /(10화, 씬48) '나 하나 죄책감 드는 건 괜찮은데-' 하는 영수 목소리 들리면서.

/ins. 형사과장실(10화, 씬48)

영수 하영이 저렇게 무너지는 꼴은 더 못 봐요.

/다시 택시 정류장

영수, 여전히 울리는 핸드폰 화면에 뜬 '백준식 과장님' 이름을 말없이 보기만 할 뿐. 받지 않는 모습에서.

7 ___ 영수의 회상. 옥상 + 중환자실 (9화, 씬21에 이어)

 # 옥상

하영과 대화하는 영수.

하영 여섯 살 때요.

영수 (?, 하영을 보는데)

하영 어린이날 어머니랑 놀이동산에 갔다가 처음으로 사람이 죽은 걸 봤어요.

영수 (가만히 듣는)

하영 물에 빠진 시신이었어요.

/ins. 1화, 씬1. 들것에 옮겨지는 시신 위로

하영e 처음엔 왜 그러고 있는지 몰랐어요. 그러다 사람들이 하나둘씩 그 시신을 보면서 비명을 지르는데… 그럴수록 더 슬퍼 보였어요.

 # 중환자실

영신, 하영의 손을 꼭 잡고 기도하고 있고. 호흡기에 의지해 누워 있는 하영의 표정은 꿈을 꾸는 듯 슬퍼 보인다. 그 위로,

하영e 물속에서 혼자 얼마나 외로웠을까. 얼마나 무섭고 슬펐을까. 그런 생각을 하면서도…

옥상

하영　전 그때 그 손을 못 잡아줬어요.

영수　…

하영　지금도 종종 생각이 나요. 그게 뭐가 어려워서 못했을까. 아니, 안 했을까…

하영을 보는 영수와 하영의 슬픈 어린 얼굴에서.

8 ___ 병원 앞 택시 정류장 / 아침 (씬6에 이어)

영수　(혼잣말) 넌 그때도 지금처럼, 분명 그 사람을 위해 할 수 있는 일을 했을 거야.

그때 영수 앞으로 택시 다가와 멈추고.

9 ___ 형사과장실 / 아침

한참을 들고 있다가 전화기 내려놓는 준식. 그 앞에 태구와 일영이 걱정스러운 얼굴로 서 있다.

준식　(고개 저으며) 안 받네.

태구　… 별일 없겠죠.

일영　(애써) 그럼요. 원래 무소식이 희소식이잖아요. 기다리면 연락 주시겠죠.

준식　그려… 연락 오겄지.

태구와 일영, 사무실을 나가는.

10 ___ 택시 안 / 아침

라디오에서 구영춘과 남기태 관련 뉴스 흘러나오고. "지난해 희대의 살인마 구영춘에 대해 사형이 확정된 가운데, 서남부 연쇄살인 사건의 피의자 남기태가 '지금이라도 밖에 나가면 또 살인을 할 것'이라고 전해 충격을 주고 있습니다."

기사 (분노하는) 에이- 우라질 놈들.

다시 "남기태의 첫 공판을 앞둔 상황이라 사형제에 관한 존폐 문제가 다시 부각되며 논란이 되고 있는데요" 하는 라디오 목소리 이어지고.

기사 저런 놈들은 죽어도 속이 시원찮을 판에 왜들 살려주자고 하는지 모르겠어요. 인간 아닌 것들한테 인권이 웬 말인지. 안 그래요? (룸미러로 영수 힐끗 보는데, 피곤한 기색 비치고)

영수 (듣고 싶지 않은) 기사님 죄송하지만, 그것 좀 꺼주시겠어요. 제가 지금 머리가 너무 아파서요.

기사 아, 네. (끄며) 듣기 좋은 뉴스는 아니죠. (다시 힐끔) 조용히 가겠습니다.

이내 조용해진 택시 안. 머리 복잡한 듯 영수의 시선이 어디를 향해 있는지도 모르게 창밖만 보며 가고.

11 ___ 중환자실 / 낮

호흡기에 의존해 누워 있는 하영의 모습 위로.

타이틀, 악의 마음을 읽는 자들 11화

12 ___ 거리 일각 + 영웅 노래주점 입구 / 낮

카메라가 핸드폰 통화하며 걸어가는 남자의 뒷모습을 쫓는다. 전화 밖으로 "어디세요. 박 계장님" 하는 남자 목소리 들리고.

박 계장e (계속 걸어가는 뒷모습만) 나 여기 토중동 왔어. (핸드폰 너머 "거긴 왜요?" 하는 목소리 다시 들리고) 실종 사건 하나 확인하러. (엥? 실종이요?? 하는데, 말 끊고) 이따 들어갈게. (하며 전화 끊는)

가게들 즐비한 거리가 어느새 가게들 드문드문 자리한 지방 소도시 풍경처럼 바뀐다. 남자의 걸어가는 뒷모습 쭉 따라가는 데서, 저만치 버스정류장(10화, 씬54)도 스치고. 이내 영웅 노래주점 간판 붙은 입구로 들어서는 남자.

13 ___ 영웅 노래주점 안 / 낮

사장(50대 남)이 빗자루 들고 청소 중인 영업 전의 노래주점. 어느 룸에서 노래 반주에 열창하는 막내(1~2화/이하, 문 형사) 목소리 들린다. 그때 딸랑- 종소리와 함께 입구 문을 열고 들어서는 남자, 박 반장(1~2화/이하, 박 계장)이다. 박 계장이 들어서자 청소하던 사장이 "아직 영업-" 말을 떼면, 경찰공무원증 내보이는 박 계장. 노랫소리 무시하고 공간을 찬찬히 둘러보다가, 이내 노랫소리 들리는 룸을 찾아 들어가는.

룸 안. 박 계장이 온 줄도 모르고 혼자 마이크 치켜들고 열창 중인 문 형사. 박 계장이 리모컨으로 반주 툭 끄면. 그때서야 "어?" 하며 돌아보는 문 형사인데.

박 계장 신났냐?

문 형사 (멋쩍은) 기다리는 동안 지루해서.

박 계장 (앉으며) 보고 해봐.

문 형사 ?, 전화로 말씀드렸잖아요.

박 계장 (보다가) 여기서 노래하고 나갔는데, 그 뒤로 연락이 두절됐다는 거?

문 형사 네.

박 계장 손님이랑 나간 것도 아니고, 혼자 나갔다며.

문 형사 네.

박 계장, 문 형사를 빤히 보면, 문 형사도 박 계장을 멀뚱히 보고 서 있다.

박 계장 끝이야?

문 형사 네?

박 계장 노래방에서 손님이랑 신나게 놀다가 먼저 집에 간다고 나간 40대 여성이, 그 뒤로 연락이 안 된다. 그게 끝이냐고.

문 형사 (당연하게) 네.

박 계장 (속 터지는 듯 방을 나가버리고.)

문 형사 박 반장님! 아니 박 계장님! (하며 따라 나가고)

14 ___ 영웅 노래주점 앞 / 낮

앞서가는 박 계장을 따라가는 문 형사.

문 형사 아 박 계장님!

박 계장 (뒤도 안 보고) 여기까지 불렀으면, 그 이상이 있어야 할 거 아냐!

문 형사 엄밀히 제가 부른 건 아니죠. (알아서 오신 거지… 뒷말 삼키는)

박 계장 (잠시 멈춰 돌아보면)

문 형사 (겁먹은 듯 주춤)

박 계장 나더러 그걸로 범죄 첩보 보고를 하라고? 너나 해. (다시 걸어가며 구시렁대는)

문 형사 올해 2월에 여기 말고 다른 노래방에서도 실종된 피해자가 있어요!

박 계장 (다시 멈춰 돌아보면)

문 형사 (씨익 웃으며) 한국말은 끝까지 들어보셔야지.

박 계장 아깐 끝이라며 이 씨- (하며 멀리서 손 치켜드는데)

문 형사 (멀리서도 위협적인지 피하고, 노래방 간판 가리키는) 여기 사건은… 그게 끝인 게 맞잖아요.

박 계장 (위협적으로 다가가면, 뒷걸음질 치는 문 형사) 너 지금 뭐 하냐, 나랑 노냐-! (하는 데서)

15 ___ 경기지방경찰청 형사과장실 / 낮

길표에게 보고하는 박 계장.

길표 (보고서 보며) 두 껀이나 있다고?

박 계장 예. 올해 2월에 수원에 있는 노래방에서도 실종된 종업원이 있었는데 그건 신고를 안 했대요.

길표 왜?

박 계장 갑자기 연락 끊고 다른 가게로 옮겨가는 경우가 많으니까 그러려니 했나 봐요.

길표 미신고 껀을 어떻게 알고 확인한 거야?

박 계장 이 사건 조사 중에 수원에 있는 노래방에서도 일했던 지인이 거기서도 종업원 하나가 갑자기 연락 두절됐었다고 했대요.

길표 (고민하는)

박 계장 더 알아볼까요 어떻게 할까요.

길표 니 생각은 뭔데.

박 계장 내 생각이야 뭐 지시 떨어지면 조사하고, 말라면 마는 거죠.

길표 형사적 감이니, 냄새니 기름칠이라도 하는 성의를 보여봐라 좀.

박 계장 제가 그놈에 기름칠 따라가다가 쭉- 미끄러진 전력이 있어서.

길표 (안다는 듯 보면)

박 계장 그래서 매사가 조심스럽습니다.

길표 (다시 고민하는데)

박 계장 (나가려다가, 쓰윽 던져보는) 두 건 다 실종 여성이 똑같은 직군이잖아요.

길표 (보면)

박 계장 직업 말고는 서로 연결점도 없고. (하다가) 그럼 무동기 범죄 가능성 있는 거 아니에요?

길표 (동의하는데) 형사적 감이야?

박 계장 (그 말에 귀찮은 듯) 아, 나만 형삽니까- (하며 나가고)

고민하듯 보고서 다시 살피는 길표.

16 ___ 영웅 노래주점 앞/ 저녁

영업을 시작한 듯 영웅 노래주점 간판에 불이 들어오고. 박 계장, 한적한 인근을 걸으며 주변 분위기와 CCTV 유무 확인하는 중이다. 이어, 저만치 버스정류장을 발견하고 그쪽으로 향하는 박 계장. 핸드폰을 꺼내 들고.

박 계장 (걸으며 문 형사와 통화하는) 미신고 실종자 사진이랑 주소지 보내봐. (하며 끊는데)

저만치, 상황을 살피듯 영웅 노래주점 인근을 맴도는 우호성의 차도 보인다.

17 ___ 광수대 사무실 / 저녁

일영의 자리에 전화 울리고.

일영 (받으며) 서울청 광수댑니다. (사이) 네, 알겠습니다. 기지국으로 바로 부탁드립니다. (사이) 네. (전화 끊고 태구 보며) 저번에 놓친 게임랜드 업주, 핸드폰 위치추적 의뢰서 검사 승인 떨어졌어요.

태구 바로 기지국으로 넘어간 거지?

일영 네. 대장님한테 보고할까요?

태구 그러자. 기지국에서 위치 넘어오면 바로 나갈 수 있게 준비시키고.

일영 네. (하며 일어서는)

18 ___ 동네 골목 + 다세대 주택 앞 / 다음날 낮

수첩에 적어둔 주소지 확인하며 (→ 주소지 위에 실종 여성 사진[1]도 보이고) 이내 허름한 건물로 들어가는 박 계장과 문 형사.

19 ___ 단칸방 / 낮

박 계장, 미신고 사건 실종 여성의 집 내부를 보는 중인데. 조촐한 짐들. 박 계장 뒤로 집주인과 문 형사가 서 있다.

집주인 셋방 처녀 아직도 못 찾았어요? 형사님들도 못 찾을 정도면 진짜 뭔 일 난 거 아니에요?

박 계장 (현관 앞에서 눈으로만 내부를 둘러보는 중이고)

문 형사 그런 게 아니고요, 확인할 게 있어서 온 겁니다.

집주인 별일이 없는데 두 번이나 찾아와요?

박 계장 (보며) 전셉니까 월셉니까.

집주인 ?, 월세죠.

박 계장 2월부터 연락이 안 됐으니 못해도 넉 달 치는 밀렸겠네요?

---

1 미신고한 1차 사건 피해자(신미정, 34세).

집주인 그거야 보증금에서 까도 그만이고, (걱정스럽게) 별일이나 없어야 죠.

문 형사 저 다녀간 이후에도 아무도 찾아온 사람은 없는 거죠?

집주인 (더 묻고 싶지만 참는) 셋방 처녀 여기 3년 살았는데, 생전 누구 오가는 거 본 적이 없어요. 명절에도 집에만 있는 아가씬데.

박 계장, 심각해지는 얼굴에서.

20 ___ (영천구) 거리 일각 / 낮

오래된 상가들 모여 있는 골목 한쪽에 기동대 차량 세워져 있다.

21 ___ 기동대 차량 안 / 낮

태구, 일영과 광수대 팀원들 타고 있는 차량. 일영이 '영천구'라고 표시된 지도 펼쳐 모두에게 이야기하는.

일영 (지도 위 빨간 점, 현재 위치 가리키며) 기지국에서 받은 위치가 여기예요. 휴대폰 신호 제일 마지막으로 잡힌 곳이 여기 근방으로 500m 이냅니다.

태구 이 동네에 있는 사행성 게임 업소 다 뒤지고, 게임장에서 나온 사람들이 상품권 교환하러 어디로 가는지 지금부터 잠복 들어갑니다. 환전소 위치 알게 되면 바로 무전하세요.

일동 네! (하며 팀별로 차에서 내려 흩어지는)

태구 (내리며 일영에게) 가자.

22 ___ 다세대 주택 앞 + 동네 골목 / 낮

집에서 나와 걷는 박 계장과 문 형사.

문 형사 냄새나죠?

박 계장 원한은 아닌 거 같고.

문 형사 살인 사건일 가능성은요?

박 계장 실종 피해자 둘의 연관성은 직업 말곤 없는데. 살인이면… 무동기 살인 의심도 해봐야겠네.

문 형사 어쩌실 거예요?

박 계장 좀 더 조사해봐야지.

23 ___ 몽타주(교차) / 여러 날

- 영웅 노래주점 앞. 차를 세워두고 차 안에서 밖을 살피며 혼자 잠복하는 박 계장.
- 영천구 거리 일각. 지도 위 표시된 지역 다시 보며 이동하는 태구와 일영.
- '사진과 함께 실종 여성을 찾습니다. 양지숙, 42세, 엄마를 찾아주세요' 적힌 현수막 붙은 버스정류장에 앉아 막차를 기다려보는 문 형사, 길 건너 차 안에서 그 모습 지켜보는 박 계장.
- 게임랜드 앞. 건너편에 차를 세워두고, 태구의 차 안에서 잠복 중인 태구와 일영.
- '씽씽 노래방, 수원점' 간판 보이고. 안으로 들어가는 박 계장.

박 계장e 가출할 이유도 자살의 징후도 없던 사람들인데… 사라졌다? 거기에 두 사람 모두 비슷한 나이, 같은 직종의 여성. 뭔가 이상하다. 단순 실종일 리가 없다.

- 광수대 사무실. 조폭들로 가득 찬 소란한 사무실. 태구, 일영 외 형사들마다 수갑 채운 덩치들 하나씩 앉혀두고 취조 중인 모습.
- 노래방 안. 문 형사가 사장에게 실종 여성 사진(씬18) 보이며 "아직도 연락 없어요?" 물으면 모른다는 듯 고개 젓는 사장의 모습에서.

24 ___ 경기지방경찰청 형사과장실 / 낮

길표에게 보고하는 박 계장.

박 계장 송하영 불러주시죠.

길표 ?, 송 경위?

박 계장 예. 기사 난 것도 보고 여기저기서 얘기도 들었어요. 사건 연관성 잘 찾는다면서요.

길표 (진지하게) 정말 단순 실종 사건이 아닌 거 같애?

박 계장 아직 뭐가 나온 건 아니지만… 느낌이 그래요.

길표 (진지하게 끄덕이며) 박도원 감이 그렇다고 하면 맞는 거야. (하며 바로 전화기 드는)

25 ___ 분석팀 + 경기지방경찰청 형사과장실 교차 / 낮

분석팀

팩스 들어오는 소리 들리고. 팩스에 실종 여성 사진 함께 찍혀 나오는 중이다.
우주, 의아한 듯 팩스 확인하는 데서 영수 핸드폰 울리고, 보면 '길표 형님' 떠 있다.

영수 (반기며) 경기청 형사과장님이 웬일이실까.

 # 형사과장실

영수와 통화 중인 길표. 박 계장은 옆에 앉아 통화 내용 듣고 있다. 한쪽에서는 팩스 전송하는 소리 들리고.

길표 잘 지냈냐.
영수 (서운한) 와- 이제서야 내 생각이 난 거예요?
길표 바빠서 그랬어. 지두 연락을 안 해놓곤 이 적반하장 뭐야. 잊었나 본데 내가 너보다 지위가 높아.
영수 아 참 그랬지. 근데 나두 지금 엄청 바쁜데. 그럼 나중에 다시- (하는데)
길표 에이 씨. 팩스 하나 넣었어. 들어갔지?
영수 (팩스 들어오는 것 보며) 뭔데요?
길표 실종 사건인데, 좀 봐줘 봐.
영수 역시 용건이나 있어야 연락이 오는구나.
길표 미안하다 미안해.
우주 (영수에게 팩스 건네고)
영수 (보는) 노래방 종업원 실종? 이거 맞게 보낸 거예요?
길표 어. 그건 신고된 건이고. 미신고 건이 하나 더 있대.
영수 ?, '더 있대'는 뭐예요.
길표 실종자가 따로 연고도 없고, 연락 두절인가 봐.

영수 ?, 이게 왜요?

길표 실종자 둘 다 노래방 종업원이야.

영수 (그 말에 집중하며 보고서 찬찬히 보는)

길표 니들이 그랬잖아. 2개 이상의 공통점이 있으면 의심해봐야 한다며. 그거 무동기 범죄 의심되는데, 송 경위랑 한번 와서 확인 좀 해줘.

영수 하영인 안 돼요.

우주 (그 말에 영수를 보는)

길표 (섭섭한) 이제 남이다 이거냐? 그렇게 단호박처럼 자르면 섭섭- (하는데)

박 계장 (거절당한 줄 알고 순간 길표에게 시선 주고)

영수 (OL) 가도 내가 가요.

길표 그래 뭐, 요즘 여기저기 분석팀 찾는다는 소문- (하는데)

영수 (또 말 자르고) 일단 더 확인해보고 다시 연락할게요.

길표 (의아한) 비싸게 굴기는. (하며 끊고)

 # 형사과장실

박 계장, 길표를 보면.

길표 바쁜가 봐. 일단 확인하고 연락 준대.

박 계장 (끄덕이고)

 # 분석팀

영수, 전화 끊고 진지하게 보고서 확인하는데.

우주 그거 경기청이던데. 허 과장님이세요?

영수 응.

우주 허 과장님 송 경위님 소식 모르시는구나…

영수 경기청이니까. 따로 우리 소식 알아본 거 아니고서야, 모를 수 있지.

우주 아…

영수 (한숨 쉬며) 이거 실종 사건이라는데. 실종 지역 주변 환경이랑 시간, 동선 정리 좀 해보자.

우주 네.

26 ___ 우호성 집 앞 / 저녁

콧노래 하며 세차하는 우호성. 그 모습을 보며 지나가는 이웃들, 한 번씩 친근하게 인사하고. 우호성, 앞문 열어 차량 내부 청소하는데, 강아지와 함께 찍은 사진(10화, 씬54)이 보인다. 정성 들여 액자 깨끗이 닦는 우호성. 다시 뒷문을 열면, 옷걸이에 걸어둔 양복과 넥타이가 손잡이에 가지런히 걸려 있다. 양복이 바닥에 닿지 않도록 조심히 들어 청소하다가 시트 안쪽 깊숙이 바닥에 떨어진 립스틱을 발견하는 우호성.
순간 멈칫! 놀라며 집어 들고, 얼른 립스틱 주머니에 넣는 데서 다시 내부 청소에 집중하는.

27 ___ 병실 / 낮

비어 있는 침대 주변을 정리하는 영신. 잠시 병실을 나가고.

28 ___ 재활치료실 / 낮

휠체어 한쪽에 세워져 있고. 재활치료사의 도움을 받으며 평행봉을 잡고 어렵게 걷는 연습하는 하영이 보인다, 그 위로.

영신e (놀라는) 신경 마비요?

29 ___ 회상. 진료실 / 낮

담당의가 영신에게 하영의 상태를 전하는 모습이 보인다.

의사 겁먹으실 상황은 아니고요, 사고 당시 골절이 일어나면서 주변에 있던 신경이 일부 손상을 받은 것 같습니다.

영신 (집중해 듣는)

의사 다행히 발가락도 조금씩이나마 움직이고, 감각도 떨어지기는 했지만, 아직 남아 있어서 불완전 마비 상태라고 볼 수 있어요. 신경 상이 조금만 더 심했으면 수술적 치료가 필요하고, 결과도 좋지 않았겠지만-

30 ___ 재활치료실 / 낮 (씬27에 이어)

치료실 밖에서 하영을 지켜보고 있는 영신.

의사e 이런 불완전 마비의 경우는 재활치료로도 회복이 가능합니다.

힘들어하며 잠시 멈춰 있는 하영. 이내 다시 힘겹게 걸음을 떼는 모습에서.

31 ___ 광수대 사무실 / 낮

TV에 검찰로 연행되는 조폭 무리가 나온다. 모여앉아 그 장면을 보는 태구, 일영 외 광수대 팀원들. 그 위로 "서울지방경찰청 광수대는 오늘 낮 영천구에서 사행성 게임장을 운영하며, 대량의 현금을 빼돌린 조폭 일당을 검찰로 송치했습니다. 검찰은 조폭들의 죄를 입증할 준비를 마쳤다고 밝히며, 더 이상 사행성 게임이 시민들의 삶을 흔들지 못하도록 근절하겠다고 포부를 전했습니다" 하는 앵커 목소리 들린다.

일영 이렇게 또 한 건이 우리 손을 떠났구나.
태구 검찰 넘어가도 재판 전까지 끝난 건 아니니까.
일영 그러잖아도 보강 증거 필요하면 연락 달라고 했어요.
태구 그래. (하며 자리로 향하는데)
일영 (따라서 자리에 앉으며) 송 경위님 문병 한 번 가야 하지 않을까요?
태구 일반실 옮기고 한 번도 못 갔지?
일영 네.

32 ___ 병원 앞 슈퍼 / 낮

가게 앞에 병문안용 과일 바구니들 진열되어 있고.
태구와 일영이 그중 하나를 집어 든다.

33 ___ 재활치료실 / 낮

재활을 끝내고 영신의 도움을 받으며 휠체어에 올라타는 하영. 저만치 자원봉사 조끼 입고 다른 재활 환자를 돕고 있던 화연母가 하영을 발견하고 갸웃하는데. 순간, 화연母와 눈이 마주친 하영, 시선을 피하고 모른 척하는.

34 ___ 병실(1인실) / 낮

태구와 일영, 과일 바구니 손에 들고 병실 앞에 붙어 있는 '송하영' 이름표 확인하고. 병실 문을 여는데, 하영이 없다.

일영 (과일 바구니 내려놓으며) 어디 가셨지?

태구 (병실 둘러보는 데서)

일영 전화해볼게요. (하며 전화하는데 '전화기가 꺼져 있어-' 하는 목소리 흘러나오는)

35 ___ 경기지방경찰청 앞 / 낮

건물 안으로 향하는 영수.

36 ___ 경기지방경찰청 형사과장실 / 낮

사무실 문을 열고 들어서는 영수.

길표 (보며) 진짜 혼자 온 거냐?

영수 나로 모자라요? 대한민국 1호 프로파일러를 키운 게 나예요. 서울청 과수 계장인 고급 인력이라고.

그때, 박 계장이 들어오면, 영수가 박 계장을 보는.

길표 (소개하는) 강력계 박도원 계장. (영수 보며) 알지?

박 계장 뵌 적 있죠.

영수 오랜만이에요. 이 사건 박 계장님 담당이에요?

박 계장 안양서 사건인데, 이상해서요.

영수 미신고 실종 여성은 가족이 없던데요.

박 계장 그래서 신고가 없었던 것 같아요.

영수 (심각해지고)

길표 (영수 보며) 왜. (불길한) 이것도 설마…? (애써 부정하듯) 에이, (하다가 다시 불안한) 설마?

영수 그래서 나 부른 거 아녜요? (만들어온 프로파일링 지도 들고 일어나는) 현장 좀 가볼게요.

박 계장 저랑 같이 가시죠.

영수, 박 계장 사무실을 나가는 모습에서.

37 __ 병실 / 낮

여전히 하영을 기다리고 있는 태구와 일영. 이내 병실 문이 열리면서 하영이 휠체어를 타고 들어오면, 서로를 보는 세 사람. 일영이 얼른 도우려는 듯 하영의 휠체어로 다가가는데, 그 뒤로 영신이 물통을 들고 들어선다. 영신에게 인사부터 건네는 태구, 일영.
그사이 하영은 이미 침대 앞에 도착했고.

영신 (반기며) 또 오셨네.

하영 (?, 그 말에 의아한 듯 보면)

영신 얘기들 나눠요. 나는 이참에 잠깐 나가서 점심 먹고 와야겠다.

하영 여기까지 뭐하러 오셨어요.

일영 (애써 둘러대는) 저희 탐문 나왔다가 마침 지나는 길에 보여서요.

태구 재활 중이시란 얘기 들었어요.

영신 (분위기 보다가, 지갑 들고) 그럼 오늘은 편하게 얘기들 나누다가 가세요.

일영 같이 계세요. 저희 오래 안 있을 거예요. (하며 태구 슬쩍 보는)

영신 잠깐이든 아니든, 내가 없는 게 더 편하지.

태구 (미안한) 아녜요. 그러려고 온 게 아닌데- (하는데)

하영 (영신 보며) 같이 계세요, 그냥.

영신 나도 밥 좀 먹으려고. (웃으며 나가고)

일영 맛있는 걸로 드시고 오세요!

태구 (서둘러 자릴 피해주는 영신에게 미안한 얼굴로 인사하는)

하영, 휠체어에서 내려 침대에 올라 눕는데.
일영이 도우려고 하면, "혼자 할 수 있습니다" 마다하고.

일영 많이 좋아지셨네요.

하영 (?, 보면)

일영 아, 중환자실에 계실 때 왔었어요. 어머님도 그때 뵈었고요. (태구 보며) 윤 팀장님도 같이.

하영 …

태구 빨리 쾌차하시고 복귀하셔야죠.

일영 맞아요. 요즘 송 경위님 찾는 곳 엄청 많아요.

하영 …

태구 국영수 계장님 혼자 다니시느라 그러지 않아도 바쁜데 더 바빠지셨어요.

하영 (별말이 없고)

일영 보니까 이제 거의 다 나으셨네. 금방 복귀 가능하겠어요. (하는데)

하영 다시 돌아갈 생각 없습니다.

태구, 일영, 놀란 얼굴로 하영을 보는데.

38 ___ 병원 밖 / 낮

지갑 들고 식당으로 향하는 영신. 하영을 찾아온 손님들 방문에 마냥 기분이 좋은.

39 ___ 영웅 노래주점 앞 / 낮

현장에 도착한 영수와 박 계장. 불 꺼진 영웅 노래주점 간판을 올려다본다.

박 계장 보시다시피 인적 드문 동네예요. 노래주점 이래 봐야 동네 손님들도 빤하고.

영수 (둘러보면, 저만치 버스정류장에 현수막(씬23) 보이고 혼잣말) 가족들 애타겠네… (하다가 박 계장에게) CCTV도 역시 없네요.

박 계장 관할서에서 그날 손님들까지 탐문도 다 끝냈는데, 별다른 점은 없고. 실종자 휴대폰도 대종호수 근처에서 끊겼어요.

영수 (의아한) 대종호수요? 유원지네.

박 계장 실종 추측 시각이 새벽 1시니까 놀러 갈 만한 시간은 아니고. CCTV에도 잡힌 게 없어요.

영수 자살 가능성은요?

박 계장 호수 밑바닥까지 잠수부들이 싹 다 수색했는데 아니에요. 심지어 그날 마지막으로 통화한 사람이 딸이에요. 확인했더니 치킨 사서 들어간다고 했대요.

영수 음… (둘러보다가 버스정류장 발견하고) 택시가 잡힐 만한 곳도 아니고… 저기서 버스를 탔겠네요. (버스정류장으로 향하고)

박 계장 (따라가며) 그 시간에 막차뿐이라 버스 기사도 확인했어요.

영수 (걷다가 보면)

박 계장 안 탔대요. 핸드폰이 꺼진 위치도 버스 노선에서 벗어났어요.

영수 그럼 뭘 타고 이동한 거지?

박 계장 걸어갔거나. 납치죠.

40 ___ 우호성의 집 / 낮

팔을 괸 채 다리를 꼬고 누워 있는 우호성. 한 손으로 차에 떨어져 있던 립스틱 들고, 의미심장한 얼굴로 냄새도 맡아보며 이리저리 돌려도 보는 데서… 강아지들 짖는 소리 들린다. 소리를 따라가 보면 차에 둔 사진 속의 강아지 두 마리가 목줄에 묶여 있고, 비어 있는 사료 봉투와 말라비틀어진 빈 밥그릇도 보인다.

41 ___ 버스정류장 앞 / 낮

현수막(씬23) 크게 붙어 있는 버스정류장.

영수가 노선 2개가 전부인 표지판의 노선을 보고 있다.

박 계장 송하영인 잘 지냅니까?

영수 (의외의 질문인 듯 보면)

박 계장 연락 한 번 한다는 게 일이 바쁘다 보니 어영부영 시간이 가버려서. 같이 올 줄 알고 기대했는데 말이죠.

영수 하영이- (하다가 하영의 상황을 말할지 말지 고민하는데)

박 계장 설마 나 때문에 안 온 건 아니죠?

영수 (그럴 리가) 하영이 성격 잘 아시죠?

박 계장 알죠. 여태 꽁할 스타일 아니지. 아예 나한테 관심이 없을 순 있어도.

영수 …

박 계장 그래도 마음에 걸리긴 했어서- (하면)

영수 (보며) 궁금하면 먼저 연락해보는 것도 방법이에요.

박 계장 곧 보겠지 뭐.

영수 그러다 또 시간 갑니다. (말끝 흐리며) 아예 기회가 없을지도 모르고…

박 계장 예? (하고 보면)

영수 (말 돌리는) 대종호수로 가죠.

42 ___ 병실 / 낮

분위기 어색해진 태구, 일영, 하영.

태구　그만 가볼게요.

하영　와주셔서 고마워요.

일영　또 올게요.

하영　바쁘실 텐데 굳이 안 오셔도 됩니다.

일영　하긴 금방 퇴원하실 거니까.

하영　아마도 금방은 아닐 겁니다.

일영　그럼 그사이에 또 오죠, 뭐.

하영　(둘을 말없이 번갈아 보기만)

태구　쉬세요. (하며 일어서고)

태구, 일영 병실을 나가고.

43 ___ 병원 복도 + 엘리베이터 앞 / 낮

엘리베이터 앞으로 걸어가는 태구, 일영.

일영　(걸으며) 괜히 왔나? 아직 충격이 크신 것 같죠?

태구　(걸으며) 사고가 컸으니까 그럴 만하지.

일영　(엘리베이터 앞에서 멈추고) 송 경위님 설마 진짜 그만두는 건 아니겠죠? (하는데)

띵- 소리와 함께 엘리베이터 문이 열린다.
대답 없이 엘리베이터에 오르는 태구. 일영도 따라 타는 데서,
버튼을 누르는 태구의 표정도 하영의 말이 신경 쓰이는 듯한.

44 ___ 병실 / 낮

태구, 일영이 가고 혼자 남아 있는 하영.
침대를 반쯤 세워 기대 리모컨으로 TV 채널을 이리저리 돌리다가 뉴스에서 멈추는데, 남기태의 모습이 화면에 잡힌다. 순간 리모컨 들어 TV를 꺼버리는 하영. 침대 천천히 내리며 눕는데, 낮에 본 화연母가 떠오르고.

/ins. 씬33
자원봉사 조끼 입고 다른 재활 환자를 돕고 있던 화연母와 눈이 마주친 하영, 시선을 피하고 모른 척하는.

애써 잠을 청하려는 듯 눈을 감는 모습에서.

45 ___ 박 계장의 차 안 / 낮

우호성이 이동했던 동선 그대로, 느린 속도로 이동 중인 박 계장과 영수. 앞에 작은 사거리를 앞두고 있다.

박 계장 저 사거리가 실종 피해자 집이랑 대종호수로 나뉘는 방향이고, 좌회전하면 대종호수예요. (하며 서서히 속도 늦추다가 멈추면)
영수 집에 가려면 여기서 우회전을 했어야 하네요.
박 계장 그쵸. 근데 핸드폰 위치는 이쪽을(좌회전 방향) 향했어요.
영수 납치라고 가정하면…
박 계장 (보며) 강제로 차에 태웠으니까 핸드폰부터 뺏었을 텐데.
영수 그런데 납치 여성이 이만큼 올 때까지도 핸드폰이 켜 있었다?

박 계장 딸이랑 통화가 마지막이고, 노래방에서 나온 후엔 통화 기록도 없어요.

영수 음… 자발적으로 탔을 가능성은?

박 계장 안면이 있으면 모를까 모르는 사람 차에?

영수 주변인 탐문은 다 했다고 했죠?

박 계장 예.

영수 (고민하면)

박 계장 이상하죠?

영수 (끄덕이고)

영수, 대종호수 표지판을 보며 조용한 도로를 살펴보는 데서.

46 ___ 회상. 우호성의 차 안 (도로) / 밤 (10화. 씬54에 이어지는)

낯설게 앉아 있는 중년 여성과 우호성인데.
어느새 우호성의 표정이 굳어져 있다.

중년 여 (강아지와 함께 찍은 사진을 보며, 괜히) 강아지를 좋아하시나 봐요.

우호성 (대답이 없고)

중년 여 (눈치 보다가) 저는 여기서 내려주시면 되고, 조기 앞에서 좌회전 하시면 돼요.

우호성 (여전히 말이 없는)

중년 여 여기요. 여기. 저는 여기서- (내릴게요, 하려는데. 좌회전을 하는) 아 지나버렸네. 전 저기서 우회전 했어야 했거든요. 여기서 내릴게요. 세워주세요.

우호성 (대답 없이 가면)

중년 여　(보며) 저기요. 세워달라고요.

그때, 철컥 문 잠기는 소리 들리고! 중년 여 놀라며 우호성을 보는!

중년 여　뭐하시는 거예요. 저 빨리 내려주세요!

우호성　조용히 가.

중년 여　뭐라고요?! 빨리 차 안 세워?! 안 세우면 신고한다! (하며 핸드폰 꺼내는데!)

우호성, 그제야 급하게 한쪽에 차를 세운다.
중년 여, 다급히 내리려고 문을 여는데 여전히 잠겨 있고.

중년 여　빨리 문 안 열어?! (하는 데서…)

퍽! 하고, 중년 여 가격하는 우호성!
중년 여, 순간 정신을 잃으면, 우호성이 중년 여의 핸드폰 뺏어서 배터리 분리하더니 뒷좌석에 툭 던져둔다. 이내, 다시 출발하는 우호성의 모습에서.

47 ___ 병실 / 저녁

하영, 침대에서 저녁밥 먹는 중이고. 영신은 그 모습을 보는.

영신　아까 그분들 전에 너 중환자실에 있을 때도 두 번이나 왔었어.

하영　(두 번이라는 말에 보면)

영신　몰랐구나. 그분들 말고도 몇 명 더 찾아왔는데, 그것도 몰라 그럼?

하영　영수 계장님 말고요?

영신　영수 계장님이야 자주 오시고. 젊은 친구들도 왔어. 여자 하나, 남자 하나.

하영　아…

영신　(생각난) 그래, 우주. 우주랬다. 이름이 특이해서 기억나. 여자 친구랑 같이 왔었는데.

하영　최 기자요.

영신　기자야? 그건 몰랐네.

하영　최윤지 기자. 우주랑 친한 친구예요.

영신　최윤지, 그래 그런 이름이었어. 정확히 기억은 못 해도 들으면 알아.

하영　(밥 먹는데)

영신　또, 그… 서울청 분들.

하영　(보면)

영신　나이 지긋하신 분도 오고, 서울청 동료들이라고 너 여기 옮겨서 누워 있는 동안에도 줄줄이 병문안 왔었어.

하영　(국을 뜨다 멈칫)

영신　너 그러고 누워 있는데도, (보며) 동료들이라고 이 사람 저 사람 쉬지 않고 병문안 오는데 (좋은) 엄만 좋더라.

하영　(웃으며) 자식이 깨어날지 아닐지도 모르는데 그게 그렇게 좋으셨어요?

영신　깨어날지 아닐지를 왜 몰라? 난 알았어 너 깨어날 거라는 거.

하영　어떻게 알아요. 의사도 몰랐다면서.

영신　엄마잖아. (하며 웃고)

하영　(하영도 웃으면)

영신　병원 밥도 지겹지? 내일은 뭐라도 해다 줄게. 먹고 싶은 거 없어?

하영 괜찮아요. 여기 있는 것만도 힘든데.

영신 아이고, 하나도 안 힘드니까 빨리 낫기나 해-

48 ___ 병원 외경 / 밤

병원 안으로 들어서는 영수의 모습.

49 ___ 병원 휴게실 / 밤

영신과 앉아 있는 영수.

영수 자죠?

영신 네. 한 30분 전에 잠들었어요.

영수 오늘은 어땠어요?

영신 재활도 잘하고 전체적으로 회복도 빠르다고. 아 참, 낮에 윤 팀장님이랑 남 형사님 다녀갔어요.

영수 아… 불편했겠네.

영신 겉으로만 그렇지, 속으론 안 그래요. 내가 하루 이틀 하영일 보는 것도 아니고, 표정만 봐도 알지.

영수 (웃으며 보면)

영신 그러니까 영수 계장님도 인제 하영이 보고 가요.

영수 …

50 ___ 병실 / 밤

"빨리 쾌차하시고 복귀하셔야죠"(씬37) 태구의 말 떠올리고.
뒤척이며 잠 못 드는 하영의 모습에서.

51 ___ (다른 동네) 버스정류장 / 밤

혼자서 막차를 기다리는 20대 여성이 보인다. 그 앞에 천천히 멈추는 우호성의 차.

우호성 (차 창문 내리고) 말씀 좀 물을게요.
20대 여 (경계하듯 뒤로 주춤)
우호성 (웃으며) 아, 죄송해요. 놀라셨나 보다. 저 길 좀 물으려고요.
20대 여 (여전히 경계하듯) 네.
우호성 여기 태평공원이 어느 쪽이죠?
20대 여 (우호성을 의아한 듯 보다가) 지금은 문 닫았을 텐데요.
우호성 아, 거길 가려는 게 아니라 그쪽으로 가야 해서요.
20대 여 (한 발 앞으로 다가오며) 이 길로 쭉 가시다가-
우호성 네.
20대 여 한 900미터쯤 가시다가 오른쪽에 큰 고깃집 보이면 우회전하세요.
우호성 고깃집, 우회전.
20대 여 거기서 다시- (하는데)
우호성 (이번에도) 잠시만요, 제가 기억력이 나빠서 적을게요. 잠깐만요.

우호성, 차 안 여기저기 뒤적이며 일부러 강아지 사진 담긴 액자를 툭- 치고. 그 바람에 떨어진 액자를 다시 주워 세우면, 20대 여가 그 모습을 보는.

우호성 아, 펜도 없고 메모지도 없네.

20대 여 별로 안 어려워요, (몸을 숙여) 고깃집에서 우회전하신 다음에-(하면)

우호성 (숙여진 브이넥 안을 힐끔 보며) 어디까지 가세요?

20대 여 저요?

우호성 괜찮으시면 가는 길에 내려드릴게요.

20대 여 (다시 경계하듯 서는) 금방 버스 올 거라 괜찮아요.

우호성 (하나밖에 없는 길 가리키며) 어차피 가는 길일 텐데, 내려드릴게요.

20대 여 아니에요, 괜찮아요. (하면)

우호성 (미소 보이며) 저 이상한 사람 아닌데. (똑같이 사진 쪽으로 시선 주면)

20대 여 (우호성의 시선에 강아지와 함께 찍은 사진을 보며 미안한 얼굴로) 아니 그래서가 아니라… 버스가 집 앞까지 가서 정말 괜찮아요.

우호성 하긴, 세상이 흉흉하니까. 아무 차나 막 타기 그렇죠?

20대 여 아네요.

우호성 버스는 언제 와요? 막차죠?

20대 여 (저만치 보며) 올 때가 됐는데…

우호성 끊긴 건 아니죠?

20대 여 (긴가민가 불안한 듯 시계를 보면)

우호성 그럼 같이 기다렸다가 끊겼으면 태워드릴까요?

20대 여 아니에요, 전 정말 괜찮습니다.

우호성 타는 거 보고 갈게요. (하며 출발하지 않으면)

다시 떨어져서 우호성을 의식하며 버스를 기다리는 20대 여. 우호성과 저만치 도로를 번갈아 보며 한참을 기다리다가… 이내 망설이는 얼굴로 우호성을 보는.

우호성 (표정 읽고는 재빨리 차창 밖으로) 끊긴 거 같죠?

20대 여 (여전히 망설이면)

우호성 (괜히 포기하는 척) 그럼 저도 시간이 늦어져서 갈게요. 정말 안 타실 거죠? 저 갑니다. (하는데)

20대 여 (주춤주춤)

우호성 (눈치챘고) 그럼 길만 다시 한번 설명해주세요.

20대 여 (버스 오는지 확인하고) 직진하시다가 고깃집 간판 보이면 우회전하시고요, 거기서 두 번째 사거리 나오면 좌회전- (하는데)

우호성 (미소 보이며) 그냥 타세요. 불안하면 가다 내리면 되죠. 안 그래요?

20대 여 (망설이면)

우호성 (얼른 팔을 뻗어 보조석 문을 열어주고)

20대 여 … 감사합니다- (하며, 타려는 그때)

뒤에서 버스 불빛 보인다.

20대 여 (타려다 말고) 어? 버스 온다. 저 저거 탈게요. 두 번째 사거리에서 좌회전하세요!

20대 여, 문 쾅 닫아주고 다급히 버스로 달려가 타는 데서 바로 표정 굳어지는 우호성. 짜증스러운 듯 욕설을 내뱉는다. 그 옆으로 버스가 지나가고, 창가에 앉아 그런 우호성을 보며 묵례하는 20대 여의 모습에서.

52 ___ 서울지방경찰청 외경 / 낮

53 __ 분석팀 / 낮

길표와 통화 중인 영수.

영수 우선 경기권에 비슷한 사건 더 있는지 확인해줘요.

그때, 사무실 들어서는 태구. 영수가 통화하며 태구와 눈으로 인사하고.

영수 첫 번째 건은 신고도 안 돼서 추측만 가능하지 뭘 조사하기도 어렵잖아요. 지금 그 건만으로는 판단이 어려워요.

태구가 회의 테이블에 앉으면, 우주가 "오셨어요" 인사하며 으레 맥심 커피 타서 태구에게 건넨다.

태구 (커피 향 맡으며) 고마워요, 잘 마실게요.

영수 (전화 끊고 다가와 앉는)

우주 (영수에게도 커피 건네면)

영수 고마워. (하고 받는)

우주 (자리로 가 앉고)

태구 (마시며) 광수대 사무실 아닌 데서 이렇게 커피 마시고 있으니까 잠깐이지만 쉬는 기분 드네요.

영수 (미소) 우리 같은 사람들 마음 달래주는 건 그나마 이 커피밖에 없죠?

태구 (마시며) 그러게요. (하다가) 근데 분석팀 무슨 사건 있어요?

영수 (마시며) 아, 길표 형님이에요.

태구 허 과장님이요?

영수　(끄덕이며) 노래방 종업원 실종 사건인데 지난 2월이랑 5월에 한 건씩 있다고 봐달래서 어제 경기청 다녀왔어요.

태구　혼자 다녀오셨어요?

영수　(너스레로) 경기청 멀지도 않은데 뭘. 형님이 광수대 식구들 보고 싶어 해요.

태구　저도 연락을 못 드렸어요.

영수　이 일이 그렇지 뭐. 가족들 얼굴도 못 보는 판에.

태구　근데 첫 번째 건은 신고가 안 됐다는 게 무슨 얘기예요? (하다가) 아, 아까 통화하시던 걸 들어서요.

영수　5월 실종 사건 조사하다가 미신고 실종 건도 있는 걸 알았나 봐요. 가족 없이 혼자 사는 여성이라-

태구　아…

영수　근데 여긴 무슨 일로 왔어요?

태구　어제 남 형사랑 송 경위님 병문안 갔었어요.

영수　얘기 들었어요.

태구　들으셨군요. 전에 송 경위님랑 이야길 나눈 적이 있는데, 그때도 많이 지쳐 보였어요.

영수　… 잠시 혼자만의 시간이 필요한 거 같아요.

/ins. 회상. 병실 (1인실)

침대에 몸을 반쯤 기대 누운 하영. 핸드폰 배터리 분리해 들고 있는데. 영수, 서랍 위에 '사직서'라고 적힌 흰 봉투를 보는.

영수　입원해 있는 동안은 생각 싹 다 비우고 니 몸만 챙겨. (하는데)

하영　요즘 어머니랑 보내는 시간이 많아요. 같이 밥도 먹으면서 예전처럼 얘기도 많이 하고… 오랜만에 느껴보는 감정이에요.

영수　필요한 시간이지. 그동안 앞만 보고 달렸으니까.

하영 저도 평범한 사람이 된 것 같아서 좋더라고요. 그간 악마 같고 지능적인 애들만 상대하면서 나도 모르게 지쳐 있었나 봐요.

영수 이해해. 그런 놈들 잡으려면 정상적인 사람들 틈 속에서 위안을 얻어야 하는데, 그런 시간이 없었잖아.

하영 보통 사람들처럼 일상적인 생각을 한 게 언제인지 기억이 안 나요.

영수 …

하영 그들의 입장이 되어보려고 했던 게 맞을까요?

영수 (보면)

하영 어쩌면 나도 몰랐던 또 다른 내가… 이 안에 존재하고 있을지도 모르죠.

영수 …

하영 여전히 헷갈려요. 어떤 게 나였는지… 나도 데이터 속의 그놈들처럼 되는 건 아닌지…

영수 (안타깝게 보는)

/다시 분석팀

태구 저도 그 얘기를 좀 하려고 왔어요. (하며 우주를 힐끔 보면)

영수 괜찮아요. 우주도 다 알아요.

태구 다시 돌아올 생각이 없다고 하던데.

영수 (상황 아는 듯 끄덕이기만)

태구 더 묻진 않았어요. (잠시) 그래도 무슨 일인가 싶어서…

영수 면담하는 거 봐서 알겠지만, 상상을 초월하는 놈들이잖아요. 취조할 때와는 또 다른 오물을 쏟아내요. 그 괴물들이.

태구 그 오물들을 담아내는 거 쉽지 않았을 거예요.

영수 맞아요. 그러다 결국 터진 거죠. 비울 시간도 필요한 건데. (하는데서)

태구　(/(10화, 씬25) '비워낼 겨를도 없이 또 채워야 하는 게 우리의 숙명이죠' 하는 태구의 말에 씁쓸하게 웃어 보이던 하영의 얼굴을 떠올리는) 비워낼 시간…

영수　윤 팀장도 쉬어가며 해요. 너무 내달리면, 한 번은 꼭 넘어지고 터져요.

태구　전 그게 범죄를 쫓는 사람들의 숙명인 줄 알았는데.

영수　(고개 가로저으며) 그럴 리가. 그저 계속 달릴 핑계가 필요한 것뿐일 거예요.

54 ___ 광수대 복도 / 낮

딴생각에 빠진 채 사무실로 향하는 태구 모습 위로.

태구e　그래서 송 경위님과는 어쩌실 셈이에요?

영수e　기다려야죠.

55 ___ 분석팀 / 낮 (씬53에 이어지는)

영수　난 더는 강요할 수 없어요. 하영일 그렇게 만든 사람이 나 같아서 지금도 충분히 후회하고 있으니까. 이젠 본인이 선택해야죠. 못한다고 하면 (잠시) 그 의사도 존중할 각오가 돼 있어요.

태구　범죄행동분석팀 자리 잡게 하려고 애쓰셨잖아요.

영수　막을 수 있었음에도, 이상 신호가 있었음에도 모른 척했던 것 같아요. 하영이가 꼭 맞는 옷처럼 일에 적응하고 성장하는 걸 보는 게 좋았거든…

태구 …

영수 자신만만했던 내 오만의 결과죠.

태구 그래서 여기까지 올 수 있었다고 생각해요 전. 그리고 그 자신만만함은 오만이 아니라, 국 계장님의 믿음이고요.

영수 (씁쓸한) 믿음…

태구 네. 분석팀에 대한 믿음. 송 경위님에 대한 믿음. 그리고 계장님 스스로에 대한 믿음.

영수 …

태구 그 믿음을 의심하지 마세요. 이젠, 팀장님을 믿는 사람들이 더 많아졌으니까요.

영수 (말없이 태구를 바라보는)

56 ___ 포장마차 / 밤

길표와 마주 앉아 술잔을 기울이는 영수.

길표 나한테 얘길 했어야지.

영수 얘기한다고 뭐가 달라지나…

길표 속 시끄러운 너한테 전화해서 송 경위 찾는 짓은 안 했을 거 아냐.

영수 (술 단숨에 비우는) 지금 내 속 시끄러운 게 문제가 아니지. (빈 잔 만지작거리다가 술 더 따르면)

길표 (보며, 술 들이켜고) 내가 볼 때 대한민국 경찰 중에 제일 대단한 놈은 너야.

영수 뜬금없이 무슨 말이에요, 그게.

길표 한 번도 흔들리는 거 본 적 없고, 한눈도 안 팔고, 무너지지도 않고. 쭉 같은 길을 걸어갈 수 있는 사람 흔치 않다.

영수 설마 내가 그렇다는 거예요?

길표 (끄덕이면)

영수 닭살 돋는데, 심지어 타이밍까지 틀려먹었어요.

길표 (보면)

영수 내 칭찬 들을 상황이 아니라고. 심각하다고요 지금. 나도, 하영이도.

길표 (영수, 길표 잔에 술 채우고) 그러니까 하는 말이야. (보며) 국영수, 경찰 되고 단 한 번도 다른 생각해본 적 없지?

영수 무슨 다른 생각.

길표 뭐든. 일이 아닌, 다른 생각.

영수 …

길표 거봐.

영수 그 얘긴 그럼, 형님은 흔들린 적, 한눈판 적, 또 뭐라고 했지. 무너진 적 있단 소리예요?

길표 있지. 처음은 경찰 되고 3개월도 안 지났을 땐가? 죽은 사람 처음 보고, 그만두고 싶었어. 우리가 보는 시신들이 어디 멀쩡해? 처참하기가 그지없지. 무섭고, 화나고, 슬프고. 뭐 말로는 설명 안 되는 감정 너도 알잖아.

영수 …

길표 20년 전인가. 범인을 못 잡아서 유가족이 날 붙잡고 원망하는데 도망가고 싶었다.

영수 그 기분이야 다들 알죠. 경찰이면.

길표 도망가고 싶은 거랑 도망가는 건 다르지.

영수 도망갔어요?

길표 (훗) 말도 마. 나 혼자만 간직하고 싶은 굴욕의 시절이 있어. 그뿐인가? 니 소중한 피, 그놈의 지겨운 레파토리.

영수 (웃고)

길표 나한테 수혈해준 문제의 그날. 칼에 찔린 데 수술하고 나서 회복하고도 '아, 이제 더는 못하겠다' 했다. 사직서도 냈어.

영수 (놀라는) 사직서를 냈다고요?

길표 몰랐지? 그때 반장님이 귓등으로도 안 듣고 무시하다가 우리 집까지 찾아왔어.

영수 감쪽같이 몰랐네.

길표 나도 자존심이란 게 있어서 또 말하긴 싫더라고. (하다가) 형사들 다들 그래.

영수 (말없이 술 마시는)

길표 그래서 20년 동안 그런 잔 폭풍 없이 잘 달리기만 하는 너 보면서 '아, 천상 경찰이라는 게 저런 놈을 두고 하는 말이구나' 싶었다. 그런 놈이 내 후배라 자랑스럽기도 했고. 근데, 니가 데려온 송하영이가 너랑 꼭 닮은 놈인 거지.

영수 에이- 걔가 어떻게 나랑 같아요.

길표 니들은 서로 모르겠지. 쌍둥이 형제도 지들끼린 다르게 생겼다고 하는 것처럼. 근데 제3자가 볼 땐, 국영수나 송하영이나 똑같아. (하다가) 그래서 덜컥 걱정이 되더라.

영수 누가 걱정이 돼요.

길표 누구긴 누구야. 너지.

영수 (괜히 머쓱) 다 큰 나를 왜 걱정했대.

길표 (보다가 진지하게) 한 번 도망쳤다가 돌아오는 건 쉬워. 근데, 단 한 번도 그런 마음 품어본 적 없는, 똑같은 두 놈이 같이 있다가… 둘 중에 하나라도 무너지면 (하다가 잠시 말을 멈추고)

영수 ? (보면)

길표 두 놈 다 못 버틸 것 같았으니까.

영수 … 맞는 말이네. 내가 지금 그래요. 형님이 말한 내 20년이 잘못된 것 같아. 한길만 보고 잘 달린 게 아니라, 사실은 앞만 보고 달리느라 주위 사람을 못 본 거 아닐까. 20년 경찰 생활을 잘못한 거 아닐까.

길표 까짓거 좀 그랬으면 어떠냐. 그리고 쫌 무너지고 도망가면 어때.

영수 그랬다가 다시 못 돌아오면?

길표 (잠시) 그러면 그것대로… (빈 잔에 술 따르고 마시며) 뭐 어때. 경찰도 사람이야.

영수 …

길표 근데, 중요한 건 말이다. 내가 아까 얘기했잖아.

영수 (보면)

길표 국영수랑 송하영은 천상- 경찰이야. 30년 가까이 경찰로 산 내 눈이 보증해.

길표, 테이블에 놓인 영수의 잔에 혼자 짠- 부딪히고 마시면
그 모습을 물끄러미 보는 영수의 모습에서.

57 ___ 포장마차 앞 / 밤

취기 오른 듯 보이는 길표를 먼저 택시에 태우는 영수.

길표 너 먼저 가라니까.

영수 내가 잘못 산 경찰이래도 장유유서는 지키는 사람이야. 얼른 가셔여.

길표 걷다가 넘어지지 말고 집으로 곧장 가. 뼈 안 붙는다 너 이제!

영수 알았어요, 알았어. 얼른 가. (택시 기사에게) 기사님, 잘 부탁드립니다. (하며 만 원짜리 몇 장 꺼내 기사에게 미리 건네고)

길표를 태운 택시가 저만치 멀어질 때까지 한참을 보고 서 있는 영수. 이내 걷기 시작하고.

58 ___ 광수대 사무실 / 밤

태구 혼자 남아 있는 사무실. '노래방' '실종 여성' '여성 납치' 관련 키워드 검색해서 보고서들 살펴보다가 잠시 "(씬53) 그러다 결국 터진 거죠. 비울 시간도 필요한 건데" 하던 영수의 말 떠올린다. 이내, 컴퓨터를 끄고, 짐을 챙겨 퇴근하는 모습에서.

59 ___ 거리 일각 + 병원 앞 / 밤

걸어가다가 비틀대면서도 다시 똑바로 서고 길을 따라 걷는 영수. 이내 병원 앞에 도착해 불 꺼진 하영의 병실을 올려다보는.

60 ___ 병실 / 밤

팔을 괴고 옆으로 누워, 간이침대에서도 편안한 얼굴로 잠들어 있는 영신을 바라보는 하영의 모습에서.

61 ___ 병실 앞 / 낮

병실 문 앞에 붙은 '송하영' 이름표를 확인하며 들어가길 망설이는 화연母.

자원봉사 조끼 입고 손에 보자기로 곱게 싼 무언가 들고 있다.

마침 병실에서 나오던 영신이 그런 화연母와 마주치고.

영신 어떻게 오셨어요? (하면)

화연母 (인사하며) 여기 송하영 형사님 병실이 맞죠?

영신 네, 그런데요, 무슨 일로- (오셨, 하려는데)

화연母 (들고 있던 보자기 상자 건네며) 이거 송 형사님께 좀 전해주세요.

얼른 돌아서 가는 화연母를 의아하게 지켜보는 영신인데,

가다가 고개 돌려보던 화연母와 눈이 마주치면 서로 묵례만 하고.

62 ___ 병실 / 낮

화연母에게 받은 보자기 들고 들어오는 영신.

영신 하영아. (갸웃) 병원 자원봉사자분이신가 본데. 형사님을 찾으면서 이걸 전해달라고 하고 가시네. (건네면)

하영 ??, 이게 뭔데요? (하다가 순간…짐작한 듯)

영신 (끄덕이며) 한번 풀어봐. 나도 궁금하네.

보자기 풀어보면, 직접 만든 정성스러운 음식들 들어 있고.

영신 (감탄하며) 어머, 이게 다 뭐야. 솜씨 좋으신 분이네. (하는데)

음식 담아둔 통 옆에 작은 봉투가 함께 놓여 있다.

하영, 그 봉투 열면, 손수건(1화)이 들어 있고. 보며 멈칫.

/ins. 병원 복도 (1화, 씬41)

한참을 울던 화연母. 하영이 가고 없는 의자에 하영이 차마 건네지 못하고 두고 간, 고이 접힌 손수건을 본다. 들어 눈물을 닦는.

/다시 병실

물끄러미 손수건을 바라보는 하영의 모습에서.

63 __ 재활치료실 / 낮

재활 환자들을 성심성의껏 돕는 화연母의 모습.

64 __ 몽타주

- 병실. (창밖으로 보이는 나무에 단풍이 지고) 영신과 대화 나누며 함께 밥을 먹는 하영.
- 병실. (창밖으로 낙엽이 떨어지고) 휠체어 대신 목발 짚고 병실로 들어오는 하영. 침대에서 TV를 틀어 이리저리 채널 돌리다가… 시사 프로그램에서 멈춘다. 화면에 남기태의 웃는 얼굴(10화, 씬12)이 나오면, 채널을 돌리려다가… 이어 남기태를 원망하며 눈물 흘리는 피해자들의 모습에 리모컨 내려두고 물끄러미 그 모습을 보는 하영.
- 분석팀. 서랍에 넣어둔 하영의 사직서를 보는 영수.
- 병실. (앙상한 나뭇가지에 눈이 쌓이는 겨울로 계절이 바뀌는 데서)

서랍에 방치하듯 넣어둔 핸드폰 배터리 다시 꼽는데, 그동안의 태구, 일영, 우주, 최 기자, 준식에게 골고루 왔던 전화와 염려와 안부, 응원 문자들 연달아 한꺼번에 주르륵 들어오고. 하나씩 확인하는 모습에서. /프로파일링 수첩을 열어보는 하영.

서서히 들려오는 크리스마스 캐럴.

65 ___ 우호성의 차 안 (버스정류장) / 저녁

라디오에서 캐럴이 흘러나오는 우호성의 차 안. 뒷좌석엔 하얀 곰 인형이 놓여 있고. 패딩 점퍼 껴입은 우호성이 차창 밖으로 지나다니는 사람들을 관찰하며 차로 천천히 같은 자리를 맴돌고 있다.

66 ___ 병원 로비 / 저녁

거대한 크리스마스트리 장식을 구경하는 환자복 입은 아이들. 표정이 밝다. 지나가던 하영이 그 모습에 잠시 발길을 멈추고 아이들의 표정을 지켜보는 데서, 환자복 입은 어린아이 하나가 하영에게 다가와 손을 잡아당기며 "아저씨 저거 만져보고 싶어요!" 한다. 순간 당황한 하영, 머뭇대는데… 아이가 하영을 트리 앞으로 끌어당기며 재촉하고. 결국 아이를 번쩍 안아 드는 하영. 아이가 손을 뻗어 트리 장식 하나를 만지며 신나 하고, 하영을 보더니 환하게 웃는다. 하영도 함께 미소지어 보이는 데서.

67 ___ 병실 / 저녁

크리스마스 장식한 초콜릿 상자를 들고 병실로 들어서는 최 기자. 곤히 잠들어 있는 하영을 보고는 깨우지 않으려는 듯 조심스럽게 창틀에 초콜릿 상자 내려두고 앉는데, 그때, 병실 문을 요란하게 열며 들어오는 우주. 놀란 최 기자가 얼른 우주에게 먼저 다가가 "쉿!" 하며 조용 하라는 시늉 보인다. 그때 잠에서 깨는 하영. 두 사람을 보며 몸을 일으키고.

최 기자 으이씨. 너 때문에 깨셨잖아.

우주 (미안한)

하영 괜찮아. 너무 자면 밤에 못 자.

최 기자 (초콜릿 상자 건네며) 이거 드세요. 제가 특별히 좋아하는 걸로만 선별해서 담았어요.

우주 내가 전에 사다드린 것도 있는데. (하고 선반 보면, 이미 초콜릿이 한 가득 쌓여 있고)

최 기자 (…)

하영 걱정 마요. 저 정도야 금방이지. 우리 초콜릿 귀신들인데.

최 기자 (좋아하는) 그쵸? (하다가 우주 보며) 우리 국영수 계장님은 언제 오셔?

우주 (그 말에 움찔)

하영 (우주를 보는데)

최 기자 (분위기 모르고) 오늘 너랑 같이 오신다는 거 아니었어?

우주 (하영 눈치 보며) 좀 이따 오실 거야.

최 기자 오늘은 어머님 안 계시네요?

우주 궁금한 것도 많다.

하영 이제 휠체어 없이 혼자 다닐 수 있어서 전처럼 종일 안 계세요.

우주 곧 퇴원이시죠?

하영 (끄덕이고)

최 기자 언제예요?

하영 내일모레.

최 기자 와! 딱 크리스마스네요?! 타이밍 기가 막히네. (우주 보며) 우린 오늘이 마지막 병문안이겠다. 그동안 자주 못 와서 죄송해요.

하영 이 정도면 자주 온 거예요.

최 기자 퇴원 기념 축하 파티라도 해야 하나? 거의 반년을 병원에 계셨는데, 기분이 어떠세요?

하영 이거 인터뷰가?

우주 좀 신선한 질문 없냐? 당연히 좋으시겠지. 재미없게 빤한 걸 묻고 그래.

최 기자 그러네. 좋겠지 뭐. 빤한 질문을 했다 내가. (하다가) 그럼, 퇴원하자마자 뭐하실 거예요?

우주 (그 말에 하영을 보면)

하영 (잠시) 글쎄… 생각 안 해봤는데. (하는 데서)

68 __ 토중동 버스정류장 앞 / 저녁

토중동의 또 다른 버스정류장이 한눈에 보이는 자리를 찾아 차를 세우는 우호성. 패딩 점퍼를 벗어두고 뒷자리에 걸어둔 양복 재킷 꺼내 갈아입는데, 뒷자리엔 여전히 곰 인형 놓여 있다. 운전석 선바이저를 내려 거울 보며 정성스럽게 넥타이 매는 우호성. 한 번씩 차창 밖으로 지나다니는 행인들에게 눈길을 주는.

69 ___ 병실 / 저녁

최 기자, 우주 일어서며.

최 기자 국 계장님 얼굴 보고 가고 싶었는데 안 오시나 보네.

우주 바쁘시니까.

최 기자 사무실로 놀러 가야지. (하며) 그래도 되죠?

우주 (다시 하영의 반응 살피고)

하영 (대답 없이 미소로만 답하는)

우주 그럼 가볼게요. 퇴원 잘하시고요.

최 기자 미리 축하드려요!

하영 (마중하려고 일어서면)

우주 안 나오셔도 돼요.

하영 나 이제 다리 튼튼해. (하며 침대에서 내려와 신발을 신는데, 목발 필요 없고)

세 사람 병실을 나가는 모습에서.

70 ___ 토중동 버스정류장 앞(씬68 동) / 밤

시간이 지날수록 거리를 오가는 사람들의 숫자가 점점 적어진다.

71 ___ 병원 엘리베이터 앞 / 밤

우주와 최 기자를 마중하는 하영.

최 기자 우리 나가서 뭐 좀 먹고 가자. (하면)

하영 (놀라는) 저녁 안 먹고 온 거예요?

최 기자 아니요. 당연히 먹었죠. 근데도 출출해서. (웃어 보이며) 겨울이잖아요.

우주 얘가 원래 좀 많이 먹어요.

하영 (웃고)

최 기자 뭐 먹지?

하는 그때, 엘리베이터 도착한 띵- 소리 들리고.
우주와 최 기자가 하영에게 인사하는 데서 엘리베이터 문이 열린다. 우주, 최 기자 엘리베이터에 타려는데, 먼저 내리는 영수.

최 기자/우주 (영수를 보며) 어?!

영수 가는 거야? (하다가 순간 하영과 눈이 마주치고)

하영 오셨어요. (하면)

영수 (당황한)

최 기자 여태 기다렸는데.

우주 (눈치 살피고) 저흰 그럼 먼저 갈게요. (최 기자 끌고) 가자. (하는 데서)

엘리베이터에 오르는 우주와 최 기자. 문이 닫힐 때까지 하영과 영수에게 인사하고.
이내 문이 닫히면, 영수와 하영이 어색하게 서 있다.

영수 (어색한) 걔들 와서 안 자고 있었구나. (괜히 시간 보는데, 10시 넘었고)

하영 오자마자 가시게요?

영수 (당황하고) 응. 아니? (다시) 응. 가야지. 너 쉬어야지.

하영 저 내일모레 퇴원이에요.

영수 좋아 보여서 다행이다. 난 갈게. (하고 다시 엘리베이터 버튼 누르면)

하영 (기다려주고)

영수 (어색한데, 마침 도착해 문이 열리는)

하영 사무실에서 봬요.

영수 그래. 쉬어. (엘리베이터에 오르면)

문이 닫히고, 병실로 향하는 하영.

72 ___ 엘리베이터 안 / 밤

'사무실에서 봬요' 하는 하영의 말을 떠올리며 영수의 표정이 이내 미소로 바뀌고.

73 ___ 토중동 버스정류장 / 밤 (씬70에 이어)

막차 팻말 앞 유리에 세워둔 버스가 아무도 없는 정류장에 잠시 멈춘다. 저만치 뒤에서 막차를 타려고 열심히 뛰어오는 20대 여(이하, 여대생) 보이는데. 버스 기사가 그 여대생을 못 본 듯 이내 출발하고, 여대생이 전력을 다해 "세워주세요!!" "멈춰요!!" 소리치며 뛰어보지만 놓치고 마는. 꾸며 입은 듯 짧은 스커트 차림으로 추위에 외투를 꽉 움켜쥔 채 맥없이 정류장에 홀로 서 있는 여대생과 그 모습을 저만치에서 지켜보는 우호성. 천천히 차를 이동해 정류장 앞으로 다가가 여대생 앞에 서고, 우호성이 멈춰 서면,

의아한 듯 보는 여대생.

우호성 (창문을 내리며, 모른 척) 버스 놓쳤죠?

여대생 (보는)

우호성 (미소 보이며) 추운데 제 차 타세요. 어차피 버스 노선 따라가는 길이라 적당히 내릴 곳 근처에서 내려드릴게요.

74 ___ 곱창집 / 밤

불판에 올려진 곱창을 열심히 굽는 우주와 구워진 곱창 족족 집어 먹는 최 기자.

최 기자 (먹으며) 송 경위님, 여태 온 중에 오늘이 제일 좋아 보이시더라.

우주 아무래도 곧 퇴원이니까 마음이 편하시겠지.

최 기자 (먹으며) 얼마나 힘들었을까. 참 대단한 사람이야.

그때, 일영이 가게로 들어오고.

우주 어? 남 형사님?

일영 (우주 테이블로 다가오는) 이 시간에 여기서 뭐 해요?

최 기자 저 예전에 마포서에서 뵙고, 서울청에서도 뵌 적 있는데 기억하세요?! (급하게 옷에서 명함 꺼내는) 《팩트 투데이》 최윤지 기자입니다.

일영 아. 잘 알죠. 서울청 광수대 남일영입니다.

우주 하여튼 빨라. 근데 혼자 오셨어요?

일영 이 근처에 볼일 있어서 왔다가 야식 포장해 가려고 들렀어요. 두 사람은?

우주 저희는 송 경위님 문병 왔다가- (하는데)

최 기자 (급하게 자리 하나 만들고) 포장을 뭐 하러 하십니까. 앉으세요. 같이 드시면 되죠.

일영 (눈치 보는데) 두 사람 방해하는 거 아닌가…

우주 아니에요. 저희 그냥 친구에요.

최 기자 정 그러면 여기 있는 거 드시면 되죠. (하는데 불판 보면. 아직 덜 익은 곱창만 남은) 사장님! 여기 2인분, 아니 3인분 추가요! (우주 손에 든 집게 가져오며) 제가 기가 막히게 구워드릴게요.

우주 사장님 맥주도 하나요~ (일영에게 자리 가리키며) 앉으세요.

일영 (어색하게 앉으며) 송 경위님은 좀 어때요? 이제 퇴원하시나?

우주 네. 모레 퇴원하신대요.

최 기자 송 경위님 많이 좋아지셨어요. (구우며) 빨리 드세요. (앞에 놔주면)

일영 (당황하며) 고마워요.

세 사람, 열심히 먹는 모습에서.

75 ___ 병원 산책로 / 밤

최 기자e 퇴원하자마자 뭐하실 거예요?

최 기자의 말을 떠올리며 생각에 잠긴 듯 혼자 병원 산책로를 걷는 하영. 늦은 시간임에도 간간이 두꺼운 외투 입고 벤치에 앉아 있는 환자와 보호자들을 보며 걷다가 저만치 퇴근하는 자원봉사자 무리 발견하는데 그들 사이에 있는 화연母와 눈이 마주치는 하영. 두 사람 서로 꾸벅 묵례하며 다가오는 데서.

cut to

벤치에 나란히 앉아 있는 하영과 화연母.

화연母 많이 좋아지셨네요.

하영 네, 덕분에요.

화연母 (한시름) 아휴, 잘됐다. 괜히 겁이 나서 물어보지도 못하겠더라고요. 어느 날에 재활치료사 선생님한테만 슬쩍 물어봤어요. (보며) 교통사고로 오셨다고.

하영 네. (하다가) 전에 주신 음식들은 잘 먹었습니다. 인사가 너무 늦었어요.

화연母 오래돼서 기억 못 하실 줄 알았어요. 형사님 워낙 많은 사건 맡으시니까.

하영 기억합니다. 최화연 씨. 물론 어머님도요. (하다가) 용기가 없었을 뿐입니다.

화연母 (?? 의아한 듯 보는)

하영 피해자나 유가족분들을 다시 만나는 일이요.

화연母 저도 그랬어요.

하영 (보면)

화연母 아직도 우리 화연이 그렇게 만든 놈 떠올리면 똑같이 갚아주고 싶어요. 감옥에 속 편하게 있는 거 생각하면 성이 안 풀리고. 나도 화연이 따라가고 싶고. (잠시) 사는 게 너무 힘들었어요.

하영 …

화연母 솔직히 형사님 처음 봤을 때도 선뜻 아는 척을 못 하겠더라고요. 그 괴로운 일들이 다시 생각나서. 며칠 밤을 악몽 꾸면서 봉사를 그만해야 하나, 그 고민까지 했으니까.

하영 죄송합니다.

화연母 (손사례) 아이고, 왜 죄송해요. 저한테 고마운 분인데.

하영　…

화연母　그러니까 손수건도 여태 갖고 있었죠. 그러다 그걸 다시 꺼내보는데, 그제야 알겠더라고. 내가 여태 이렇게 버티고 산 거는 나와 화연이를 위해 노력해준 사람들이 있어서라는 걸. (하영 보며) 형사님도 그중 한 명이고요.

하영　…

화연母　퇴원 앞두고 뵈니 너무 좋네요. 꼭 한 번은 뵙고 싶었는데. 잠시만 기다리고 계세요. (하며 일어서는데)

하영　어디 가시게요?

화연母　잠깐만 기다리세요. 잠깐만. 금방 와요. (하며 가는)

하영　어머님…! (하는 데서)

76 ___ 병실 / 밤

따뜻한 군고구마 봉투 두 손으로 꼭 쥐고 들어오는 하영. 군고구마 꺼내 껍질을 벗기는 그 위로.

/ins. 병원 산책로 (씬75에 이어)

화연母　(군고구마 봉투 들고 다가오는) 이런 데서 뵈서 드릴 건 없고, 이거라도 가져가서 드세요.

하영　(마다하며) 아녜요. 괜찮습- (하는데)

화연母　금방 사 와서 뜨끈해요.

하영　같이 나눠 드시죠.

화연母　퇴원 선물 겸 (손에 봉투 쥐여주며) 마음이에요. 제 마음.

하영　(그제야 받아 들고)

화연母　(뿌듯한 듯 웃어 보이고)

/다시 병실

먹먹한 듯, 군고구마 한 입 베어 무는 하영의 표정에서.

화연母e 신문에서 봤어요. 그때도 그렇고 형사님은 여전히 피해자와 그 가족들만 생각하시더군요. 참 고마웠어요. 형사님… 저처럼 용기를 내서 살아가는 사람도 있지만, 여전히 슬픔 속에 살아가는 사람도 있을 거예요.

/ins. 병원 산책로

하영을 지긋이 바라보는 화연母.

화연母 저희 같은 사람들을 위해 끝까지 힘이 되어주세요. 더 이상 누군가가 소중한 사람들을 잃지 않게요.

따뜻한 봉투를 쥐고 있는 하영의 손을 다시 감싸주는 화연母.
그런 화연母를 보는 하영의 모습에서.

77 ___ 토중동 버스정류장 / 밤 (씬73에 이어)

우호성의 차 보조석에 타는 여대생 보인다. 여대생이 차에 오르고 문이 닫히면, 그대로 출발하는 우호성의 차.

78 ___ 우호성의 차 안 (도로 일각) / 밤

여대생 고맙습니다.

우호성 친구들이랑 놀다 집에 들어가는 거예요?

여대생 아…네.

우호성 추워 보여서 그냥 갈 수가 있어야죠.

여대생 감사합니다. 가시는 길에 내려주시면 돼요.

우호성 곧 눈도 올 거 같은데 서로 돕고 살아야죠. 또 알아요? 산타할아버지가 선물이라도 줄지.

여대생 (웃으며) 그러게요. 크리스마스 선물 받으셔야겠어요.

우호성 (보며) 그럼 저 선물 좀 주실래요?

여대생 네? (하고 쳐다보면)

드륵- 차문 잠기는 소리 들리고. 한 손으로 넥타이 쭉 빼며 웃는 우호성.

79 __ 병실 / 밤

잠들어 있는 하영의 표정이 평온해 보이고. 꿈을 꾸듯 몸을 뒤척이는 모습에서.

/ins. 하영의 꿈

물속에서 시신을 향해 손을 뻗는 하영인데. 여태 꿈에 보였던 여성이 시신 아닌, 살아 있는 모습으로 하영을 향해 손을 내민다. 하영이 가만히 보기만 하며 망설이다가… 여자의 손을 잡아주는 모습에서.

80 __ 분석팀 / 낮

인터넷 뉴스 보는 우주. '경기도 토중동에서 여대생 실종. 버스정류장에서 마지막으로 행적 확인-' 읽다가 영수에게 말을 건네는.

우주　어? 계장님. 토중동 경기청에서 실종 사건 들어왔던 동네 맞죠?

영수　맞는데. 왜? (그때, 영수 핸드폰에 '경기청 박도원 계장' 뜨고, 받으며)!!, 알았어요. (하며 바로 일어서) 우주야 나 경기청 다녀올게.

영수, 사무실을 급히 나가고!!

81 ___ 병원 원무과 / 낮

하영의 퇴원 수속 중인 영신.

82 ___ 병실 / 낮

마냥 밝은 얼굴의 영신과 함께 짐을 챙겨 병실을 나서는 사복 차림의 하영.

83 ___ 병원 로비 / 낮

짐을 들고 나가는 하영과 영신.

하영　어머니 먼저 들어가세요.

영신　그래, 너무 무리하진 말구.

하영　네. 걱정 마세요.
영신　그래도 너 퇴원하니까 너무 좋다.
하영　이젠 걱정하실 일 안 만들게요.

웃으며 밖으로 향하는 두 사람의 모습에서.

84 ___ 택시 안 / 낮

택시에 오르다가 보조석에 손님이 두고 간 신문을 들고 앉는 하영. 아기자기하게 꾸며놓은 크리스마스 장식들 보이고, 라디오에서는 캐럴이 나오는 데서.

택시 기사　어디로 갈까요? (묻는데)

신문 1면에 「서울 서남부 지역 연쇄살인범 남기태 사형 구형」 기사를 보는 하영.
신문 펼치면. '사형을 빨리 집행해달라' 소제목 붙어 있고. 그 아래로 "서울 서남부 지역 연쇄살인 피의자 남기태가 24일 서울고등법원에서 열린 항소심 결심 공판에서 1심과 같은 사형을 구형받았다"라는 내용의 기사가 실려 있다.

택시 기사　(재차) 손님, 어디로 갈까요?
하영　(잠시) 서울지방경찰청으로 가주시죠.

택시 기사, 하영을 잠시 힐끔 보고, "네" 하며 출발하는!

85 ___ 경기지방경찰청 광수대 사무실 / 낮

형사과장실로 급히 들어오는 박 계장.

박 계장 여대생 한 명이 토중동에서 실종됐대요.

길표 또?!

박 계장 안양서 문 형사가 연락 왔어요. 이거 같은 놈이 벌인 사건 같아요.

길표 국영수한테도 연락해.

박 계장 했어요. 지금 여기로 오고 있어요.

86 ___ 분석팀 / 낮

사무실 들어서는 하영인데.

우주 (놀라는) 어?! 퇴원하신 거예요?

하영 응.

우주 근데 왜 집으로 안 가시고 여기로 오셨어요? 몸은 괜찮으세요?

하영 (끄덕이며) 계장님은?

우주 경기청에 가셨어요

하영 경기청? 거긴 왜? (하는 데서)

87 ___ 택시 안 / 낮

노래방 실종 사건 보고서 확인하며 경기청으로 향하는 하영.

88 __ 경기지방경찰청 형사과장실 / 낮

모여 심각하게 회의 중인 영수, 길표, 박 계장.

영수 (박 계장 보며 확인하듯) 기억하죠? 그 노래주점 앞에 있던 버스정류장.

박 계장 (끄덕이는) 예.

길표 (긴가민가) 근데 이건 실종 대상 직군이 다른데.

노크와 동시에 문을 열고 들어오는 하영. 손에 보고서 들고 있다. 영수, 길표, 박 계장, 문 형사, 하영을 보며 동시에 놀라고!

영수 여길 어떻게 왔어?

길표 몸 괜찮은 거야?

박 계장 … 오랜만이다?

영수, 길표, 박 계장, 하영의 등장에 놀라 각자의 질문만 던지는데.

하영 (박 계장 보며) 오랜만이네요. (하고 바로) 사무실 갔다가 우주한테 내용 전달받았어요. (하며 들고 있던 보고서 내려놓는) 구체적으로 무슨 사건인지 설명 좀 해주세요.

영수 (돌아온 하영에게 고마운 듯 시선 주고) 이 보고서대로 5월에 노래방 종업원 실종 사건이 있었고. 그전 2월에 신고되지 않은 또 다른 노래방 종업원 실종 여성이 있어.

하영 !

박 계장 그리고 23일 그제 같은 동네 버스정류장에서 여대생이 실종됐는데, 세 건이 같은 놈 짓인 거 같다.

하영 (영수를 보면)

영수 5월 실종 사건 현장 답사 갔을 때 바로 앞에 버스정류장이 있었어.

하영 2월 미신고 사건은요. (박 계장 보면)

박 계장 그 앞에도 버스정류장이 있지.

하영 세 지역 모두 인적이 드문 곳이라는 공통점이 있습니다. 장소를 고른 거예요.

길표 그새 그걸 파악했어? (하며, 거봐- 하듯 영수를 보는)

하영 당연히 목격자도 없겠죠?

박 계장 (끄덕이고)

하영 국 계장님 추측대로 세 사건 모두 그 지역 버스정류장이 납치 장소라고 가정하면…

박 계장 전부 버스를 기다리고 있었던 거 같아.

하영 실종 시간은요?

영수 마지막으로 휴대폰이 끊긴 시간이 다 새벽 1시 언저리.

하영 막차를 기다렸나 봐요.

영수 성인 여성을 강제로 태웠거나-

길표 강제로 태우는 게 가능하려면 적어도 2인 이상이어야 하지 않아?

하영 호의 동승이에요.

일동 호의 동승?

하영 범인이 2인 이상이라면, 굳이 버스정류장에서 납치할 이유가 없습니다. 어디서든, 인적 드문 곳에서 걸어가고 있는 여자를 납치해 태우면 그만이죠.

일동 …

하영 이건 연쇄 동일 건일 가능성이 높습니다.

길표 (바로) 박 계장! 수사팀 꾸리자!

89 ___ 경기지방경찰청 회의실 / 낮

자막_ 2007년 1월.
문 앞에 '여성연속실종사건 전담 수사본부' 팻말 붙이는 박 계장.

90 ___ 서울지방경찰청 형사과장실 / 낮

준식과 이야기 중인 태구.

태구　저희도 같이 조사하게 해주세요.
준식　(고민하는)
태구　어쨌든 분석팀이랑 같이 움직였던 경험이 있으니 도움이 될 거예요.
준식　(생각하다가) 그럼 남 형사랑 둘만 가.
태구　네.

91 ___ 분석팀 / 낮

하영, 영수, 우주 셋이 모인 사무실.

우주　당분간 경기청으로 출근하시는 거죠?
하영　그렇겠지?
영수　(서랍에 넣어뒀던 하영의 사직서 꺼내 보이며 농담하듯) 이건 어떡할까? (시늉하며) 찢어? (하는데)
하영　(얼른 뺏어 들고) 왜 찢어요. (자기 서랍에 넣는)

영수 (미소 보이며) 빨리 가자.

하영, 영수 사무실 나가고, 우주 "다녀오세요!" 하는.

92 ___ 경기지방경찰청 회의실 / 낮

미제 사건 자료들 잔뜩 들고 들어오는 박 계장. 영수, 하영, 길표, 태구, 일영이 모여앉아 있는 테이블에 내려놓으면, 모두 쌓아놓은 자료들 하나씩 확인하며 연관성 검토하기 시작하는 모습에서.

cut to

토중동 노래방과 버스정류장 인근 현장 사진을 자세히 보는 하영.

하영 CCTV가 없네요.

박 계장 그 근방은 거의 없다고 봐야 돼.

일영 이제 막 신설 입주한 아파트 단지 지역이라 구청에선 설치할 위치나 장소 물색도 안 하고 있는 거 같았어요.

태구 인적도 드물고, CCTV도 없다는 걸 범인도 아는 거예요.

하영 여기뿐 아니라, 경기권 버스정류장들과 CCTV가 없는 장소들 전부 찾아서 설치부터 해야 합니다.

길표 전부?

영수 하는 김에 전부 신형으로 교체해줘요. 구형 CCTV는 차량 번호 식별도 어려워요.

길표 알았어. 얘기할게.

일영 그럼, 전 CCTV 없는 지역들 체크할게요.

회의 계속되고.

93 ___ 경기지방경찰청 광수대 사무실 / 낮

정수기 앞에서 종이컵에 뜨거운 물을 받고 있는 하영.
박 계장이 그런 하영 옆에서 괜히 기웃대고.

박 계장　잘 지냈냐?
하영　(물 받으며) 네. 덕분에요.
박 계장　덕분에?
하영　제가 분석팀 온 이유 중에 박 계장님 지분도 있잖아요.
박 계장　이제 농담으로 받아칠 줄도 알고 국 계장님이 송하영 사람 만들었다는 소문이 사실이었네.
하영　(웃으며) 그쵸. 국 계장님 덕에 제가 사람 됐죠.
박 계장　그때 갑자기 발령 나는 바람에 인사도 못 하고 헤어져서 마음에 걸렸다.
하영　이렇게 다시 만났으면 된 거죠.
박 계장　(다음 말 고르는데)
하영　(잠시 보며) 마음 쓰지 않으셔도 됩니다. 그런 상황에선 누구라도 그럴 수밖에 없었을 거예요.
박 계장　(보면)
하영　다 지난 일이고요.
박 계장　(의외라는 듯 놀라며 툭 치고) 잘 해보자!

옅은 미소 띠는 하영의 얼굴에서.

94 ___ 토중동 버스정류장 / 낮

아직 CCTV 설치되지 않은 버스정류장 인근을 둘러보며
정류장 안내판 앞으로 향하는 하영과 영수.

하영 (농담 던지듯) 국영수 계장이 송하영 사람 만들었다는 소문 들었어요?

영수 (민망한) 그건 또 무슨 한라산에서 낚시하는 소리래.

하영 (웃으면)

영수 (멋쩍은 듯) 누가 누굴 뭘 만들어, 하여튼 사람들 참.

하영 왜요.

영수 소문 같은 거 신경도 쓰지 마.

하영 (하며 안내판 배차 간격을 보며) 틀린 말도 아닌데 뭐.

영수 ? (의외의 반응에 하영을 잠시 보더니 내심 좋은 듯)

하영 낮에도 배차 간격이 40~50분이나 돼요.

영수 택시도 잡기 힘들고.

하영 밤엔 더하겠죠.

영수 그걸 노린 거지.

하영 (둘러보며) CCTV 설치하기로 얘기된 거죠?

영수 응. 실종 사건 지역 중심으로 주변까지 쫙 늘린댔어.

하영 배차 간격만 확인해보고 가요.

영수 (끄덕이고)

버스 기다리기 시작하는 하영과 영수의 모습에서.

95 ___ 몽타주 / 여러 날

- 버스정류장 외 인적이 드문 장소 곳곳에 CCTV 설치하는 모습 컷컷컷!
- 광수대 회의실. 분류한 미제 사건 자료들을 우주가 받아서 나가는.
- 광수대 회의실. 프로파일링 보고서 작성하기 시작하는 하영. / (「경기 여성연쇄실종사건 프로파일링 보고서」 '유사점: 피해자 대부분 노래방 종업원으로 야간 및 새벽 시간대 발생했으며, 심야에 버스정류장 승차 대기 중 실종된 것으로 파악. /실종 직후 휴대폰 분리 및 전원 OFF 등이 유사.' 적힌)
- 어느 버스정류장. 늦은 밤 혼자 서 있는 박 계장에게 다가와 멈추는 트럭. "추운데 차 타세요. 여기 기다려도 차 없어요. 큰길까지 데려다드릴게요"라고 말을 거는 트럭 운전사의 모습이 보인다. 그 위로.

하영e 작년 5월 사건을 제외하면 나머지 두 건은 2월, 12월로 체감 온도가 낮은 날이었어요.

영수e 교외 지역이라 버스 배차 간격도 길고.

박 계장e 나 혼자 서 있는데 웬 트럭이 와서 타라더라. 내려준다고. (하는 데서)

96 ___ 광수대 회의실 / 낮

모여 앉아 회의하는 하영, 영수, 태구, 일영, 박 계장 외 형사들.

하영 범행 대상이 처한 상황과 심리를 이용하는 겁니다.

박 계장 대중교통의 간격이 길어서 동네에 서로서로 태워주는 호의적 문

화가 있더라고.

하영　추운 날씨엔 더 잘 통했을 거고요.

태구　친절한 가면을 쓰고 이용한 미끼군요.

하영　그렇죠.

일영　그렇다고 모르는 사람 차를 선뜻 탈까요?

하영　선뜻이 아니에요. 결국 누구라도 타게 만들었을 거예요.

영수　음… 외관상 위협적으로 보이지 않는 고급 승용차나 깔끔한 차량일 수는 있겠네.

하영　혹은 범인을 의심하지 않을 만한… 장치가 차량 안에 있다거나.

일영　(생각하고) 가족사진 같은 거? 아니면 인형이나… 아기?

박 계장　애기를 데리고 타겠어?

일영　그럼 또 뭐가 있을까…

태구　그보다 피해자가 처음 시선을 주는 게 운전자니까 범인의 인상 자체가 거부감이 없는 외모일 수도 있어요.

박 계장　험악한 인상은 아니겠네.

영수　호감형이라거나.

하영　(끄덕이고) 맞아요. (하는 데서)

97 ___ 영웅 노래주점 버스정류장 (41씬 동) / 낮

간판 꺼진 영웅 노래주점 건물에서 나오는 하영과 영수. 오랜 시간 걸려 있느라 바랜 흔적의 현수막(씬23 동) 붙은 버스정류장으로 향한다. 길 저편에 새로 설치한 CCTV 보는 하영. 영수도 그 시선을 따라 CCTV 보는.

영수　저게 도움이 되겠지?

하영　　더는 숨어 다닐 사각지대가 없으니 긴장하겠죠.

영수　　(현수막 보는) 벌써 9개월이나 지났어. 살아 있어야 할 텐데…

하영　　… (물끄러미 보다가 애써 희망을 가져보듯) 아직 발견된 피해자는 아무도 없어요.

영수　　그래. 니 말이 맞다.

그때, 지나가던 행인이 버스를 기다리는 듯 멈추고 현수막을 잠시 보는 데서.

영수　　건너편으로 가보자.

하영　　(끄덕이고)

하영과 영수, 발길을 돌리는 모습 뒤로 현수막 피해자의 얼굴이 비춰지는 데서.

98 ___ ○○노래방 안 / 밤

여기저기 각 방마다 노랫소리 들리는 노래방. 태구, 일영이 들어서며 사장과 이야기 나누면, 사장이 태구, 일영을 빈방으로 안내한다. "잠깐 기다리세요" 하며 나가는 사장. 가만히 앉아 누군가를 기다리는 태구, 일영의 모습에서. 잠시 후, 원피스 입은 노래방 종업원(30대 초)이 안으로 들어와 태구 옆에 앉는다. 종업원, 일영의 눈치를 보면, 태구가 일영에게 잠시 나가 있으라는 신호 보내고. 일영이 밖으로 나가는.

태구　　혹시 최근에 눈에 띄거나 이상한 손님이 있었는지 궁금해서요.

종업원　그런 사람 있더라도 노래하면 조명이 계속 돌아가니까 어둡고 시끄러워서 손님 얼굴은 잘 몰라요. 그리고, 늦게 일하다 보면 술 마시고 온 사람들 거의 다 이상해져요.

태구　그럼 같이 일하는 다른 분들이라도- (하는데)

종업원　(OL) 다들 경찰 만나는 걸 꺼려 해서… 제가 따로 물어보고 알려드릴게요.

태구　(명함 건네고) 부탁드릴게요. 주변에 같이 일하시는 동료 중에 연락이 두절됐다거나 하는 분도 있으면 알려주세요.

종업원　(끄덕이며) 네.

노래방 문밖으로 나오는 종업원이 밖에서 기다리고 있던 일영과 눈 마주치자 어색해하며 얼른 밖으로 나가고. 태구도 나오며, 일영에게 고개 저어 보인다.

99 __ 분석팀 / 낮

미제 사건 자료들에서 공통점을 찾아 확인하는 우주. 얼른 영수에게 전화하는.

우주　제가 팩스 하나 보낼 테니까 봐주세요.

100 __ 경기지방경찰청 광수대 회의실 / 낮

화이트보드에 어느새 만들어진 3건의 사건이 정리된 프로파일링 지도가 붙어 있다. 영수, 하영, 태구, 일영, 박 계장 둘러앉아 사건 보고서들 확인하고 있는.

영수 　확인할게. (끊고, 하영 보며) 우주가 미제 사건[2] 하나 보냈대.

하영 　그건 왜요?

영수 　실종 장소가 인적이 드문 곳에 있는 버스정류장이고, 휴대폰 배터리도 실종 장소 근처에서 분리됐다네.

하영 　가능하겠네요.

일영 　가져올게요. (하면)

박 계장 　화장실 다녀오는 김에 내가 가져올게. (하고 박 계장 나가는데)

101 _ 경기지방경찰청 광수대 사무실 / 낮

팩스 챙기는 박 계장. 핸드폰 울려서 받는.

박 계장 　(팩스 보며) 예. 경기청 광수대 박대웅입니다.

형사2e 　서부경찰서 김근태 형삽니다. 경기청에서 여성연쇄실종사건들 조사 중이라고 들어서 전화드렸습니다.

박 계장 　예, 맞아요. (사이) 신무동 공장 지대요? 핸드폰 마지막 위치는요? (다급히 걸으며)

102 _ 경기지방경찰청 광수대 회의실 / 낮

2 군포시(3차 사건): 허금영, 51세.

서둘러 들어오는 박 계장. 손에 팩스 들고 있는데.

박 계장 실종 사건 제보 들어왔어요.

일동 !! (보는)

103 _ 공장 지대 / 낮

박 계장e 수원 서부경찰서고, 30대 회사원. 신무동에서 실종됐어요.

○○기계, ○○금속 등의 간판들 잇달아 걸려 있는 공장 지대를 지나는 박 계장의 차.

박 계장e 그쪽이 최근에 공단들 엄청 들어선 동넨데, 실종자는 해용공단에 근무했어요. 평소 공단 앞에 있는 정류장에서 버스로 출퇴근했다고 하네요. 그 지역이 공단들만 모여 있어서 늦은 밤엔 사방천지가 다 암흑이에요.

하영과 영수가 박 계장과 함께 주변을 둘러보며 천천히 지나면서 이동하는 중이고, 그 옆으로 일영의 차에 타고 있는 태구도 보인다.

박 계장e 버스정류장에서 밤 12시 반경에 남자 친구랑 한 통화가 마지막이었고, 휴대전화는 그날 아침 7시에 배터리가 분리됐어요.

공장과 공장 사이에 자리한 농지, 드문드문 키 작은 나무들 심어진 숲이 보이는 한적한 도로를 지나는 박 계장과 일영의 차.

- 경기청 광수대 사무실. 화이트보드에 3차[3], 4차[4], 5차 사건[5] 추가 표기하는 하영.
- 야산. 산나물을 캐던 60대 노인, 뭔가를 발견하고 놀라 비명 지르는! /폴리스라인 둘러져 있고, 야산에 나무로 덮여 있는 사체를 보는 문 형사.

/ins. 거리 일각 / 낮

차로 향하며 박 계장에게 다급히 전화하는 문 형사.

문 형사 박 계장님! 1월에 실종된 노래방 종업원 윤진실 사체 나왔어요. (하는 데서)

앵커e 어제 낮 경기도 안산에 위치한 야산에서 암매장된 채 발견된 여성의 신원이-

- 경기청 형사과장실. TV에 '안양시에서 30대 실종 노래방 종업원 사체 발견' 자막 떠 있고, 뉴스 보는 길표. 그 위로.

앵커e 경기연쇄실종사건의 피해자인 것으로 밝혀졌습니다.

길표 (수화기 들고) 실종 여성 사체 더 발견될 수도 있으니까, 가능성 두고 야산 일대 전부 수색해. (끊고, 일어서 나가는)

---

3 씬100 사건 동.

4 씬73, 여대생. (3차 사건→4차 사건): 이초원. 22세.

5 수원시(5차 사건) : 한영희. 37세.

- 거리 일각. 행인들(여성) 저마다 "뉴스 봤어?" "실종됐는데 암매장 사체로 발견됐대" "설마 또 연쇄살인이야?" "또?!" "세상 무서워서 맘대로 돌아다니겠냐" 하며 지나가고.

- 야산을 수색하는 경찰과 수색견들의 모습이 보인다. 그 위로.

앵커e　경기지방경찰청은 이에 따라 10개 중대, 1,000여 명의 경찰과 수색견 2마리를 동원해 암매장 지점을 중심으로 5~6㎞ 구간에서 집중 발굴 작업을 벌이고 있습니다.

- 경기청 광수대 사무실. 화이트보드에 붙어 있는 프로파일링 지도에 '6차 사건'[6](실종 장소 /사체 발견 장소) 위치 각각 표시되어 있고. 다들 모여 있는 사무실.

태구　안산이면, 실종 장소랑 마지막 휴대폰 위치까지 거리가 좀 있네요.

하영　왜 굳이 안양 인근이 아니라, 안산까지 이동해서 암매장했을까요. 어쨌거나 이동 동선이 길어지면 리스크가 생기는데.

영수　낮에 이동했을 린 없고. 밤이면 어두워서 CCTV엔 안 잡혔을 거야.

일동　(고민하는)

길표　경기도에 오래 살았든가 주변 지리에 밝은 놈인 게 분명해. (머리 아픈 듯) 군포, 안양, 수원, 안산까지 외진 장소로만 골고루 다니는 거 보면.

6　안양시(6차 사건) : 윤진실, 32세.

하영 심지어 도로에서 80키로나 떨어진 위치에 매장했어요. 매일같이 산나물 캐느라 야산을 오가는 노인이 아니었다면, 일반인이 발견하기 어려운 장소죠.

일동 음…

박 계장 그래도 우선, CCTV에 확인되는 차량부터 파악하고, 경기도에 거주하는 전과자로 좁히는 수밖에 없겠네.

하영 (끄덕이며, 지도에 표시된 사체 발견 장소 가리키는) 저 장소를 선택한 이유가 있을 겁니다. (잠시) 용의자를 추려보면 이유가 나오겠죠. (하는 데서)

105 _ 우호성의 차 안 + 풀숲 앞 / 밤

인적 없는 풀숲 앞. 빛도, 지나다니는 사람도 하나 없는 곳에 우호성의 차만 홀로 세워져 있다. 우호성, 보조석에 축 늘어져 있는 시신에 손을 뻗더니… 옆에 떨어진 여자의 핸드백을 주워든다. 핸드백 속 지갑을 꺼내는 우호성. 지갑 속 현금 2만 3,000원을 제 주머니에 우겨 넣고. 이어 체크카드를 꺼내보는데 카드 뒷면에 적어둔 지 오래된 듯 사인펜이 번진 비밀번호 4자리가 적혀 있다.

106 _ ○○은행 / 낮

지퍼 열린 패딩 점퍼 속 와이셔츠와 추리닝 바지 입은 우호성. 가발을 쓴 모습으로 ATM기에 체크카드(씬105) 넣고, 비밀번호 누르면 잠시 후, 드르륵 현금 인출되는 소리 들린다. 주위 다른 ATM 이용 중인 사람들의 눈치를 슬쩍슬쩍 보며 현금을 집어 드는 우호성. 그때 바로 옆에서 통장 조회 중이던 40대 여의 의미 없는 시선이 잠시 우호성을 스친다.

107 _ ○○은행 앞 / 낮

은행에서 나와 택시 잡는 우호성.
뒤이어 40대 여가 은행에서 나와 택시 타는 우호성을 잠시 보는 데서.

cut to
다른 날. 40대 여의 앞에 서 있는 태구와 일영.

태구 (은행 CCTV에 찍힌 우호성의 사진[7]을 보여주는) 이 사람 보신 거 맞나요?

40대 여 네. 머리랑 차림이 이상했어서 기억나요. 앞머리가 (시늉하며) 이렇게 덥수룩하고 와이셔츠에 추리닝 바질 입었드라고.

일영 패딩 잠바도 맞죠?

40대 여 네. 돈 뽑으면서 주변을 쓱 보길래. 나도 별생각 없이 쳐다봤어요.

일영 어디로 갔는지도 혹시 보셨어요?

40대 여 아… 내가 그거까진 모르죠. (하다가) 아, 나와서 택시 잡아타는 거 봤다.

태구 택시요?!

---

7 가발 앞머리에 가려져 얼굴은 제대로 안 보이는.

108 _ CCTV 관제실 / 낮

버스정류장이 보이는 거리(실종 장소) 인근부터 은행이 있는 거리 인근까지 각자의 자리에서 CCTV를 확인하고 있는 하영과 영수.

영수 택시 회사들 확인했는데 그때 운전한 택시 기사랑 차량은 못 찾았대.

하영 택시를 이용한 걸 보면 은행에서 멀지 않은 곳에 거주할 거예요.

영수 실종 장소에서 은행까지 거리도 가까워.

하영 쉽지 않겠지만, 실종 장소에서 은행까지의 모든 길목, 인근 도로 CCTV 전부 확인하는 게 좋겠어요.

영수 (관제실 직원에게) 은행 인근 6km 범위 구간에 설치된 CCTV 다 확인할게요.

직원 그걸 다요? CCTV만 해도 300대가 훨씬 넘을 텐데.

하영 네. 다 확인하겠습니다.

109 _ 몽타주

차량들 실소유자와 명의자를 일일이 만나고 다니며 알리바이 확인하는 태구, 일영의 모습 컷컷컷! 그 위로.

하영e 이 지역을 통과한 차량은 7,000대가 넘었다.

110 _ CCTV 관제실 / 낮

화면 속에 보이는 차량들을 놓치지 않으려 하나씩 꼼꼼히 살피는 하영. 그러다 까만색 승용차(우호성의 차)에서 영상을 멈추고! "지금 그 차량 확대 좀 해주세요" 하면. 우호성의 차가 가까이 확대되는 데서!!

하영　잠시만. 여기요!

cut to

어느새 태구와 일영까지 도착해 있는 관제실. (→ 하영, 영수, 태구, 일영) CCTV 영상이 재생되면 운전하며 가는 우호성의 차가 보인다. 잠시 멈춰, 확대되는 영상 속에 우호성의 흐릿한 얼굴과 보조석에 잠든 듯 쓰러져 있는 여자(씬105)가 보인다!

111 _ 에필로그

(1화, 씬1) 들것에 옮겨져 하얀 천에 덮힌 시신을 보며 다가가는 어린 하영.

하얀 천 밖으로 나온 발을 안으로 넣어 덮어주는 모습 위로.

영수e　(씬8) 넌 그때도 지금처럼, 분명 그 사람을 위해 할 수 있는 일을 했을 거야.

작가 Comment

극에 등장하는 주요 범죄자 검거는 물론, 사건을 해결해야 하는 기수대의 역할을 보여주고자 추가했다.

23 ___ 몽타주 사이. 게임랜드 앞 + 게임랜드 안 / 낮

 # 게임랜드 앞

잠복 중인 태구와 일영의 차량 안에서 "환전소 찾았습니다. 예상대로 게임랜드에서 나와서 환전소로 왔어요. 영천2동 33-17번지 황금복권방이요" 하는 무전기 들린다.

/ins. 황금복권방 안으로 들어가는 양복 남. 손에 007가방 들고 있다. 골목에서 무전 남이 그 모습을 지켜보는

태구 2팀 지원 보낼게. 기다렸다가 도착하면 동시에 째자. 한쪽이라도 놓치면 골치 아파.

무전e 게임랜드는요?

태구 여긴 대부분 손님일 거라 둘이면 충분해. (하며 일영 보면)

일영 (끄덕이고, 게임랜드 지켜보는)

잠시 후, 다시 "2팀 도착했어요. 진입 지시 내려주세요" 그 소리에 태구와 일영 차에서 내리고. 게임랜드 문 앞에서 무전기 들고 잠시 대기하다가 태구가 "지금" 하면, 태구 일영도 동시에 게임랜드 안으로 진입한다.

 # 게임랜드 안

아무 일 없는 듯 게임 하는 손님들 보이는데, 태구 상황 아는 듯 전체에게 고지한다.

태구 서울지청 광수대에서 나왔습니다. 모두 손 내려놓으시고- (하는 그때)

조폭1, 자리에서 일어나 무작정 태구를 밀치고 나가려는 듯 달려든다. 조폭의 팔을 그대로 잡아서 제압하는 데 성공하는 태구. 그때 다시 게임 하던 손님들이 한 패거리마냥 일제히 자리에서 일어나 태구와 일영에게 덤벼들기 시작하면서 태구, 일영 놀라고! 순간 아수라장이 되며 두 사람 격렬히 맞서는 모습에서!

 # 게임랜드 앞

안에서 줄줄이 연행되어 나오는 사람들. 어느새 도착한 지원팀 기동대 차량에 차례로 태워진다.

 # 게임랜드 안

증거물로 확보한 상품권과 현금 뭉텅이, 장부 확인하는 중인 태구와 일영. 전부 들고 밖으로 나가는.

 # 게임랜드 앞

태구와 일영, 챙겨 나온 증거품들 기동대 차량에 싣고, 두 사람은 태구의 차에 오르고 출발하는 모습에서.

12화

1____도로 어딘가 / 낮

(2월 중순쯤의) 한적한 도로, 다니는 차량 몇 대 없는데 유독 느리게 주행하고 있는 우호성의 차가 보인다. 차창 밖으로 새로 설치된 CCTV 둘러보듯 주변을 두리번거리며 운전하고 있는 우호성의 모습에서 오버랩되는.

2____CCTV 관제실 / 낮 (11화. 씬110 전의 상황)

화면에 00월 00일 00시 00분 작게 표시돼 있고, (씬1)의 장면이 이어져 보인다.

하영 잠시만요. 방금 지나간 차량이요. 거기서 화면 좀 멈춰주세요.

직원 화면을 뒤로 돌리면, 앞으로 이동했던 우호성의 차가 나타나고.

하영 (손짓하며) 저 차량이요. 검은색 세단. 확대해주세요.

직원이 우호성의 차를 확대하면, 화면에 차창 밖 어딘가를 올려다보는 운전자(우호성)의 모습이 흐릿하게 보인다.
저쪽에서 또 다른 화면을 확인 중인 영수를 부르는 하영.

하영 계장님. 잠깐 이것 좀 보세요.
영수 (보며 다가가고)
하영 (영수 오면) 주변을 기웃거리면서 천천히 주행하고 있어요.
영수 (화면 속 우호성 보며) 차도 좋아 보이네.
하영 뭘 계속 살피는 걸까요.
영수 (보다가) 음. 일단 체크해두자.

하영, 화면에 적힌 시간, 장소, 검은색 중형 세단 적어두는 모습에서.

3 ____ 경기지방경찰청 광수대 회의실 / 낮

CCTV 속 운전하는 우호성의 모습(11화, 씬110)이 흐릿하게 찍힌 영상을 플레이하는 태구. 화면에는 보조석에 늘어져 있는 듯 보이는 사람(여성)을 잠시 누르는 것 같은 운전자의 행동이 반복해서 보여진다. 하영, 영수, 길표, 박 계장, 일영 외 형사들, 반복 재생 영상을 집중해서 보는 중이고. 화이트보드에는 (씬2의) 운전하며 차창 밖을 보는 우호성의 사진이 붙어 있다.

박 계장 (실망스러운) 아- 너무 흐리네.

태구 저걸론 운전자 옆에 앉은 사람이 실종 여성인지 아닌지 확인 안 되겠는데요.

길표 그나마 새로 설치한 거라 이 정도 선명하게 나온 거야. 우리 요청도 있었고, 올해 이 동네에 새로 CCTV 엄청 달았어.

하영 흐리긴 하지만, 납치 장소 근처 동선들에서 공통적으로 포착된 차량이에요.

영수 저 사진 영상에선 주변을 물색하듯이 창밖을 두리번거리면서 천천히 주행했어요.

일영 차도 깔끔하고 비싸 보이긴 하네요. (적어둔 메모 확인하려는 듯 수첩 펼치면)

11화, 씬96 때 적어둔 용의자 '고급 승용차, 호의 동승, 친절함 미끼' 적혀 있다.
박 계장, 옆에서 덩달아 일영의 메모를 확인하는 그 위로.

/(11화, 씬96) 짧게 플래시백 되는 대화들

영수 음… 외관상 위협적으로 보이지 않는 고급 승용차나 깔끔한 차량일 수는 있겠네.

하영 혹은 범인을 의심하지 않을 만한… 장치가 차량 안에 있다거나.

태구 그보다 피해자가 처음 시선을 주는 게 운전자니까 범인의 인상 자체가 거부감이 없는 외모일 수도 있어요.

/현재 회의실

박 계장 차 안에 유인 장치가 있는지, 차주가 호감형인지 아닌지 (영상 가리키며) 만나보면 알겠지.

길표 차량 조회 결과는?

일영 전산실에 의뢰했어요.

태구 같은 날 CCTV 이동 경로로 계속 추적했는데 5km 이후에 추적이 끊겼어요.

영수 두루두루 의심스럽네. (하며 보는)

하영 (화면 보며) 놈이 맞다면, 그대로 가서 사체를 어딘가에 유기했을 겁니다.

그때, 박 계장 핸드폰 울리고.

박 계장 (받는) 어. (사이) 우호성?

일동 (이름 언급하자 시선 향하고)

박 계장 알았다. (끊고) 38세 남자, 우호성. (일영에게) 차량 조회 결과 팩스로 보냈대. (하면)

일영 (가지러 회의실 나가고)

4 ____ 경기지방경찰청 광수대 사무실 / 낮

팩스 챙겨 회의실로 향하는 일영. 보면, 우호성의 사진과 신상이 적혀 있다.

5 ____ 경기지방경찰청 광수대 회의실 / 낮

우호성의 신상 적힌 종이 보며 내용 전달하는 일영.

일영 차주는 38세 남자, 우호성. 경락마사지업소에서 일한답니다. (하며 길표에게 건네고)

박 계장 알리바이부터 확인하자.

태구 저랑 남 형사가 다녀올게요.

길표 (받아보며) 이놈 맞아? 기분 나쁘게 왜 이렇게 멀쩡하게 생겼어. (하며 다시 박 계장에게 건네는)

박 계장 (보며) 딱 사기 잘 치게 생겼네요, 뭐.

하영 거주지랑 마사지업소 위치가 어딥니까.

일영 아, 집은 안산 무영동이고, 마사지업소는 철금동이요. (하는 데서)

영수 안산?!

/ins. 11화. 씬104. 하영의 대사

"왜 굳이 안양 인근이 아니라, 안산까지 이동해서 암매장했을까요." dis.

"저 장소를 선택한 이유가 있을 겁니다." dis.

일동 (하영을 보는)

하영 6번째 피해자 윤진실, 안양에서 납치하고 안산까지 이동해서 매장한 이유가 설명이 되네요.

태구 (화이트보드에 붙여둔 지도 보며) 7차 사건 피해자 실종 위치와도 멀지 않고요.

일동 (지도 보면)

박 계장 (주소지 확인하며) 주소지 보니까 안산 외곽인데, 그럼 현금 인출한 은행이랑 더 가깝다.

일영 와- 드디어 잡았네.

영수 만나면 어떻게 반응하는지부터 잘 살펴줘요.

박 계장 무조건 아니라고 하겠지. 빤해요. 이놈이 맞아도 아니라고 할 거고, 아니어도 아니라고 할 거고.

하영 우선은 질문에 화를 내는지, 침착한지, 화술이나 태도 등의 미묘

한 반응들을 살펴주세요. 추후에 취조 전략을 세우는 데 도움이 될 거예요.

일영 네.

영수 여성의 입장에선 그저 낯선 남성일 뿐이니까, 분명 차에 선뜻 타진 않았을 텐데.

태구 맞아요. 특히 밤엔 상대가 아무리 친절해도 무조건 경계심부터 생겨요.

길표 그럼 이놈은 대체 뭔 재주를 펼치는 거야?

박 계장 지(자신)만의 전략이 있겠죠.

영수 그게 뭔지 일부라도 파악이 되면 좋은데.

하영 강제로 태운 게 아니라면, 호의를 거절하는 것에 대해서 여성 스스로가 불편한 죄책감을 느끼게 만들었을 겁니다.

일영 선의를 가장하고 오히려 죄책감이 들게 한다? 진짜 나쁜 새끼네.

박 계장 일단 만나봐야 아는 거니까.

태구 (끄덕이며) 다녀올게요.

박 계장 나는 이놈 당일 행적 확인할게요. (태구, 일영 보며) 무슨 일 있으면 바로 연락하고.

태구 네. (하며 일영에게) 가자.

태구, 일영이 나가는 모습을 지켜보는 하영.

6 ____ 경락마사지업소 앞 / 낮

태구와 일영, 건물 3층에 '○○경락마사지' 적힌 간판 올려다보고.

태구　저긴가 보다.

일영　(주소 확인하는) 비상구 확인할게요.

태구　(끄덕이고)

두 사람 서로 반대쪽으로 건물을 끼고 돌며 건물 주위를 한 바퀴 돌다가 다시 출입문으로 돌아와 만나고.

태구　(다른 출구) 없지?

일영　뒤어도 이 입구 하나예요. (하며 건물 안으로 들어가고)

7 ____ 경락마사지업소 / 낮

딸랑, 종소리와 함께 업소로 들어서는 태구, 일영. 카운터에 앉아 있던 실장(40대/여)이 손님을 맞듯 둘에게 "어서 오세요" 인사하고. 태구, 일영, 가게 안부터 잠시 눈으로 훑어보는데.

실장　예약하셨어요?

태구　(경찰공무원증 꺼내 보이며) 경기청 광역수사대에서 나왔습니다.

실장　(놀라며) 저희는 불법업소 아닌데요.

일영　그게 아니고, 우호성 씨 만나러 왔습니다. 여기 계시죠?

실장　(갸웃) 경찰에서 우 씨는 왜요?

태구　잠시 불러주실 수 있을까요?

실장　(안에 있는 듯, 시선 안쪽으로 향하고) 지금 손님 관리 중인데…

일영　그럼 여기서 기다리겠습니다. 손님들 계속 왔다 갔다 할 텐데 그건 괜찮으시죠?

실장　(마지못해) 잠시만요.

실장, 관리 기록 노트 확인하고. 카운터에서 나와 복도 안쪽으로 자리한 여러 개의 방 중에서 하나를 노크해 들어간다. 잠시 후, 실장과 함께 나오는 우호성이 보이고.
태구와 일영에게 시선 주면서도 수건에 손을 닦으며 여유롭게 다가오는 우호성. 손이 제법 크고 두툼하다.

우호성 (수건 카운터에 올려두며) 저를 찾으셨다고요? (하는데)

그 순간, 태구의 시선이 잠시 크고 두툼한 우호성의 손으로 먼저 향한다.

/ins. 은행 보안실

우호성의 CCTV 화면(11부, 씬106)을 보는 태구와 일영.

일영 가발 때문에 얼굴도 제대로 안 보이네.
태구 손을 봐봐.

/다시 경락마사지업소

태구 (재차 확인하듯) 우호성 씨?
우호성 네 그런데요. (하면)
태구 (다시 경찰공무원증 내보이며) 잠시 나가서 이야기 좀 할까요.
우호성 (놀라지 않고 보며, 차분하게) 무슨 일이시죠? 여기서 하셔도 상관없는데요.
일영 (카운터 실장에게 눈길 한번 주고) 나가는 편이 좋으실 거 같은데.
우호성 (주위 의식하지 않고) 죄송하지만, 안에서 고객님이 기다리고 계셔서요. 그냥 여기에서 말씀하시죠.
차분하게 반응하는 우호성의 표정을 놓치지 않으려는 듯, 예민하게 살피는 태구.

태구 그럼 단도직입적으로 묻겠습니다. 저희는 경기지방경찰청 광역수사대에서 나왔습니다. 혹시 2월 23일 저녁 7시에서 밤 10시 사이에 어디에서 뭐하셨나요?

우호성 (흔들림 없이) 그건 왜 물으시죠?

일영 저희가 수사하는 사건에 우호성 씨 알리바이 확인이 필요해서요.

우호성 제가 뭘 잘못했나요? (그새 이름을 확인한 듯 일부러 다시 태구 보며) 윤 형사님?

태구 2월 23일 밤 군포에서 20대 여성이 실종됐어요. 저흰 그 사건을 수사 중이구요.

우호성 (그게 뭐? 모르겠다는 듯 눈만 깜빡이는데)

일영 실종자 이동 동선에 우호성 씨의 차량이 CCTV 화면에 찍혀서요.

우호성 (태연하게 보는)

태구 다시 한번 묻겠습니다. 2월 23일 저녁 7시에서 밤10시 사이에 어디에서 뭘 하고 계셨죠?

우호성 그게 저랑 무슨 상관인지는 모르겠지만… 23일이면… (따져보듯) 금요일인가요?

일영 네. 지난주 금요일이요.

우호성 금요일이면 일이 5시 안 돼서 끝났으니까-

우호성, 잠시 확인해달라는 듯 실장을 보면, 관리 기록 노트 확인하는 실장. 확인이 됐는지, 태구, 일영을 보며 고개 끄덕인다.

우호성 (다시) 애인하고 이 근처에서 저녁 먹고 집에 갔는데요. (태구 보며 미소) 공교롭게도 제 애인도 군포에 살아서- (하면)

일영 (!, 잠시 태구를 보는데)

태구 (우호성에게 시선을 놓치지 않고 있는)

우호성 세상이 흉흉하니까 혼자는 못 보내고. 항상 집까지 데려다줍니다. 그날도 마찬가지로 집 앞에 내려줬고요. (하다가) 정확한 시간은 모르겠지만 아마 10시쯤 집에 도착했을 거예요.

태구 여자 친구분 연락처도 알려주시겠어요?

우호성 (단호) 제가 그렇게까지 해야 할 의무가 있습니까?

우호성의 당당함에 잠시 태구와 우호성 사이 긴장이 흐르고.

우호성 (단호함 풀어지며) 애인까지 불안하게 하고 싶진 않아서요. 차라리 그날 갔던 식당에 확인해보시는 게 좋겠네요. (카운터에 놓인 메모지에 식당 이름 적으며) 예약하고 갔던 곳입니다. 직접 확인해보세요. (하고 건네면)

태구 (미심쩍은 듯 보는데)

일영 (의심하듯 되묻는) 이걸로 확인이 돼요?

우호성 식당에서 확인이 안 되면 제 애인 연락처는 그때 알려드릴게요.

일영 (갸웃하는데)

우호성 이제 됐나요? 손님이 기다리셔서요.

태구 (응시하며) 협조 감사합니다.

우호성, 짧게 목 인사하고 다시 안으로 향하면, 태구, 일영 그 모습 지켜보다가 실장에게 인사하고 가게를 나가는.

8 ___ 마사지실 / 낮

침대에 반팔, 반바지 입고 엎드려 누워 있는 손님에게 친절히 양해 구하는 우호성. 다시 손을 소독하고.

우호성 오래 기다리게 해서 죄송합니다. 대신 제가 서비스로 10분 더 진행하겠습니다.

마사지 시작하는 우호성의 모습에서.

타이틀, 악의 마음을 읽는 자들 12화

8-1 _ 광수대 회의실 / 낮

하영과 영수만 남아 있는 사무실. 영수, 하영이 작성한 프로파일링 보고서를 보는.

(→ /유사점: 피해자 대부분 노래방 종업원으로 야간 및 새벽 시간대 발생했으며, 심야에 버스정류장 승차 대기 중 실종된 것으로 파악. /실종 직후 휴대폰 분리 및 전원 OFF 등이 유사. /실종 및 유기 장소(6차 사건)가 주변 도로로부터 인적이 드문 외진 곳이며, 지리감 있고 차량 접근이 가능한 장소 선택. /용의자 분석: 차량에 호의 동승할 수 있을 정도의 깔끔한 인상. /차량을 소유하고 있으며, 서남부 지역에 지리감이 밝은 자.)

하영 아직까지 발견된 사체는 안산 야산에서 찾은 6차 사건 실종 피해자가 유일해요.

영수 일대를 싹 수색했는데도, 더 이상의 사체가 안 나온 건 전부 다른 장소에 유기했다는 의미인데.

하영 안산 야산처럼 일반인이 발견하기 쉽지 않은 곳을 찾아서 매장했겠죠. 취조하면서 개별적으로 확인해야 할 거예요.

영수 6차 사건 피해자 윤진실은 안양에서 납치해서 안산에 있는 자신의 집으로 향하는 길에 매장했고,

하영 7차 사건 피해자 안유연의 현금을 인출한 은행과도 멀지 않은 곳에 거주하고 있어요.

영수 나머지 피해자들 실종 위치도 차량으로 이동했다는 가정이면 멀지 않고… CCTV에서 동선이 일치하는 차량도 발견됐고…

하영 (끄덕이는) 우호성이 유력해요.

그때, 박 계장 들어오는.

박 계장 (들어오며) 이 새끼 보험사기 의혹도 있는데? (하는 데서)

9 ___ 태구의 차 안 / 낮

'○○경락마사지' 간판이 보이는 곳에 차를 세워두고, 차창 밖으로 업소를 지켜보며 앉아 있는 태구와 일영.

일영 뭔가 숨기고 있는 눈치긴 하죠?

태구 그런 것 같아. 난 여기서 지키고 있을게. (우호성이 적어준 메모 건네며) 가서 확인 좀 해줘.

일영 (메모 받으며) 혼자 괜찮으시겠어요?

태구 (웃으며) 걱정되면 얼른 갔다 오든지.

일영 (웃고) 네.

일영이 차에서 내리면, 박 계장에게 전화하는 태구.

10 ___ 경기지방경찰청 광수대 회의실 + 태구의 차 안 교차 / 낮

박 계장의 핸드폰 화면에 '윤태구' 뜨며 진동 울린다.

박 계장 (받기 전에 모두에게) 윤 형사네. (받으며) 스피커폰 모드로 돌릴게. (하며) 알리바이는?

영수, 하영, 박 계장 외 형사들 통화에 집중하는 데서.

태구e 사건 당일 애인과 저녁을 먹었답니다. 이후에 애인을 집까지 데려다줬고요.

일동, 화면에 흐릿하게 찍힌 여성에게 잠시 눈길이 가고.

태구 남 형사가 식당으로 확인하러 갔어요.

박 계장 애인이 아니라?

태구 애인이 걱정할까 봐 예민해지더라고요. 몰아붙이면 안 될 것 같아서 일단 식당부터 확인해보려고 전 여기서 지키고 있어요.

박 계장 동승자를 애인으로 몰고 가면 될 일도 안 되게 생겼는데.

영수 남 형사가 알리바이 확인하러 갔으니까 일단 기다려보죠.

하영 태도는 어떻습니까.

태구 당당하고 자신만만해요. 여유도 느껴지고요. (사이) 말투나 행동에 어느 정도 매너를 갖추고 있어서 처음의 낯선 순간만 넘기면 경계심은 무너질 수도 있을 거 같아요.

하영/영수 (그럴 줄 알았다는 듯 서로를 보는)

영수 차량은 아직 확인이 안 된 거죠?

태구 강제로 볼 순 없고, 괜히 잘못 물었다간 증거 인멸 소지가 있으니

퇴근까지 기다렸다가 차에 탈 때 자연스럽게 보려고요.

영수　(끄덕이고)

박 계장　더 없죠?

하영/영수 (없다는 듯 끄덕이면)

박 계장　그래. 조심하고. 다시 연락해. (하며 끊고)

11 ＿ 레스토랑 / 낮

일영, 식당 매니저에게 우호성의 사진과 핸드폰 번호 보이며 예약자 확인하는데. 매니저, 사진 보며 기억을 더듬는 듯하다가 23일 예약자 명단에 적힌 '우호성 2인 예약'부터 확인한다. 레스토랑을 나서는 일영의 모습에서.

12 ＿ 태구의 차 안 / 낮

차에 오르는 일영.

일영　식당은 다녀간 게 맞아요. 그날 우호성 이름으로 예약했고, 사진도 확인했어요.

태구　(생각하는) 차도 확인해야 하니까 우선 우호성 퇴근 때까지 기다리자.

일영　(갸웃) 우호성이 맞을까요? 호감형에 꽤 매너도 있어 보이고, 너무 침착한데. 범인이면 저렇게 침착할 수가 있나?

태구　그게 이상해. 관계없는 사건에 연루돼서 경찰이 찾아오기까지 했으면 오히려 놀라는 게 맞지. 억울할 테니까.

일영 　하긴. (하다가) 구영춘, 남기태 같은 놈이랑은 분명히 다르긴 해요.

13 ___ 경락마사지업소 / 낮

마사지 끝낸 손님(씬8)을 입구까지 마중하는 우호성. 친절한 미소로 "시원하셨어요?" 묻고. 손님이 만족한 듯 답하면, 허리 굽히며 "다음에 또 오세요" 한다. 딸랑- 문소리 내며 나가는 손님에게 우호성과 카운터에 있던 실장이 동시에 "안녕히 가세요" 인사하고. 문이 닫힐 때까지 지켜보며 서 있다.

실장 　(그제야 궁금한 듯) 아까 그 형사들은 뭐에요?
우호성 　(태연하게) 오해가 있었나 봐요.
실장 　오해할 사람이 따로 있지. (하며 미소 보이는)
우호성 　(미소 보이며) 아니면 된 거죠. (하고, 다시 안으로 향하는 데서)

그런 우호성의 뒷모습을 괜히 한 번 힐끔 보는 실장.

14 ___ 경기지방경찰청 광수대 회의실 / 낮

우호성을 분석 중인 하영, 영수, 박 계장. 하영의 프로파일링 보고서를 보는.

영수 　(하영에게) 증거가 없을 거라고 생각하는 자신감의 표출일 수 있어.
하영 　직접 유인할 능력이나 의도조차 없이 무차별 공격하는 놈들과는 애초에 다릅니다.

박 계장　(보고서 보며 동의하듯) 고급 차에 호감형 외모, 화술까지 이용해서 피해자를 고르고 유인했으니까?

하영　그 방식이 통한다는 걸 아는 거죠.

박 계장　그게 우호성의 자신감이구나.

그때, 박 계장의 핸드폰 다시 울리고, 받으면.

15 ___ 태구의 차 안 / 낮

박 계장과 통화하는 태구. 옆에 일영이 앉아 있다.

태구　애인과 저녁 먹었다는 알리바인 일단 확인됐어요.

/ins. 레스토랑 (씬11 동) / 저녁

애인과 마주 앉아 다정하게 밥을 먹는 우호성의 모습. (→ 우호성의 젠틀한 표정만 비치고, 애인의 모습은 등지고 있어서 표정 보이지 않는)

16 ___ 경기지방경찰청 광수대 회의실 + 차 안 교차 / 낮

박 계장, 다시 태구의 전화를 스피커폰으로 돌리고.

태구e　우호성 당일 행적은 어떻게 됐어요?

박 계장　문 형사가 체크했는데, 저녁 7시 이후로는 통화 내역이 아예 없대. 집 근처 CCTV 털어보니까 그날 새벽 1시쯤 집에 들어갔고.

일영 (!, 태구와 눈 마주치고) 저희한테는 10시쯤 집에 들어갔다고 했어요.

하영 !, 직접 봐야겠어요. 집을 수색할 수 있으면 더 좋은데.

영수 (박 계장 보며) 증거부터 찾는 게 급선무예요.

박 계장 이 상황에서 압수수색 영장 신청해봐야 검사가 코웃음만 치지. 어림도 없어요. (하는데)

태구 저흰 여기서 기다리다가 우호성 퇴근 때 임의동행 요청하겠습니다.

하영/영수 (박 계장을 보면)

박 계장 (어림없다는 듯 고개 젓다가 하영 보며) 알았다, 알았어. 과장님한테 얘긴 해볼게요.

영수 (하영 보며) 어째 불안해지기 시작하네.

하영, 영수 진지한 얼굴로 우호성의 영상을 보는 모습에서.

17 ___ 경기지방경찰청 형사과장실 / 낮

경기지방경찰청 형사과장 허길표 적힌 명패 보이고, 박 계장 열 올리며 길표를 설득하는 중이다.

박 계장 우호성 자택이랑 차량 압수수색 영장 필요합니다. 증거부터 빨리 확보해야 해요. 이놈 보험사기 의혹도 있어요.

길표 ?!, 보험사기는 또 뭐야?

박 계장 (화재 사진 건네며) 2005년에 장모랑 와이프가 화재로 사망했는데, 그 사고로 보험금을 4억이나 받아갔어요.

길표　(사진들 넘겨보며) 4억?!

박 계장　비슷한 보험을 여러 개 중복으로 들었더라고요.

길표　의심하는 이유는 뭐야?

박 계장　수입도 별로 없는 놈이 보험료만 한 달에 100만 원이 넘었는데, 그나마도 한 달도 안 돼서 사고가 났어요.

길표　근데 왜 혐의만 있어?

박 계장　금융감독원이며 경찰이며 국과수까지 6개월이나 조사를 했는데, 결국 혐의 입증이 안 됐대요.

길표　(고민하는) 그럼 어쨌든 밝혀진 건 아니고, 그야말로 의혹이잖아. 지금 상황에서 뭘로 설득해서 영장을 받아? (하며 사진들 내려놓고)

박 계장　그러니까 과장님이 힘 좀 써주셔야죠. 윤 형사랑 남 형사는 우호성 따라붙고 임의동행 요청한다고 했어요. 청으로 데려오는 대로 집이랑 차량까지 뒤져야 돼요. 이 새끼 이대로 놓치면 큰일 나요.

길표　임의동행은 말 그대로 '임의' 동행이고, 영장은 증거가 있어야 나올 거 아니야.

박 계장　집을 뒤져야 증거를 찾죠! 지금도 태연하게 거짓말하고 있는 놈인데! 구영춘도, 남기태도 집에서 증거 나왔잖아요. 시간 줘서 증거 다 없애면 그땐 지금보다 더 머리 아파져요. (하며 하영의 프로파일링 보고서 내밀고) 송하영이 작성한 프로파일링 보고섭니다.

길표　(보는)

박 계장　구영춘, 남기태 검거에 일조했다는 거 이제 다들 아니까, 이것도 같이 어필해보세요.

길표　(고민하는) 말은 꺼내볼게. 오늘 당장 나오기는 쉽지 않을 거야.

길표, 고민하며 전화기 드는 데서.

18 ___ 경락마사지 건물 앞 / 저녁

어느새 해가 저물고 건물 맞은편에서 우호성을 기다리는 태구의 차가 보인다.

19 ___ 태구의 차 안 / 저녁

태구와 일영, 여전히 경락마사지업소 건물만 주시하고 있다.

일영 (길게 하품하며) 뭐 좀 사 올까요?
태구 (시계 보는) 배고파?
일영 출출한 정도?
태구 그래, 다녀와.

일영, 차에서 내리려는데, 건물에서 나오는 우호성을 발견하는 태구.

태구 (순간) 일영아.
일영 (내리려다 말고 태구를 보면)
태구 (우호성을 보라는 듯 고갯짓하는 데서)

20 ___ 골목 일각 / 저녁

우호성을 천천히 따라가는 태구의 차.
우호성은 건물에서 떨어진 골목에 주차한 자신의 차로 향하는 중이다.
이내 차 앞에서 멈춰 차 키를 꺼내는 우호성.

태구e 우호성 씨.

우호성, 자신을 부르는 태구 목소리에 뒤돌아보는데, 태구와 일영이 서 있다.

우호성 저한테 볼일이 더 남은 겁니까.
태구 얘기가 길어질 거 같은데, 경찰청 가서 이야기 더 나누시는 거 어떨까요.
우호성 경찰청이요? 지금 저를 체포하시는 겁니까? 영장 있어요?
태구 (보는)
일영 임의동행 요청입니다. 원치 않으시면 거부할 수 있고요.
우호성 (고민하는)
태구 다만, 거부할 시엔 경찰의 의심은 더 커질 수 있습니다.
일영 계속 우호성 씨의 행적을 주시하겠죠.
우호성 (하는 수 없다는 듯) 좋습니다. 가서 진술하겠습니다.
일영 그럼 같이- (하는데)
우호성 그런데 제가 오늘은 예약이 많았어서 너무 피곤한 상태고요. 마침 내일이 휴무니, 내일 오전 중에 방문해도 되겠습니까?

태구, 잠시 고민하듯 우호성을 보는데. 그사이 우호성의 차 안을 힐끔 살피는 일영. 개 두 마리와 함께 찍은 사진과 뒷자리에 놓은 인형 발견하고.
우호성은 일영의 시선을 알아챈.

태구 그럼 내일 편한 시간에 경기청으로 와주시면 됩니다.

일영 (얼른) 혹시라도 안 오시면-

우호성 갑니다. 지은 죄가 없는데 왜 피하겠습니까. 윤태구 형사님 찾으면 되나요?

태구 네.

우호성 그럼 내일 뵙죠.

태구와 일영이 돌아설 때까지 빤히 두 사람을 보며 가만히 서 있는 우호성. 태구, 일영 돌아서면, 그제야 차문을 여는.

21 ___ 태구의 차 안 (골목 일각) / 저녁

태구와 일영. 출발하지 않고, 시동만 걸어둔 우호성의 차를 주시하고 있다.

일영 차에 개 두 마리랑 찍은 사진 보셨어요?

태구 응.

일영 뒷자리에 인형도 놨더라고요.

태구 예상한 대로네.

일영 다시 보니까 팀장님 말처럼 침착해도 너무 침착하고. 점점 확신이 드네. 그죠?

태구 (불안한) 내일 올까?

일영 도주하면 백 프로란 얘기니까 무조건 수배 때려야죠.

태구, 일영, 건너편에 출발하지 않고 있는 우호성의 차를 주시하는 데서.

22 ___ 우호성의 차 안 (골목 일각) / 저녁

저만치 서 있는 태구의 차를 무표정한 얼굴로 지켜보는 우호성. 개 두 마리와 활짝 웃는 얼굴로 찍은 사진이 거슬리는지 조수석 글로브박스에 넣고, 일부러 보란 듯 태구 쪽 향해 비상등 몇 번 깜빡이다가 이내 먼저 출발하면-

23 ___ 거리 일각 / 저녁

잠시 후, 태구의 차도 출발하는 모습이 보인다.

24 ___ 형사과장실 / 저녁

통화 중인 길표. "압수수색 영장 꼭 필요합니다" "심증은 200%예요" "증거 무조건 찾을 수 있습니다" 하는 통화 내용 들리고. 그 앞에 앉아 초조하게 결과를 기다리는 박 계장의 모습도 보이고.

25 ___ 광수대 회의실 / 저녁 - 밤

압수수색 영장이 떨어지기만을 초조하게 기다리는 하영, 영수, 태구, 일영.

일영 (앞에 붙은 우호성 영상과 사진 보며) 이젠 저놈이란 생각밖에 안 들어요.

태구 추측한 용의자 조건을 그대로 다 갖추고 있어요.

일영 호감형에 매너도 있고, 차도 좋고, 차 안에 유인 장치까지.

하영 보험사기로 방화 살해 의혹까지 받고 있는 놈이에요. 방화에도 능숙하다는 가능성을 열어둬야 합니다.

일영 하여튼- 하나만 하는 놈은 없어.

영수 (초조한) 영장만 나오면 되는데.

하영 (고민하는) 분명 심리적 압박을 느꼈을 텐데…

태구 그래서 저도 불안해요. 내일 제 발로 순순히 올지.

일영 지금이라도 가서 잠복할까요?

일동, 불안한 심정으로 우호성의 모습을 보는 데서.

26 ___ 우호성의 집 앞 / 새벽

골목에 덩그러니 세워진 우호성의 차가 보인다.
잠시 후. 겉옷을 챙겨 입고 나와 운전석에 오르는 우호성.

27 ___ 우호성의 차 안 (집 앞) / 새벽

우호성, 내부를 한 번 훑어보더니 고민하듯 라이터로 불을 천천히 켰다가, 껐다가 반복하는데. 라이터 화력을 최고로 설정한 듯 불을 켤 때마다 화르르- 위협적일 만큼 불꽃이 세게 올라오고… 이내, 차 키를 꽂고 돌려 시동을 켜는 우호성. 곧바로 힘껏 액셀을 밟는데! 기어가 파킹에 놓여 있어 차는 움직이지 않고 소리만 요란하다. 기어에 손을 잠시 댔다가 다시 라이터 불꽃 힘껏 올리는 우호성! 조수석에 립스틱(11화, 씬26)을 던지고 라이터 불을 조수석 시트로 가져다 대는 모습에서!

28 ___ 경기지방경찰청 외경 / 이른 아침

전화벨 소리 크게 선행되고.

29 ___ 경기청 화장실 / 이른 아침

밤을 새운 듯, 세수하는 하영.

30 ___ 경기지방경찰청 광수대 복도 / 이른 아침

세수하고 나온 듯 머리에 물기 가시지 않았고, 손에 수건을 든 채 회의실로 향하는 하영, 사무실에서 계속 울리는 전화벨 소리 듣고는 그쪽으로 향하는.

31 ___ 경기지방경찰청 광수대 사무실 / 이른 아침

아직 비어 있는 자리들. 고요함 속에 사무실 전화벨 계속해서 울린다. 하영, 받으려는데 끊기고. 돌아서면 다시 걸려오는 전화.

하영 (받으며) 경기지방경찰청 광역수사댑니다.

우호성e　윤태구 형사님 계십니까?

하영　(!, 눈치챈 듯) 누구시죠.

우호성e　오늘 윤 형사님 만나기로 한 사람인데, 자리에 계시면 연결 부탁드립니다.

하영　잠시 자리 비우셨는데, 용건 말씀하시면 전해드리겠습니다.

우호성e　(머뭇거리는)…

하영　여보세요?

우호성e　제가 다시- (하는데)

하영　(얼른) 잠시만요.

그때 창밖으로 지나가는 태구를 발견하고.

하영　연결해드리겠습니다. (하며, 수화기 막고 다급한 손짓하는) 윤태구 팀장님!

태구　(그 소리에 하영을 보며 사무실로 들어서면)

하영　(수화기 막은 채로) 우호성입니다.

태구　(서둘러 다가와 전화 건네받으며 스피커 모드로 바꾸는) 전화 바꿨습니다. 윤태구입니다.

우호성e　저 우호성입니다.

태구　(모른 척) 아, 우호성 씨.

우호성e　(망설이다가) 누가 제 차에 불을 질러서 연락드렸습니다.

태구　네? 그게 무슨 말씀이시죠?

/ins. 우호성의 집 앞 /이른 아침

우호성　광수대에서 이런 신고도 받아주시나요?

전소된 차 앞에서 핸드폰 들고 통화 중인 우호성!

/다시 광수대 사무실

하영과 태구, 놀라 마주치는 시선에서.

32 ___ 경기지방경찰청 앞 / 아침

기동대 차량에 서둘러 올라타는 태구, 일영의 모습이 보인다.
그 뒤로 과학수사대 차량이 이어 출발하는 데서, 경찰차 사이렌 소리 들리기 시작하고. 한시름 놓은 듯한 얼굴로 출발하는 차량들 지켜보는 길표와 박 계장.

길표 머리 좀 쓰는 놈인 줄 알았더니 아니었네.

박 계장 제 발 저린 거죠. 어쨌든 그 새끼 쇼 덕분에 영장도 생각보다 더 쉽게 나왔어요.

길표 프로파일링 보고서도 한몫했고.

33 ___ 우호성의 집 앞 / 아침

전소된 차량 한 대가 보이는 우호성의 집 앞. 과학수사요원 일부는 전소된 차량을 살피고, 나머지는 우호성의 집 안으로 우르르 들어간다. 일영, 우호성을 포박하고, 태구는 우호성에게 압수수색 영장 보여주는데. 영수와 하영이 저만치 떨어져서 그 모습을 지켜보고 있다.

태구 지금 이 시간부로 우호성 씨 자택 내 모든 물건에 대해 압수수색을 진행합니다. 그리고 우호성 씨, 당신을 납치 혐의로 긴급체포

합니다. (수갑 채우는)

우호성 내 차에 불 지른 놈을 잡아야지 왜 나를 체포합니까!

태구 (무시하며) 당신은 변호사를 선임할 권리가 있고- (수갑을 채우며 다시 우호성의 손을 보는) 묵비권을 행사할 수 있으며- (저만치 떨어진 하영과 시선 마주치고) 당신이 한 발언은 법정에서 불리하게 사용될 수 있습니다.

멀리서 우호성을 지켜보는 하영과 영수.

하영 역시 당당해요. 차에 불을 지른 게 더 의심을 사는 행위란 걸 모르고 벌인 거 같아요.

영수 경찰서 와서 얘기해라, 하고 으름장 놓으니까 지도 똥줄이 타서 계산 잘못한 거야.

하영 오히려 피해자 행세를 하고 싶었던 모양인데. 놈도 급하니까 가장 손에 붙은 방법이 튀어나온 거겠죠.

영수 화재 사망 사건으로 보험사기 의혹도 받고 있다는 걸 간과한 거지.

우호성 (태구, 일영에게 포박되어 차에 실리고)

영수 경찰이 바보도 아니고, 저에 대해 그 정도 조사도 안 했을까. 혼자 똑똑한 줄 아는 놈 맞네.

하영 자기 덫에 자기가 걸린 거죠.

34 ___ 경기지방경찰청 취조실 + 관찰실 교차 / 아침

취조실

박 계장과 일영, 손에 수갑 채워진 우호성과 마주 앉아 있다.

우호성 (수갑 채워진 양손 내밀며) 아직 밝혀진 것도 없는데, 이건 좀 풀어 주고 얘기하시죠.

일영, 못마땅한 듯 수갑을 풀어주며 이내 양손이 자유로워진 우호성. 태연한 얼굴로 바지 주머니에 손을 넣고는 의자에 비스듬히 기대앉는다. (→ 이후, 계속 주머니에 손을 넣고 있는)

 # 관찰실

하영, 영수, 태구, 길표, 관찰 유리 너머로 우호성을 지켜보는 중인데. 하영과 태구는 주머니의 손을 넣는 우호성을 주시하고 있다.

태구 (우호성 보며 으레 하영에게 말하듯) 현금 인출 할 때 비밀번호 누르던 손 기억해요?

영수/길표 (그 말에 태구를 보는데)

하영 (우호성 보며) 네.

태구 비슷해요. 우호성 손이랑.

영수 봤어요?

태구 마사지업소 찾아갔을 때도, 수갑을 채울 때도 봤어요.

/ins. 우호성의 손

- 씬7. 수건에 닦는 우호성의 두툼하고 큰 손
- 씬33. 수갑을 채울 때 보이는 우호성의 두툼하고 큰 손.

하영 우호성도 그걸 의식하고 있어요.

태구 그런 것 같아요. 어쩌나 지켜보죠.

 # 취조실

벽 위에 달린 카메라가 세 사람의 모습을 비추고, 녹화되는 중인데. 공간을 두리번거리는 우호성이 벽에 걸린 카메라를 의식하듯 보다가, 관찰 거울로 시선 향한다.

우호성 저 뒤에서 형사님들이 지켜보고 있는 겁니까.

박 계장 (그러거나 말거나) 여기 왜 왔는지 알지?

우호성 (똑같이 박 계장 말 무시하며) 몇 명이나 있어요?

박 계장 내 말 안 들려?!

우호성 모릅니다.

일영 아까 얘기했잖아. 납치 혐의.

우호성 누굴 납치했다는 거죠.

박 계장 니가 더 잘 알지.

우호성 증거 있어요?

박 계장 (순간 화를 참듯 눈을 질끈 감고)

일영 있으니까 잡아 왔지.

우호성 우리 집 뒤져봐야 나오는 거 없을 텐데요.

35 ___ 우호성의 집 / 아침

압수수색 하고 있는 과학수사요원들이 보인다.
요원 하나가 우호성의 방에 있는 컴퓨터를 살피며 "싹 다 포맷했는데?" 하는 데서.

36 ___ 경기지방경찰청 취조실 + 관찰실 교차 / 아침

취조실

여전히 바지 주머니에 손을 넣은 채로 앉아 있는 우호성을 취조하는 박 계장과 옆에서 기록하는 일영.

박 계장 (은행에서 찍힌 CCTV 사진 보이며) 이거 너지?

우호성 (차분하게) 이게 뭔데요.

박 계장 23일 실종된 여성 체크카드로 현금 인출 했잖아.

우호성 그게 나라는 증거를 제시하세요.

일영/박 계장 (어이없는 얼굴로 보는)

일영 그 여자 어딨어.

우호성 그 여자가 누군데요.

박 계장 (참으려는 듯 한숨 크게 쉬다가) 너 맞잖아! 그 여자 어디 있어!

우호성 무슨 말인지 모르겠는데요.

박 계장 (진정하며) 2월 24일 2시(현금 인출 시간)에 니가 어디에 있었는지를 대.

우호성 집에서 자고 있었어요.

일영 (적으려다 순간 기가 찬 듯) 하-

박 계장 그거 말고. 딴 걸 대. 더 그럴듯한 거.

우호성 집에서 잤다니까요.

박 계장 대낮부터 처잤다는 말을 지금 나더러 믿으라고?

우호성 주말인데 그럼 뭐합니까.

일영 (듣다가) 애인 있다며.

우호성 전날 데이트했으니 하루는 쉬어야죠. 저도 휴무였고요.

박 계장 (짜증스럽게) 와- 이거 진짜. 그거 너 맞잖아-

우호성 증거 있냐니까요.

박 계장 (없다… 답답한 듯 빤히 노려보면)

우호성 없으면 믿으셔야지.

 # 관찰실

모여 있는 일동, 뻔뻔하게 대응하는 우호성을 지켜보고.

태구 (보다가) 야산에서 발견된 노래방 종업원 사체도 우호성이 맞는 거 같죠?

/ins. 11화 씬104 (몽타주) 야산에서 발견된 사체

하영 그럴 겁니다.

길표 사체에 성폭행 흔적도 있었으니까 반드시 성폭행 혐의까지 자백 받아야 돼.

일동 (우호성을 보는데)

영수 어때 보여요? 좀 다르지 않아요?

태구 감정적 동요가 거의 없어요. 놀랄 만한 상황인데도 오히려 차분하더라고요.

영수 반사회적 인격장애로 보이네.

길표 (보며) 사이코패스?

영수 (끄덕이면)

하영 극단적인 자기중심적 성향으로 공감 능력이 없고, 죄책감도 없는 거죠.

태구 … 개를 두 마리나 키운 거 같았는데.

37 ___ 우호성의 집 / 아침

방치한 채 그대로 둔 닦지 않은 빈 밥그릇, 목줄 2개.

개를 키웠던 흔적만 보이는 그 위로.

하영e 위장일 확률이 높아요. 어차피 범행 대상을 유인할 목적으로만 썼을 겁니다.

38 ___ 경기지방경찰청 관찰실 / 아침 (씬36에 이어)

길표 나중에 PCL-R[1] 검사해보자.

하영 선택적으로 공격성을 표출하는 타입이에요.

길표 그게 무슨 말이야?

영수 저런 놈들은 자기 통제력이 높아서 범죄를 실행하는 순간까지 아주 여유를 부려요. 감정을 안 드러내.

하영 하지만 공격이 시작되면 상당히 잔혹한 폭력을 행사합니다.

길표 사람 봐가며 한다 이거야?

영수 그쵸. 구영춘이나 남기태가 불특정 다수를 대상으로 분노나 공격성을 마구 표출했다면, 저놈은 오로지 자기가 정한 피해자에게만 표출하는 거예요.

하영 신문을 좀 더 전략적으로 해야 할 것 같아요. 순순히 자백 안 할 겁니다.

일동 (우호성 보는데)

하영 우선 저랑 계장님이 들어갈게요. (하는 데서)

39 ___ 경기지방경찰청 취조실 / 아침

---

1 사이코패스 판정 검사.

취조실 문을 열고 들어서는 하영, 영수.
우호성, 두 사람이 앉기도 전에 기선제압 하려는 듯 먼저 말문을 여는.

우호성 (치켜보며) 이번엔 두 신사분이 들어오네.

하영/영수 (대답하지 않고 앉는)

우호성 나랑 얘기 나누려고 왔나 보죠?

영수 맞아요.

우호성 좀 전에 형사님들은 어쩌고?

영수 우리랑 잠시 얘기할 거야.

우호성 증거를 가져오라니까 뭐가 잘 안 풀리나 봐요?

하영 (대답하지 않고, 우호성을 보기만 하는데)

우호성 (하영의 시선에) 나랑 얘기가 하고 싶으면 생수라도 한 통 사 들고 들어왔어야지.

영수 (마음에 안 드는) 물이면 돼? (하고 일어서려는데)

하영 (시선은 우호성에게만 향한 채, 영수의 팔을 잡으며 막는) 너랑 대화하려고 온 건 맞아. 근데 물이나 가져다주려고 온 건 아니니까 대화하다 진짜 물을 마시고 싶으면, 다시 얘기해.

우호성 (하영을 빤히 보는데)

하영 필요하면 그때 가져다줄 테니까.

우호성, 하영을 빤히 쳐다보고, 하영도 우호성을 빤히 지켜보는.
기 싸움하듯 하영, 영수, 우호성 사이에 잠시 정적이 이어지고.

40 ___ 경기지방경찰청 관찰실 + 취조실 교차 / 낮-저녁

 # 관찰실

지켜보다가 서로 말 없는 하영, 영수, 우호성을 보며 의아한 듯 묻는 박 계장.

박 계장 뭐 하는 거예요?

길표 둬봐. 저 두 사람 방식이니까.

일영 뭔가 예전이랑 분위기가 좀 다른데요? 그치 않아요? (하며 태구를 보면)

박 계장 누구, 송하영이?

일영 네. (하면)

태구 달라질 만하지. 버텨낸 시간이 있으니까.

박 계장 (뭔 소린가 싶어 보는)

 # 취조실

뻔뻔하게 하영과 영수를 보며 기에 꺾이지 않으려는 듯
일부러 더 편하게 의자에 기대는 우호성.

하영na (보며) 이놈은 다르다. 아마도 피해자들을 순식간에 통제하고, 심리적인 판단마저 흐리게 한 후 범행을 이어갔을 것이다. 지금 나에게 심부름을 시켜서 기선을 제압하려던 것처럼.

우호성 (먼저 입을 여는) 여기 앉아서 내내 형사들이랑 얘기했는데 무슨 얘길 더 하게요?

하영 우린, 우리의 질문이 따로 있으니까.

우호성 이럴 시간에 증거 하나라도 더 찾아오는 게 좋지 않나. 자꾸 엉덩이 붙이고 앉아서 (손으로 입 터는 시늉하며) 이, 말씀들만 하고 계시네…?

영수 증거는 알아서 찾고 있으니까 걱정 마.

우호성 그렇다면야, 뭐.

하영 증거 찾는 덴 그리 오래 안 걸릴 거야.

관찰실

길표 저놈 뭐가 저렇게 당당한 거야 도대체.

일영 뻔뻔하게 잡아떼는 거야 저것들 특기잖아요.

태구 국 계장님 말론 자기 통제력이 높다고 했어요. 지금도 스스로 감정을 통제하는 것처럼 보여요.

박 계장 저 새끼 보자마자 물 달라는 것도, 지가 통제할 수 있는 상대인지 아닌지 파악하는 거야.

길표 기선제압이 되나. 어딜 감히.

취조실

하영 몇 년 전 화재 발생으로 아내와 장모가 사망했네.

우호성 (뜻밖의 질문인 듯 하영을 보는)

하영 그때 아들만 데리고 탈출했지?

우호성 (빤히 보며 끄덕이기만)

하영 지금 다시 생각하면 어떤 마음이 들어?

우호성 그걸 왜 다시 생각해요?

하영 니 감정이 궁금하니까.

우호성 그게 이 사건들하고 무슨 상관입니까? 아들 얘긴 또 뭐고.

하영 아들… (보며) 아들이 아버지가 연쇄 성범죄자란 사실을 알게 되면 심정이 어떨까.

우호성 걘 어려서 그런 거 뭔지도 몰라요.

하영 (더 응시하며) 지금이야 모르겠지.

우호성 (발끈) 참나- 아직 아무것도 밝혀진 게 없는데 무슨 소릴 하는 건지 모르겠네.

영수 그래, (일부러 강조하듯) '아직.'

우호성 (그 말에 잠시 움찔)

영수 당시에 화재로 보험료도 꽤 받았던데.

우호성 뭐? 지금 나 의심하는 겁니까? 그 사건은 모기향 때문에 불이 난 거고, 경찰도 아무것도 못 밝혔어요.

하영 (우호성의 표현에 의심스럽게 보는) 못 밝혔다?

우호성 (멈칫) 그럼. 아무 짓도… 안 했으니까… 밝힐 게 없지. 당연한 얘기 아니야? (괜히) 그리고 난 그 불길 속에서 살아보려고 아들이랑 탈출한 것뿐이에요.

영수 누가 뭐랬나?

우호성 …

하영 (아들은) 왜 사촌 집에 보냈어?

우호성 (마음이 쓰이는지)… 나 돈 벌러 나가면 돌봐줄 사람이 없잖아요.

하영 11살이지?

우호성 그건 알아서 뭐하게.

하영 아들 나이는 제대로 알고 있을지 궁금해서.

우호성 (짜증스럽게) 거 참 이상한 양반들이네.

하영 (단호하게) 반말하지 마.

우호성 (보면)

하영 아빠가 연쇄 성폭행, 연쇄살인범이라는 걸 자세히 알리고 싶어?

순간, 감정이 폭발한 듯 책상을 쾅 내리치는 우호성.
뜻밖의 모습에 놀란 듯 우호성을 보는 영수와 관찰실 사람들.

우호성 (다시 평정심을 찾고) 나한테 왜들 이러는 거예요?

영수 니가 더 잘 알 텐데.

하영 (보면)

우호성　자꾸 아들 얘긴 그만합시다.

하영　왜. 싫어?

우호성　이 사건이랑 상관도 없잖아요.

하영　니가 한 짓이 아니라며. 그런데도 아들 생각하니 부끄럽긴 한가 보네.

우호성　(표정 일그러지고)

 # 관찰실

박 계장　(의아한) 나도 궁금한데. 아들 얘긴 왜 계속하는 거야?

태구　들어가기 전에 송 경위님이 한 얘기가 있어요.

/ins. 광수대 회의실 (조금 전 상황)

모여앉아 취조 전략 세우는 하영, 영수, 태구, 길표.

(화이트보드에 '쾌락형 연쇄 성범죄자의 특징' 적혀 있는)

하영　우호성 같은 쾌락형 연쇄 성범죄자들은 나르시시즘의 성향이 높습니다.

태구　자아도취적으로 보이긴 해요.

영수　과한 자기 애착은 대체로 고통이나 좌절에 대한 방어로 형성되는 경우가 많아요.

하영　애착 손상 같은 큰 상처를 받으면, 수치심과 절망감을 느껴요. 때문에 상대를 향해야 할 애정의 에너지가 자신에게 향하는 거죠.

길표　수치심이랑 절망감이 왜 자뻑으로 가?

영수　사랑받을 수 없다는 현실을 부정해야 하니까.

태구　그럼 우호성의 입을 열게 할 방법은요?

하영　절대적 애정 관계를 갖는 대상이 누군지를 먼저 파악해야 해요.

길표　그걸 건드린다? 음. 절대적인 애정 관계면… 부모 아니면 자식이

지.

하영 부모는 아니에요.

길표/태구 ??

영수 애착 손상 같은 큰 상처는 대체로 부모에게서도 충족이 안 됐다는 뜻이잖아요.

길표 아… 그럼 아들이네.

태구 사촌 집에서 보살펴주는 초등학생 아들이 하나 있어요. (하는 데서)

 # 취조실

하영 아들 얘기가 싫으면 부모님 얘긴 어때.

우호성 왜 자꾸 사건이랑 관계도 없는 사적인 얘길 하려고 들지?

영수 그게 우리가 여기 들어온 이유야.

우호성 (보면)

영수 (뒤늦게 하영, 영수 명함 건네며) 범죄행동분석.

우호성 (명함 보다가) 글쎄. 아직 밝혀진 범죄가 있는 것도 아닌데, 무슨 범죄행동분석을 한다는 건지 모르겠네요?

영수 아버지랑은 관계가 어땠어?

우호성 울 아버지 엄격했지.

영수 때리기도 하고?

우호성 (?) 때리진 않았는데.

영수 가정형편은 어땠어?

우호성 (그제야 삐딱하게 보며) 왜요. 못살고 불행하게 자랐을까 봐?

하영 으레 하는 질문이야.

유호성 거, 사람 보는 편견들이 있으시네. 쓸데없는 질문 그만하고, 얼른 가서 증거나 찾아오세요.

 # 관찰실

박 계장　(보다 못해 태구 보며) 아 저 새끼 저거 진짜. 압수수색 어떻게 되고 있어?

태구　아직 수색 중이에요.

길표　물품도 많고, 옷이 너무 많댄다.

박 계장　(한숨) 그래도 어떡해. 다 수거해야죠.

일영　제가 연락 한 번 더 해볼게요.

41 ___ 우호성의 집 / 저녁

활짝 열린 옷장 안에 우호성의 옷들이 빼곡하게 걸려 있다.
과학수사요원들이 옷들을 하나씩 조심스럽게 살피는 데서.

42 ___ 경기지방경찰청 광수대 회의실 / 밤

벽에 걸린 시계 밤 11시를 가리키고.
모여 앉아 있는 하영, 영수, 태구, 일영, 길표, 박 계장.

영수　사건 자백 쪽으로 유도하면 일관되게 증거가 있냐는 얘기만 하고 있어요.

하영　스스로 증거인멸이 잘됐다고 생각하는 겁니다.

길표　통화 내역은?

태구　작년 2월 껀부터 통화 내역이랑 휴대폰 위치추적으로 행적 파악해서 CCTV도 확인 중이에요.

길표　하… 이거 시간 엄청 걸리겠네.

박 계장　앞으로 보나 뒤로 보나 백 프로 그 새끼가 범인이야.

태구　(진지한) 48시간 안에 우호성 범행 입증 못 하면 눈앞에서 놓치는 거예요.

일동　…

하영　국과수 아직 소식 없죠?

박 계장　(도리질하며) 저대로 곱게 집에 보내게 생겼다.

일영　압수수색 물품이 너무 많아서 DNA 분석에만 시간 엄청 걸릴 거예요.

영수　차에 괜히 불을 냈을 리가 없지. 증거인멸 시도에 범인이라는 심증은 확실하고.

일영　컴퓨터도 싹 포맷했대요.

박 계장　하… 물증만 잡으면 끝나는 건데.

태구　불을 내는 것도 익숙해 보여요.

길표　연쇄살인범들이 방화랑 친하다더니 한 번을 안 빠지냐 어떻게.

하영　더 확인해봐야겠지만, 아마 우호성이 맞을 겁니다. (/씬40. '경찰도 아무것도 못 밝혔어요' 하던 우호성의 말 떠올리고)

일동　(하영을 보면)

하영　'못' 밝혔다고 표현했어요. 경찰이.

일영　아하, 답이 틀렸네. 못 밝힌 게 아니라 차라리 억울하다고 했어야지.

태구　어쩌면 이번에도 빠져나갈 수 있다고 믿고 있겠네요.

영수　그래서 더 자신감 넘치는 거 같아요.

박 계장　와이프에 장모까지, 끔찍하다, 끔찍해.

길표　지금 그럼 남은 시간을 국과수 연락 기다리는 거밖에 수가 없는 거야?

일동　…

하영　(시계 보며) 이제 32시간밖에 안 남았어요.

43 ___ 경기지방경찰청 취조실 / 밤

여전히 다리를 쭉 뻗고 의자에 비스듬히 기대앉아 있는 우호성.
배에서 꼬르륵 소리 들리고.

cut to

24시간 중국집 전단지 툭 던져 건네는 일영인데.

우호성 (보더니) 중국 음식 안 먹습니다.

일영 뭐?!

우호성 건강에 안 좋아요.

일영 하…! 그냥 주는 대로 먹어!

우호성 (그러거나 말거나 태연하게) 저는 된장찌개 시켜주세요.

44 ___ 경기지방경찰청 광수대 회의실 / 밤

각자 짜장면, 짬뽕으로만 통일해 먹는 중인 길표, 박 계장, 하영, 영수, 태구.
테이블에 신문지 깔려 있고, 가운데엔 군만두만 몇 개 놓여 있다.
일영이 먼저 먹고 빠진 듯 다 먹은 그릇 하나 보이고.

길표 (먹다가) 건강에 안 좋다고? 참나. 저 그지 같은 놈들은 왜 하나같이 저렇게 지 몸을 애지중지 챙기는 거야?

박 계장 남기태 말고 또 누가 그랬어요?

일영 (먹다가 대신 답해주는) 구영춘이요.

길표 징글징글하다 아주.

45 ___ 경기지방경찰청 취조실 / 밤

혼자 식사 중인 우호성을 지켜보는 일영.

46 ___ 경기지방경찰청 광수대 회의실 / 밤 (씬44에 이어)

영수 우호성 식사 끝내면 2차 조사 들어가죠?

박 계장 예.

일동 (모두 벽에 걸린 시계 확인하는데, 밤 11시 30분을 가리키고 있고)

박 계장 시간이 별로 없네.

하영 우호성의 입장에서 수법을 떠올려보죠.

박 계장 우호성의 입장? (하는데)

다들 하영의 추론 방식이 익숙한 듯 먹던 젓가락을 내려놓고 집중한다.

태구 고급 승용차로 피해자들을 유인했죠.

영수 피해자들이 큰 거부감 없이 차에 탔던 거 같고.

하영 거부감 없이 차에 태우려면…

/ins. 토중동 버스정류장 (11화, 씬73)

혼자 버스를 기다리는 여대생 앞으로 천천히 다가가는 우호성의 차. 창문이 열리고, 양복 재킷을 입은 우호성의 모습이 보이는 데서.

하영e 옷에도 신경을 썼을 거예요.

/다시 광수대 회의실

박 계장　집에 옷이 엄청 많대.

하영　그중에…

/ins. 토중동 버스정류장 (11화, 씬77)

미안하면서도 고마운 얼굴로 우호성의 차 보조석에 오르는 여대생의 모습 위로.

하영e　그중에서도 고급스러운 옷.

/다시 광수대 사무실

하영　특히 겨울옷 중에 자주 입었을 법한 걸 먼저 검사하는 게 빠르겠어요.

영수　차량 내에서 피해자들을 유인한 거니까 두꺼운 외투보다는 외관상 비싸 보이는 게 더 가능성이 있겠다.

태구　차분한 색깔의 상의를 우선순위로 확인하죠.

박 계장　색깔은 왜?

하영　낯선 남성일 때 화려한 것보다 차분한 색이 더 신뢰가 갈 거예요.

길표　서두르자.

태구　시간은 단축해볼 수 있겠어요.

영수　내가 국과수에 연락할게요. (하며 일어서고)

박 계장　난 다시 우호성 면상 보러 들어갑니다. (하며, 그릇 치우고 먼저 나가는)

테이블에 놓인 신문 걷으며 정리하는 하영, 태구, 길표.

47 ___ 경기지방경찰청 광수대 복도 / 밤

통화 중인 영수.

영수 자주 입었을 법한 옷부터- (하다가) 겨울옷 중에 색깔 차분하고 고급스러워 보이는 거 위주로, 응. 여자들한테 거부감 안 들 만한 거? 그런 거 있잖아. (사이) 최대한 빨리 부탁해. 우리 시간이 없어. (당부하는) 부탁해! (끊고)

48 ___ 경기지방경찰청 취조실 + 관찰실 교차 / 밤

 # 취조실

박 계장, 일영과 앉아 있는 우호성인데 여전히 감정에 별다른 동요가 없어 보이고. 손은 바지 주머니에 다시 넣고 앉아 있다.

박 계장 너 원하는 메뉴 시켜줬으니까, 너도 이제 우리가 원하는 대답을 좀 하자.

우호성 (트림을 꺼억)

일영 (찡그리며 코를 막고)

박 계장 가지가지 처한다.

우호성 밥 먹으니까 졸음이 살살 오네요. 빨리하고 끝냅시다.

일영 우리도 빨리 끝내고 싶으니까- (하는데)

박 계장 (테이블 탕! 내리치며) 너 이 새끼 지금 놀러 왔어?!

우호성 형사님, 나 심증만 갖고 긴급체포해 온 거 아닙니까?

박 계장 뭐?!

우호성 이렇게 막 대하다가 나 아니면 어쩌려고 그래요. 내가 고소라도 하면- (박 계장 빤히 보며) 어쩌려고.

박 계장 이게 아주 사람을 돌게 하는 재주가 있네?

일영 (참으라는 듯 박 계장의 팔을 가만히 잡고)

우호성 (뻔뻔하게 박 계장을 보는 데서)

 # 관찰실

여전히 우호성을 지켜보는 영수, 하영, 태구, 일영, 길표.

길표 아주 기세가 등등하네. 국과수 뭐래?

영수 최대한 빨리, 겨울옷부터 확인해달라고 했어요.

길표 피해자 DNA만 나오면 끝인데…

영수 일단은 기다려보자고요. (하는데)

하영 (우호성을 지켜보다가 대뜸) 저런 놈들은 자기보다 어리거나 조직에서 직급이 낮은 사람한테 더 쉽게 마음을 열어요.

태구 나르시시즘의 특성 말이군요.

영수 그렇지. 누군가에게 지지와 인정을 받고 싶어 하지.

하영 상대가 자신보다 더 우위에 있다고 느끼게 해선 안 돼요.

길표 뭐야, 그럼 남 형사만 남고 박 계장은 나오라고 할까?

영수/하영 (고민하는)

하영 조금만 더 지켜볼게요.

일동, 다시 우호성을 보는데, 박 계장만 얼굴이 붉으락푸르락하고. 우호성은 자신과 박 계장의 눈치 번갈아 살피는 일영을 보며 태연하게 앉아 있다.

박 계장, 안 되겠는지 일영에게 눈치 보내면, 일영이 기다린 듯 테이블에 야산에서 발견한 시신 사진들 펼쳐놓고. (→ 야산, 들것 위, 부검실 등 다양한 장소와 여러 상처 부위들이 다르게 찍힌 6차 사건 윤진

실의 사진)

우호성　(사진들에 시선 잠시 흔들리는데)

박 계장　니가 죽인 피해자야. 똑똑히 봐.

우호성　… (사진들 제 앞으로 옮겨 가져가서 보는 시늉만 하다가) 커피 한 잔만 주시죠.

박 계장　(일영에게 눈빛 주면)

일영　(커피 가지러 나가고)

 # 관찰실

잠시 관찰실에 들어와 함께 우호성을 지켜보는 일영.

일영　자백하려는 거 같죠?

영수　자백일지 그저 뜨끔한 건지 반응을 보이긴 했는데. 어느 쪽일진 봐야 알겠다.

태구　내내 발뺌하고 있었는데 피해자 사진에 저렇게 쉽게 흔들릴까요?

길표　저놈도 인간이긴 하잖아.

하영　(도리질) 지금까지의 태도로 봐선 쉽게 자백할 것 같진 않아요. 이미 보험사기 혐의에서 빠져나갔던 경험도 있고.

길표　(한숨 쉬고)

일영　저 다시 들어갈게요. (하며 나가고)

 # 취조실

자판기 커피 우호성에게 내미는 일영. 우호성이 만족한 듯한 모금 마시고는 무심결에 피해자의 시신 사진 위에 종이컵을 올려놓는다. 박 계장과 일영, 그 모습을 보며 기가 막힌 듯 보는데.

우호성 (자신의 행위 의식하지 못한 채) 누가 누군지 알아볼 수도 없는 사진들을 어쩌라고 보여주는 건지 모르겠네…

 # 관찰실

길표 (화가 난) 저거 사이코패스 맞네 맞아. 컵을 저따가- (말 더 잇지 못하고)

태구 역시… 자백하려던 게 아니었어요.

하영 (보며 우호성의 말을 되짚는) 누가 누군지 모르겠다…

영수 (보며) 왜?

하영 저 사진 속 피해자는 한 명이에요. 현금 인출을 시도한 체크카드의 주인도 아니고요.

태구 야산에서 발견된 노래방 종업원이죠.

하영 현재 혐의를 받고 있는 피해자라고 여기는 게 당연할 텐데, 우호성은 그걸 여럿이라고 가정했어요.

길표 뭐야 그럼?

하영 피해자가 여럿이란 의밉니다. 저놈이 진범이에요.

49 ___ 국립과학수사연구소 / 새벽

영수e !!, 자신이 범행을 저지른 피해자가 여럿이니까 으레 그렇게 받아들인 거네.

태구e 범인이 아니라면 장소도 피해자도 당연히 모르는 사진이어야 하는데, 누군지 알아볼 수 없다는 말을 먼저 꺼낸 것도 이상해요.

벽시계 새벽 2시를 가리키고 있고. 초췌한 모습으로 우호성의 옷을 살피는 연구원1. 양복 재킷에서 머리카락을 채취하고, 이어 와이셔츠를 꼼꼼하게 살핀다. 그 옆에 연구원2, 우호성의 고급 점퍼를 살피다가 손목 안쪽 부위에서 미랑의 혈흔을 발견하고!!

50 ___ 경기지방경찰청 취조실 + 관찰실 교차 / 새벽

 # 취조실

여전히 우호성과 마주 앉아 있는 박 계장과 일영인데. 길어진 조사에 집중력이 떨어졌는지 우호성의 자세와 표정 모두 맥이 풀린 듯 흐트러진 분위기다.

우호성 (지친) 아직도 못 찾았습니까. 제가 많이 피곤하네요.

박 계장 그러니까 신발은 뭘 신었는지 기억하라고.

우호성 그걸 어떻게 기억합니까.

일영 자주 신는 신발이 있을 거 아니야.

우호성 골고루 돌아가면서 신는다니까요.

일영 (미치겠는 한숨)

 # 관찰실

태구 의도적으로 대답을 회피하고 있어요.

하영 전 박 계장님 전략도 괜찮아 보여요.

영수 저렇게 사소한 질문들을 계속 던지면 아무래도 집중력이 흐트러지지.

길표 이미 그런 거 같다.

/ins. 국과수 DNA 분석실

삼발이에 놓인 흰 종이 위에 빨간색 혈흔 조각을 올리는 파란색 의료용 장갑을 낀 연구원1의 손. 스포이트로 시약 한 방울씩 떨어뜨리는.

 # 취조실

박 계장 그날 아침엔 뭘 먹었어?

우호성 (생각하듯…) 사과였나…

/ins. 국과수 DNA 분석실

삼발이 위 빨간색 조각이 곧 청록색으로 변해 퍼지는 모습이 보이고.

 # 취조실

박 계장 점심은.

우호성 (한숨 푹 쉬고) 이런 질문들이 의미가 있습니까? 여기 앉혀놓고 시간이나 끌어보자는 느낌인데요. 아닙니까.

박 계장 시끄럽고. 니 느낌 따위 알고 싶지 않으니까, 묻는 말에 대답이나 해.

/ins. 국과수 DNA 분석실

이어, 키트에 분리한 시료들을 다시 증폭기에 넣는.

 # 취조실

지친 듯 한숨을 깊게 내쉬는 우호성의 모습에서.

51 ___ 국립과학수사연구소 복도 / 아침

출근하는 동료 연구원들, 초췌해 보이는 연구원1에게 "좋은 아침!" "밤새웠어?" 연이어 질문하며 지나가는데. 연구원1, 서둘러 걸으며 결과지 들고 있는 왼손으로 대강 손인사만 건네고는 오른손으로는 영수에게 전화하는.

52 ___ 경기지방경찰청 취조실 + 관찰실 교차 / 아침

영수, 길표, 태구, 하영도 지친 얼굴로 우호성을 지켜보는 중인 그 때. 영수의 핸드폰 진동이 울리고. 보면, 국과수 떠 있다.

영수 어? (기다린 듯 받으면)

일동 (영수 통화에 집중하고)

다시 관찰 유리 너머로 의미 없이 답하는 우호성을 잠시 비추는 데서. 하영, 태구, 길표 여전히 영수 통화에만 집중하고 있다. 이내 전화를 끊는 영수.

영수 (잠시 뜸 들이다가) 우호성 점퍼에서 혈흔이 나왔는데 야산에서 발견된 사체랑 DNA 일치한대요!

일동 !!

길표 (한시름 놓은) 인제 됐다.

영수 그리고 전소된 차량에서도 타다 만 여자 립스틱이 나왔다네.

하영 ?!, DNA는요?

영수 그건 확인이 안 됐나 봐. 일단 알고 있으라고.

태구 제가 들어가서 전달할게요.

영수 결과지 팩스 왔을 거예요.

태구 네. (하며 나가는)

길표와 영수 기뻐하는데, 하영 혼자 여전히 진지한 얼굴로 우호성을 보는.

영수 (그런 하영을 보며) 왜?

하영 립스틱이요. 추가 피해자 소지품일지 몰라요. 같이 자백받아야 합니다.

 # 취조실

문을 열고 들어서는 태구. 우호성과 시선 마주치고는 박 계장에게 조심스럽게 다가가 DNA 결과지를 건네며 귓속말하는데. 우호성, 잠시 불안한 듯 그 모습을 보다가, 취조실을 나가는 태구에게 시선 향한다. 일영, 태구가 두고 간 DNA 결과지 먼저 확인하는.

박 계장 (훗) 찾았어.

우호성 ?

박 계장 니가 그토록 외쳐대던 증거. (하며 DNA 결과지 보이며) 찾았다고.

우호성 !!

53 ___ 국립과학수사연구소 / 아침

불에 타다 만 다이어리에 약품 처리를 하는 연구원2. 이어, 우호성이 쓴 일기의 글씨가 드러나기 시작하고. '신미정'[2]이라고 적힌 피해자의 이름도 보이는!

2 1차 사건 미신고 실종자(11화, 씬18).

54 ___ 경기지방경찰청 취조실 + 관찰실 교차 / 아침

취조실

박 계장, 일영과 마주 앉아 있는 우호성.

우호성 방금 나간 윤태구 형사님 불러주시죠.

박 계장 꼼수 쓸 생각하지 말고 순순히 자백할 생각이나 해.

우호성 자백하겠습니다. 대신 윤태구 형사님 불러주세요.

일영 궁금해서 그러는데, 왜 윤태구 형사님이어야 하는 건데?

우호성 전에 대화해봤잖습니까. 그분이 더 편합니다. (박 계장 가리키며) 앞에 앉아 계신 형사님보다는.

박 계장 (마음에 안 드는 듯 보는데)

여전히 당당한 듯 박 계장을 응시하는 우호성.

관찰실

태구 자백받아올게요. (나가려는데)

하영 잠시요.

일동 (보면)

하영 제가 먼저 들어갈게요.

길표 니가?

하영 우호성한테 하고 싶은 얘기가 있어서요. 잠깐이면 됩니다.

길표 (의아한 듯 영수를 보면)

하영 저 혼자 들어가겠습니다.

영수 괜찮겠어?

하영 (끄덕이는 데서)

#취조실

우호성과 마주 앉아 있는 하영.

하영 기분이 어때.

우호성 무슨 기분이요.

하영 더 이상은 아니라고 발 뺄 수가 없잖아.

우호성 (상관없다는 듯) 증거들을 잘 찾으시네요.

하영 과학은 너보다 훨씬 더 영리하거든.

우호성 …

하영 (보다가) 수사 수준도 그렇고. (잠시) 너 같은 놈이 꿈꾸는 완전범죄 같은 건 없어.

우호성 (비웃듯 하는데)

하영 우호성.

우호성 (보면)

하영 잘 생각해.

우호성 뭐를요.

하영 끝까지 아들에게 뉘우치지도 않는 연쇄살인마로 남을 건지.

우호성 (그 말에 잠시 반응하는)…

하영 나와의 대화도 이제 더는 없을 거야.

우호성 별로 안 무서운데요.

하영 겁주려고 하는 얘기가 아니야.

우호성 (보면)

하영 니 얘길 들어줄 사람이 앞으로는 없을 거란 의미지.

우호성 …

하영 피해자가 여럿이라는 것도 알고 있어. 증거도 이제 다 나왔고.

우호성 사건 얘기하러 온 거 아니라면서요.

하영 아니지.

우호성　그럼 다른 얘기나 하세요.

하영　아니. 난 이미 니가 어떤 놈인지 다 알고 있어. 그래서 더는 궁금하지가 않아.

우호성　…

하영, 더 이상 우호성에게 시선을 주지 않고 취조실을 나가는 모습에서.

55 ___ 경기지방경찰청 화장실 / 낮

우호성 볼일 보는 중이고, 뒤에서 태구와 일영이 지켜보는.
돌아서는 우호성, 손을 씻다가

우호성　저 윤 형사님이랑 잠깐 단둘이 얘기 좀 하고 싶은데요.

일영　(태구를 보는데)

태구　괜찮아.

우호성의 손에 채워진 수갑 한쪽을 풀어 파이프에 걸어두고 나가는 일영.
우호성과 태구만 남아 있는 화장실.

태구　하고 싶은 말이 뭐야?

우호성　(뜸 들이다가) 형사님들 자백을 받아내는 게 생각처럼 쉽지가 않죠?

태구　(무슨 말을 하려는지 보면)

우호성　자백하는 사람도 마찬가지에요. (…) 그래서 고민이에요. (하며 태

구를 보는)

우호성을 지켜보는 태구의 모습 위로.

하영e 범인은 자백을 할 것인지 아닌지, 스스로 결정합니다.

태구e 어떻게 그 결정을 내리게 하죠?

하영e 너의 말을 어느 정도 이해한다는 느낌을 주는 게 좋아요. 게다가 우호성은 나르시시즘의 성향을 보이는 놈이니 라포를 형성하면 감정의 변화를 일으킬 겁니다.

태구 (우호성을 보며) 얘기하고 나면 오히려 마음이 편해질 수도 있어.

우호성 누가 편해지죠?

태구 너도 그렇고, 나도 그렇겠지.

우호성 과연 그럴까요?

태구 굳이 날 찾은 이유가 있을 거라 생각하는데. (잠시) 난 니가 무슨 얘길 하든, 들을 준비가 돼 있어.

우호성 (고민하는 듯 보는 데서)

56 ___ 경기지방경찰청 취조실 + 관찰실 교차 / 낮

태구를 앞에 두고, 여전히 망설이는 우호성.

태구 왜 그랬어.

우호성 … 사람을 죽이는 데 꼭 이유가 있어야 합니까?

태구 … 이유가 없었다?

우호성 (당연한 듯) 굳이 찾자면, 죽이고 싶었으니까요.

태구 … 몇 명이나 살해했지?

우호성, 다시 한참 답이 없고. 태구가 그런 우호성을 보며

태구 그 손. (우호성의 손 쪽으로 시선 향하는데)

우호성 (아직도 바지 주머니에 손을 넣고 있는)

태구 얼굴을 가리느라 꽤 애쓰긴 했는데, 아쉽지만 그 손은 못 감췄네.

우호성 (그제야 주머니에서 손을 빼는데)

태구 너도 내내 의식하고 있었잖아.

우호성 …

태구 (대화를 접으려는 듯 나갈 기세로) 나랑 얘기할 준비가 되면 다시 올게.

우호성 (보면)

태구 마음이 결정되면 얘기해.

우호성 (망설이는)

태구 (일어서 나가려고 하면)

우호성 (뜸 들이다가) 말하겠습니다.

 # 관찰실

관찰 유리 쪽 보며 일영에게 사인하는 태구가 보인다. 일영, 관찰실을 나가면, 이어 취조실로 들어서며 태구 옆에 앉는 일영이 보이고. 관찰실에서 그 모습을 지켜보는 하영, 영수와 자백받을 준비가 된 태구, 일영의 모습이 차례로 비춰지는 데서.

57 __ 몽타주

/(11화, 씬105) 풀숲 주위로 폴리스라인 둘러져 있고, 과학수사요원들 모여 땅을 파헤치는 중이다. 잠시 후, 여자의 머리카락이 드

러나는 그 위로.

우호성e 전 이제 사형입니까?
태구e 아마도.
우호성e 저 위에 올라가도(죽어도) 편친 않겠네요.
태구e (비웃으며) 천국이라도 꿈꾼 거야?

/(11화, 씬73) 토중동 버스정류장 앞. 얼굴이 다 가려진 채 형사들에게 둘러싸여 현장 검증 중인 우호성의 모습이 보인다. 그 위로,

우호성e 살인해야겠다고 마음먹은 날엔 꼭 실천에 옮겼습니다.
태구e 일곱 차례 다 계획했다는 얘기야?
우호성e 그럼요. 집에서 나올 때부터 이미 작정하는 거죠.
태구e 실패하면?
우호성e 실패한 적 없어요. 나와의 약속 같은 거라 어떻게든 꼭 실행합니다.

/취조실. PCL-R 검사 중인 우호성, 체크리스트 읽으며 하나씩 체크하는 모습 위로. "지난달 두 차례에 걸쳐 반사회적 인격장애 검사(PCL-R)를 진행한 결과 우 씨는 전형적 사이코패스에 해당하는 27점과 28점이 나왔습니다. 이는 죄책감이 없고 슬픔의 감정을 모르는-" 앵커 목소리 들리는 데서.

우호성e 난 내가 사이코패스인 거 알고 있었어요.
태구e 왜 그렇게 생각했는데?
우호성e TV에서 설명하는 걸 보니까 딱 나더라고요.

/(11화, 씬23) 씽씽 노래방 앞. 모자 깊게 눌러쓰고 안으로 들어가는 우호성의 모습 위로,

박 계장e 살인 충동을 언제 느끼는 거야?

우호성e 그건 말로 설명하기가 어렵고…

58 ___ 경기지방경찰청 취조실 / 저녁

태구, 일영 우호성과 마주 앉아 있다.

우호성 (일영 보며) 여자들 꼬시는 건 어렵지도 않아요. (우쭐해지는) 여자들이 다 날 좋아하거든.

일영 글쎄. 그건 니 착각 아니야?

우호성 와- 안 믿으시네. (괜히 태구 의식한 듯 허리를 펴고 앉는데)

태구 (보다 못해 무시하듯) 내 눈에도 그저 하찮은 쫌생이로밖에 안 보이는데, 우리가 그 말을 어떻게 믿겠어.

우호성 (발끈하면)

태구 (비웃고)

우호성 (태구 보란 듯이 일부러) 말 안 들으면 넥타이 풀어서 손발 다 묶어 버렸어요. 그럼 또 꼼짝 못 하지.

태구 (우호성을 경멸하듯 보는 데서)

59 ___ 회상. 노래방 안 / 밤

노래 반주만 흘러나오는 룸. 우호성과 30대 여 앉아 목소리 높여

가며 이야기 중이다.

30대 여　(크게) 노래 안 해요?!

우호성　얘기나 하죠!

30대 여　돈 아깝잖아요!

우호성　노래보다 앉아서 이렇게 대화나 나누는 게 더 즐거운데!

30대 여　그럼 저거라도 끄죠.

우호성　(웃으며, 30대 여 옆으로 가 앉고 반주를 끄는)

매너 있게 앉아 대화 나누는 두 사람의 모습이 즐거워 보인다. 어느새 화면에 '5분 남았습니다' 뜨고. "술 한 잔 더하죠" 우호성의 제안에 고개를 끄덕이는 30대 여.
이내 두 사람 방을 나가고.

60 ___ 회상. 술집 / 밤

화기애애한 분위기에서 술을 마시는 우호성.

61 ___ 회상. 우호성의 차 안 / 밤

스킨십 시도하려는 듯 30대 여의 머리카락을 쓸어내리는데. 부담스러운 듯 몸을 피하고 차에서 내리려는데, 30대 여를 잡는 우호성. 이어, 어느새 화를 내며 우호성의 손을 뿌리치는 30대 여의 모습에서.

62 ___ 회상. 우호성의 차 앞 / 밤

차에 기대 담배를 피우는 우호성. 그 뒤로, 차 안 보조석에 넥타이에 결박된 채 스타킹에 목이 졸려 늘어져 있는 시신(11화, 씬104 몽타주 야산의 시신 동)이 보인다.

앵커e 경기지방경찰청 수사본부는 지난 2월 실종된 여대생을 살해한 용의자 우 모 씨가 올해 초까지 7명을 살해 후 암매장했다는 자백을 얻어냈다고 밝혔습니다.

63 ___ 경기지방경찰청 앞 / 아침

모자와 마스크로 얼굴을 다 가린 채 송치되는 우호성과 앞다퉈 사진을 찍는 기자들의 모습 위로,

앵커e 한편 흉악범의 얼굴 공개를 둘러싼 논란이 벌어지고 있는 가운데, 시민 대부분은 '흉악범들의 신상을 공개해야 한다고 생각한다'며 살인마 우호성의 신상 공개에 찬성하는 것으로 나타났습니다.

64 ___ 서울지방경찰청 형사과장실 / 낮

준식 (통화하는데 다정한 투로) 길표야- 우리 애들 인제 빨리 보내줘. (사이) 그려. 너무 고생했다. (사이) 알지. 그넘 둘은 끝 아닐 겨. 서울청 와서도 우호성이 그놈 분석한다고 머리 싸맬 게 분명허지. (웃는 데서)

64-1 _ 경기지방경찰청 복도 / 낮

자판기 앞에서 커피를 뽑는 영수와 하영.

영수 마지막에 니가 직접 자백받으려고 들어간 줄 알았어.

하영 제가 왜요. 그건 윤 팀장님이 할 일인데요.

영수 (하영에게 먼저 나온 커피 건네며) 그렇지.

하영 (받고) 분석팀은 분석팀의 일을 해야죠.

영수, 대견한 듯 하영을 툭 한 번 치면,
자판기에서 또 다른 종이컵 툭 떨어지고 졸졸졸 커피가 채워지는 데서.

하영e 잘 생각해. (오버랩되는)

/ins. 회상. 씬54. 관찰실

관찰 유리 너머로 하영과 우호성의 대화를 지켜보는 영수, 태구, 길표. 스피커에서 두 사람의 대화가 들리는.

우호성 뭐를요.

하영 끝까지 아들에게 뉘우치지도 않는 연쇄살인마로 남을 건지.

우호성 (그 말에 잠시 반응하는)…

하영 나와의 대화도 이제 더는 없을 거야.

/다시 복도

커피 마시며 나란히 걸어가는 영수와 하영의 뒷모습 점점 멀어지는.

65 ___ 경기지방경찰청 광수대 회의실 + 회의실 앞 / 저녁

하영, 영수, 태구, 일영, 각자의 조촐한 짐이 들어 있는 작은 박스를 하나씩 들고 회의실을 나가고. 영수가 문 앞에 걸어둔 '여성연속실종사건 전담 수사본부' 팻말을 떼는데.

길표 다들 고생했어.

일동 (서로 고생하셨습니다 인사 나누고)

박 계장 이렇게 보낼라니까 괜히 아쉽네. (하며 하영 보는)

하영 (농담) 표정은 하나도 안 아쉬워 보이는데요.

영수 (농담) 그러게.

태구 (웃고)

박 계장 (하영 보며) 모르겠냐? 표정은 이래도 여기(표정) 희로애락이 다 있어. 지금은 시원섭섭하단 얘기고.

일영 또 보면 되죠. 서울청이랑 경기청 50분- (하려는데)

길표 (코웃음 치는) 야, 난 니네들 기대도 안 해.

영수 (길표 빤히 보며) 남 말 하셔. 나두.

박 계장 우리가 또 보려면… 사건… (하는데)

영수 (도리질) 아니야! 그럴 바엔 차라리 안 보는 게 나아요. (가슴 툭툭 치며) 서로의 추억은 그냥 여기 묻어두자고요.

하영 (태구 보며) 윤 팀장님도 한마디 하세요.

태구 (모두 한 번씩 눈에 담듯 보면)

일동 (무슨 말 하려나 기대하는데)

태구 이제 가죠.

일동 (싱거운 듯) 에이- 그래 고만 헤어집시다. (하며 가는데)

길표 (하영에게) 건강 잘 챙기고.

하영 네.

하영, 영수, 태구, 일영 돌아서 가는 뒷모습 보고 서 있는 길표와 박 계장의 모습에서.

66 ___ 팩트 투데이 사무실 / 낮

'경찰청, 프로파일러 공채 1기 모집 발표'라는 제목과 함께 '대한민국 경찰청이 변화를 앞두고 있다. 본격적으로 선진국 수사 방식을 따라가기 위해 프로파일러 공채 1기를 모집 공고를 낸 것을 시작으로-' 기사 쓰는 최 기자. 국장이 자리에서 일어나 그런 최 기자를 힐끔 보며, 혼잣말처럼 떠드는데.

국장 우호성 얼굴 공개 찬반으로 시끄럽다 시끄러워. (최 기자 들으라는 듯) 우리 신문사도 그런 기사 하나 걸어야 조회 수가 나올 텐데…

최 기자 (아랑곳 않고 본인 기사 쓰는)

국장 (그런 최 기자 보고는) 저번부터 계속 돈 안 되는 기사만… 어휴. (하고 나가는)

최 기자, 애써 모른 척하다가 국장이 나가는 모습을 한 번 힐끔 내다보고는 이내 한숨을 푹 쉬고.

67 ___ 토중동 버스정류장 / 낮

인부 두 명이 현수막(11화, 씬23)을 떼고 있고, 하영과 영수가 건너편에서 그 모습을 지켜보고 있다. 인부 옆으로 유가족으로 보이는 교복 입은 앳된 여학생(딸/15세)과 노부모도 눈물을 흘리며 그 모습을 지켜보는 중인데. 이내 떼어낸 현수막을 여학생에게 고이 접어 건네면, 유가족 모두 더 격하게 눈물을 흘리기 시작하고.
지켜보던 하영, 영수가 마음 아픈 듯 자리를 떠나려는 데서, 여학생이 두 사람을 향해 감사하다는 듯 고개 숙여 인사한다.

68 ___ 서울지방경찰청 외경 / 아침

69 ___ 분석팀 / 아침

사무실 들어서는 하영을 덥석 포옹하는 우주.

우주 저 혼자 너무 외로웠어요.
영수 (우주 보며) 나는?
우주 (웃으며) 과수계 병행하시느라 자주 오셨잖아요.
영수 그런 거지?
우주 네.
하영 질투해요?
영수 하면 안 돼?
하영 (갸웃) 하세요.
우주 (그런 두 사람을 보며 웃고)
하영 (다시 진지하게) 면담할 수감자 목록은 업데이트됐어?
우주 당연히 다 준비해뒀죠.
하영 (영수 보며) 내일부터 바로 시작하죠.
영수 내일?
하영 (끄덕이고)

영수 (잠시 고민하다가) 그러자. (하면)

세 사람, 자연스럽게 자리에 앉는 모습에서.

70 ___ 서울지방경찰청 형사과장실 / 아침

준식에게 복귀 보고하는 태구와 일영.

준식 고생들 했어.

일영 역시 집이 최곤가 봐요. 여기 오니까 너무 편하네.

태구 (웃으며) 그렇게 말하면 허 과장님이 꼭 구박한 거 같잖아.

준식 구박했어!? 그놈이!?

태구/일영 (웃고)

태구 저희 내일부터 투입될 사건 배당해주세요.

준식 괜찮겠어?

태구 그럼요.

일영 (태구 보며) 근데 왜 내일이에요?

준식 하루는 쉬어야지- (하는데)

태구 (당연한 듯) 그게 아니고, 오늘은 분석팀이랑 우호성 범죄행동분석 회의 같이하기로 했어요.

그럴 줄 알았다는 듯 미소 보이는 준식.

71 ___ 분석팀 / 낮

모여 앉아 회의하고 있는 하영, 영수, 태구, 일영, 우주.
칠판에 7건의 우호성의 범행 지역을 표시한 지도가 붙어 있다.

영수 우호성은 구영춘처럼 자신의 범행에 대해서 허풍을 떨거나, 남기태처럼 소통이 서투른 타입도 아니었어.
태구 말 한마디에도 자신감이 넘쳐요.
하영 다들 그 가면에 속은 거예요.

/ins. 우호성의 집 앞 (11화, 씬26)
콧노래 하며 세차하는 우호성을 보며 지나가는 이웃들, 한 번씩 친근하게 인사하는 모습 위로.

일영e 이웃들이 우호성을 친절하고 성격 좋은 사람으로 알고 있더라고요.
태구e 차에 인형을 두고, 강아지와 함께 찍은 사진을 비치한 것도 같은 맥락이겠네요.

/다시 분석팀
일영 머리가 좋다고 봐야 하나.
영수 그렇죠. 계획성도 있었으니까.
하영 살인 동기나 범행 대상에 대한 규칙성도 없어요.
우주 (자료 보며) 범행 대상의 일정한 패턴도 없네요. 피해자가 20대부터 50대까지예요.
태구 제가 볼 땐 단지 성적 욕구 때문에 살인을 벌인 건 아닌 것 같아요. 교류가 있는 여성과의 만남에서도 마지막엔 살인을 시도했으니까.
일동 (씁쓸한 표정에서)

우주 사진에 찍힌 강아지도 죽였다면서요.

일영 으…

우주 동물 살해 말고 구영춘이나 남기태와의 공통점은 없어요?

영수 살인을 거듭하면서 발전했다는 공통점이 있지. 갈수록 손쉽게 피해자를 유인하고, 범행을 저질렀으니까.

하영 살인이 반복되면서 피해자의 휴대폰 전원을 끄는 시간도 단축됐고.

태구 대담해지기도 했죠.

일동 (보면)

하영 마지막 사건의 납치 장소는 우호성의 집과 가까운 곳이었어요.

우주 (지도 보며) 그러네.

일영 피해자 체크카드로 현금까지 뽑았잖아요.

태구 그 오만함 덕분에 잡을 수 있었네요.

하영 보통 성적 쾌락형 연쇄살인범들은 피해자의 소지품을 전리품으로 챙깁니다. 그런데 우호성은 그것조차도 증거가 될까 싶어 태웠어요.

일영 지 딴엔 완전범죄를 실행한 줄 알았겠죠?

하영 완전범죄를 실행하고 있다는 스스로에게 더 취했던 거죠.

영수 자신감에 가득 찼을 때, 실수를 하는 거지.

하영 우리한테는 그 순간을 놓치지 않는 게 중요한 것 같아요.

각자 하영의 말을 새겨보는 얼굴에서.

cut to

저녁. 영수와 하영만 남아 있는 사무실.

하영이 페이지마다 컬러 인덱스들 잔뜩 붙어 있는 『마음의 사냥꾼』을 영수에게 보이고.

하영　덕분에 여기까지 왔어요.

영수　고생했다 우리 진짜. 앞으로도 더- (고생, 하려는데)

하영　(눈치채고, 웃으며 말을 자르는) 저녁이나 먹고 가시죠.

영수와 하영 웃으며 "뭐 먹을까?" 하며 나가는 데서. 암전.

72 ___ 서울지방경찰청 강당 / 아침

아무도 없는 강당. 서울지방경찰청 강당.
'범죄행동분석팀 범죄분석관 1기 임명식' 현수막 걸려 있다.

73 ___ 거리 일각 / 아침

어딘가로 향하는 하영과 영수의 모습이 보인다.

하영　누구한테 잘 보이려고 그래요?

영수　누구긴 누구야. 분석팀 꿈나무들이지. 너 안 설레?

하영　안 설레는데요.

영수　이제 나 말고 다른 데로도 시선 좀 돌려라 제발.

하영　(기가 찬) 뭐요?

영수　내 잔소리만 좋아하지 말고. 분석팀 꿈나무들한테도 그 정 나눠주라고.

하영　(도리질하는데)

이내 블루클럽 앞에서 발길을 멈추는 하영과 영수.

영수　(매장 보며) 비타민 케어가 그렇게 좋대.

74 ＿ 블루클럽 안 / 아침

하영, 비타민 케어받는 영수를 뒤에서 흐뭇하게 지켜보고 앉아 있다.

직원　(영수에게 설명하는) 술 많이 드시죠?
영수　(놀란) 어떻게 아셨어요?
직원　(미소) 저희가 잦은 음주로 혈액 순환이 안 되거나 특히 스트레스로 기분 전환이 필요한 고객님들께 추천해드리는 케어예요.
영수　벌써 시원하네-

75 ＿ 카페 / 낮

임무식과 마주 앉아 있는 최 기자.
임무식 앞에는 커피, 최 기자 앞에는 생크림 가득 올린 음료 놓여 있다.

임무식　(거만한 투로) 다시 안 올 제안인 거 알지.
최 기자　(듣는 둥 마는 둥 생크림 먼저 마시는) 네.
임무식　그 태도는 뭐야?
최 기자　아쉬워서요.
임무식　뭐가?
최 기자　한발만 빨랐어도, 제가 고민이라도 좀 해봤을 거 같거든요.

임무식　한발?

최 기자　(마시며) 저 인터넷 신문사 차렸거든요.

임무식　(소리 내 크게 웃고)

최 기자　(마시던 음료를 내려놓는) 왜요?

임무식　(무시하는) 인터넷 신문? 그것 때문에 메이저 언론사 스카웃 제의를 거절한다고?

최 기자　(의미심장하게) 선배.

임무식　(보면)

최 기자　(웃으며) 나 이제 대표예요.

임무식　(웃고) 너의 용기와 무모함까지 내가 다 응원한다.

최 기자　이다음엔 제가 선배한테 스카웃 제의할게요.

웃는 두 사람의 모습에서.

75-1 _ 팩트 투데이 사무실 / 낮

최 기자, 빈 박스에 본인 물건 챙기는 중인데,
국장, 옆으로 다가와 작은 화분 하나를 책상에 내려놓는다.

최 기자　가는 마당에 뭐예요?

국장　(아쉬운) 사무실도 제대로 없이 시작한다며. 그래서 작은 걸로 준비했다.

최 기자　(화분 들어보는데 가볍고) 오 센스. (하다가) 국장, 아니 선배. 근데 고기랑 술이 더 좋은 거 알죠?

국장　알았다 알았어. 연락해.

최 기자　만났을 때 내 얼굴 너무 좋아졌다고 놀라진 말구요.

국장 왜?

최 기자 조회 수 타령하는 국장 없으니까.

국장 (웃는)

최 기자 (짐 다 챙겼고, 화분도 같이 들고) 갈게요.

국장 (아쉬운 듯) 이리 줘봐, 차에 실어줄게.

최 기자 (도리질) 에이- 됐어요. 이 정도는 껌이지. 괜히 아쉽다고 질척이지 말고, 쿨하게 보내줘요.

국장 (웃으며) 알았다.

최 기자 저 가요. (박스 들고 홀가분한 얼굴로 나가는)

76 ___ 서울지방경찰청 강당 / 아침

제복 갖춰 입은 경찰들 줄 맞춰 앉아 있고, '범죄행동분석팀 범죄분석관 1기 임명식' 현수막 아래 하영, 영수와 악수를 주고받는 16명의 공채 요원 뒷모습이 보인다.

cut to

단상에서 격려사 하는 영수.

영수 열 길 물속보다 알기 어려운 것이 사람의 마음이라고 했습니다. 그런데 그 알기 어려운 일을 해야만 하는 사람들이 있죠.

77 ___ 몽타주

/(3화, 씬8) 교도소 접견실. 나란히 앉아 수감자를 기다리는 하영

과 영수. 테이블에 서류와 함께 구식 녹음기 놓여 있고, 영수가 녹음기 만지작거리는 모습 위로.

영수na 하물며, 다른 누구도 아닌 '범죄자'의 마음을 읽어야 하고, 때로는 그 많은 범죄자 중에서도, 악의 정점에 선 연쇄살인범들의 마음을 읽기 위해 고군분투합니다. 그들이 바로 여러분입니다.

/(5화, 씬8 인서트) 강아지 해맑게 따라가는 수현이를 지켜보는 하영의 모습 위로.

영수na 흔히들 천사와 악마는 한 끗 차이라고 했습니다. 그렇다면, 평범하고 당연한 일상을 사는 대부분의 마음과-

/(5화, 씬7) 구치소 복도. 교도관을 따라 낡은 구치소 복도를 어눌하게 걷는 조현길. 면회실 앞에 다다르며 안에서 자신을 기다리는 하영과 영수를 보는데.

영수na 살인이라는 극악한 범죄를 저지르는 악의 마음은 어디에서부터 엇갈렸을까요. 무엇이 그들을 그토록 악하게 만들었는지 우리는 그런 원초적 질문에서 시작합니다.

/분석팀 (다른 날) 그동안 스케치해둔 피해자들의 그림을 한 장씩 넘겨보는 우주의 모습 위로.

하영na 어지러운 세상의 드라마보다 더 드라마 같은 현실 속에서 우리가 악마와 다를 수 있는 건, 어쩌면 인간의 마음을 어루만질 수 있다는 데 있을지 모릅니다.

78 __ 서울지방경찰청 강당 / 아침 (씬76에 이어)

단상에서 격려사를 이어가는 하영.

하영　저는 여러분이 이 일을 통해서 그것이 얼마나 고귀하고 중요한 것인지 다시금 생각할 수 있었으면 합니다. 더해 자신의 마음까지 보듬을 수 있는 존재가 되길 바랍니다. 저 역시도 이 일을 통해 귀한 경험과 마음들을 깨달을 수 있었기 때문입니다.

79 __ 한정식집 / 저녁

테이블에 코스별 메뉴가 하나씩 놓여지고, 영신과 하영이 어색하게 마주 앉아 있다. 그러면서도 영신은 마냥 좋은 얼굴.

영신　이런 데 비싸지 않아? 난 그냥 된장찌개 같은 거 먹어도 되는데.

하영　그건 집에서 매일 드시잖아요.

영신　(접시에 놓인 음식 데커레이션 보며) 어머- 예뻐라. 이걸 아까워서 어떻게 먹어?

하영　자주 같이했어야 하는 데 죄송해요.

영신　아냐. 너무 자주 하면, 또 이만큼 귀한 마음이 안 생겨. (좋아하는)

하영　겨우 저녁 한 끼인데요.

영신　겨우라니. 그게 얼마나 귀한데.

하영　(아이처럼 좋아하는 영신을 보며) 그래도 더 자주 먹어요. 앞으론.

80 __ 그린빌라 앞 / 낮

커다란 SUV에서 내리는 우주와 최 기자.

차에서 옷가지, 이불, 선풍기 등 간단한 이삿짐들 빌라 앞에 내려 놓으며 툴툴대는.

우주 아니 도대체 니 이사를 왜 내 일정에 맞추냐고.

최 기자 니가 이사하라는 동네로 왔으니까. 어딘 강도 사건 많아서 안 되고, 또 어딘 빈집털이가 많아서 위험하고, 어디는 늦은 밤 폭력 사건 많으니 안 되고. 내가 무슨 수도 고르는 왕이라도 된 줄 알았어.

우주 내가 하는 일이 그런 걸 어떡하냐.

최 기자 너 보면 많이 아는 것도 병이야.

우주 그래도 덕분에 안전한 데로 왔잖아. 통계상 이 동넨 강력범죄 발생률이 다른 동네보다 50퍼센트가 적고, 무려 아래층엔 광수대 형사님이 거주하는 데라고.

최 기자 그래서 남 형사님은 언제 오시는데- (하는데)

일영 (어느새 도착해) 왔어요, 왔어.

우주 양반은 못 되시네.

최 기자 우리 빨리 옮기고 밥 먹어요.

이삿짐 옮기기 시작하는 일영, 우주, 최 기자.

81 __ 그린빌라 앞 / 저녁

양손에 휴지 들고 빌라 안으로 들어가는 하영과 영수.

82 ___ 곱창집 / 저녁

곱창 포장하고 있는 일영.

83 ___ 그린빌라 최 기자의 집 / 저녁

얼추 정리된 최 기자의 거실에서 하영, 영수, 태구, 일영, 우주, 최 기자가 다 같이 곱창 먹으며 콜라와 맥주를 마시는.

태구　곱창이 포장도 되네.

일영　요즘엔 이렇게 포장 가능하더라고요.

최 기자　완전 맛있어요!

영수　구워서 포장해 오니까 편하고 좋다.

우주　이사로 바닥난 체력 이렇게 보충하네요.

하영　(콜라 따르며) 다들 천천히 드세요. 많이 사 오신 거 같은데.

하며, 화기애애한 분위기 이어지고.

cut to

현관 앞에서 차례로 신발을 신는 하영, 영수, 태구, 일영, 우주.

최 기자　와주셔서 감사해요.

영수　초대해줘서 우리가 고맙죠.

최 기자　그럼 또 놀러 오세요!

우주　적당히 눈치 챙겨라.

하영　왜. (하며) 또 봐요.

최 기자 (좋아하는데)

태구 일영이 이웃 된 거 축하하고, 사업도 번창하세요.

일영 우린 종종 봐요.

최 기자 넵! 제가 맥주 땡길 때 호출하겠습니다.

영수 갈게요. 쉬어요!

모두 나가고, 거실에 대자로 누워 천장을 바라보며 즐거워하는 최 기자의 모습에서.

84 __ 그린빌라 앞 / 밤

달빛이 환하고.

일영 우리 이렇게 사건 아닌 일로 다 같이 모인 거 처음이지 않아요?

영수 (좋은 듯 하늘을 보며) 그러게. 이야- 달도 밝다.

태구 (보며) 보름달이 엄청 크네요.

하영 (따라 보는데) 안 취한 사람은 이런 분위기 좀 오그라드는 거 알라나.

우주 우리 다 같이 소원 빌까요?

영수 (갸웃) 너 보름달만 보면 소원 비는 주사 있지?!

우주 (당당히) 네!

하는데, 다들 정말 소원이라도 비는 듯 하늘에 뜬 달을 멍하니 바라보는 모습에서.

85 ___ 태구의 집 마당 / 밤

흔들의자에 앉아 보름달을 올려다보는 태구.

86 ___ 도심 일각 / 밤

바쁘게 집으로 돌아가는 사람들 사이에서 걸음에 호흡을 맞추려는 듯 속도를 내다가, 점점 천천히 걷기 시작하는 영수. 잠시 멈추고. 이내 핸드폰 꺼내 들어 단축번호 '1'을 길게 누르면 화면에 '나의 미연' 뜨는.

영수　(핸드폰 밖으로 애들 떠드는 소리 들리고) 뭐가 그렇게 재밌어. (사이) 나는 술 한잔하고 이제 집에 들어가는 중이야. 응. (사이) 공항 도착이 몇 시랬지?

통화하며 다시 빠르게 걷는 영수가 바지 주머니에서 라이터를 꺼내 쓰레기통에 툭! 던져 넣고 가는 데서.

87 ___ 서울지방경찰청 외경 / 밤

건물 높이 붙어 있는 서울지방경찰청 글자와 늦은 밤에도 여전히 환하게 불을 밝히고 있는 사무실들 비춰지고.

88 ___ 분석팀 / 밤

(씬87과 대조적으로) 휑한 기운 느껴지는 어두컴컴한 사무실.
잠시 후. 뚜벅뚜벅 문밖에서부터 걸음 소리 들려오고.
이내 사무실 문이 열리면서 모습을 드러내는 하영.
어둠 속에서도 익숙한 듯 잠시 공간을 둘러보다가… 이내 사무실 불이 탁 켜지고!
다시 결의에 찬 얼굴로 서 있는 하영의 모습에서!!!!

89 __ 에필로그

교도소에서 TV를 보고 있는 수감자들. TV 화면에 하영의 인터뷰하는 장면이 나오는 중이다.

하영 오랜 시간 동안 해결되지 않은 대성연쇄살인사건의 범인이 어딘가에서 이 방송을 보고 있다면 꼭 전하고 싶습니다. 과학은 날로 발전하고 있고, 세상에 완전범죄라는 건 없다고요. 그러니 반드시 잡힐 거라고.

그 아래 '과학수사계 범죄행동분석팀장 송하영' 떠 있고.
하영을 보며 '송하영' 기억하려는 듯 혼잣말하는 수감자의 모습에서!

KI신서 10154

악의 마음을 읽는 자들 2 : 설이나 대본집

1판 1쇄 발행 2022년 03월 23일
1판 4쇄 발행 2023년 12월 01일

지은이 설이나
펴낸이 김영곤
펴낸곳 (주)북이십일 21세기북스

콘텐츠개발본부이사 정지은
인생명강팀장 윤서진 **인생명강팀** 최은아 강혜지 황보주향 심세미
디자인 표지 this-cover.kr **본문** 제이알컴
출판마케팅영업본부장 한충희
마케팅2팀 나은경 정유진 박보미 백다희 이민재
출판영업팀 최명열 김다운 김도연
제작팀 이영민 권경민

출판등록 2000년 5월 6일 제406-2003-061호
주소 (10881) 경기도 파주시 회동길 201(문발동)
대표전화 031-955-2100 **팩스** 031-955-2151 **이메일** book21@book21.co.kr

(주)북이십일 경계를 허무는 콘텐츠 리더

21세기북스 채널에서 도서 정보와 다양한 영상자료, 이벤트를 만나세요!
페이스북 facebook.com/jiinpill21 **포스트** post.naver.com/21c_editors
인스타그램 instagram.com/jiinpill21 **홈페이지** www.book21.com
유튜브 youtube.com/book21pub

ISBN 978-89-509-9997-1 04680
978-89-509-9998-8 04680 (세트)